Originaire de Dublin, **Cecelia Ahern** publie son premier roman, *P.-S. : I Love You*, à l'âge de vingt et un ans. Le succès ne se fait pas attendre et ce best-seller est adapté au cinéma. Ses livres sont aujourd'hui traduits dans le monde entier.

Pour plus d'informations sur ses publications, rendez-vous sur son site Internet à l'adresse suivante : www.cecelia-ahern.com

Du même auteur, chez Milady :

Les Jours meilleurs
Le Joueur de billes

Du même auteur, chez d'autres éditeurs :

P.-S. I Love You, Albin Michel, 2008
Un cadeau du ciel, Flammarion, 2009
Merci pour les souvenirs, Flammarion, 2010
La Vie et moi, Flammarion, 2012
Tombée du ciel, Flammarion, 2014

Cecelia Ahern

Les Jours meilleurs

Traduit l'anglais (Irlande) par Fabienne Vidallet

Milady

Milady est un label des éditions Bragelonne

Titre original : *One Hundred Names*

Originellement publié en Grande-Bretagne
par HarperCollins Publishers

ISBN : 978-2-8112-3225-2

Bragelonne – Milady
60-62, rue d'Hauteville – 75010 Paris

E-mail : info@milady.fr
Site Internet : www.milady.fr

Pour mon oncle, Robert (Hoppy) Ellis.
Nous t'aimons. Tu nous manques.
Merci pour les souvenirs.

Chapitre premier

On la surnommait la Tombe. Quels que soient les secrets et les informations, personnelles ou non, qui lui étaient confiés, elle ne les révélait jamais. Avec elle, on était en sécurité : elle ne jugeait jamais personne, ou alors elle se gardait bien de le dire. Elle portait un prénom qui lui allait à merveille, synonyme de persévérance et de courage, et son diminutif était parfait aussi ; elle était solide, stable, ferme, stoïque, et étrangement réconfortante. C'était bien pour ça que lui rendre visite dans un endroit pareil était déchirant. Littéralement déchirant. Kitty ressentait une douleur dans la poitrine, au cœur précisément. Cette douleur s'était manifestée au moment où elle avait envisagé cette visite ; elle s'était déployée une fois Kitty sur place et s'était installée devant l'assurance que ce n'était ni un rêve ni une fausse alerte, mais bien la vie dans ce qu'elle a de plus tragique : cette confrontation directe avec la mort, face à laquelle elle allait perdre.

Kitty se fraya un chemin dans la clinique privée, empruntant l'escalier plutôt que l'ascenseur, se trompant délibérément de direction, laissant aimablement passer les autres dès que l'occasion s'en présentait, surtout s'il s'agissait de patients qui avançaient à la vitesse d'escargots, cramponnés à leur déambulateur ou à leur perfusion. Tous les regards étaient braqués sur elle à cause de l'état dans lequel elle était, et accessoirement parce que cela faisait dix fois qu'elle repassait au même endroit. Elle faisait volontiers la conversation : elle était prête à tout pour retarder l'arrivée dans la chambre de Constance. Sa stratégie d'évitement finit par atteindre ses limites lorsqu'elle parvint à un cul-de-sac circulaire avec quatre portes. Trois d'entre elles étaient ouvertes, et occupants et visiteurs étaient bien visibles de l'extérieur. Mais Kitty n'avait pas besoin de leur jeter un coup d'œil pour savoir où elle devait se rendre. Elle avait parfaitement mémorisé le numéro de la chambre de son amie et mentor. Elle fut soulagée de se retrouver face à une porte close, ce qui lui permit de différer son entrée d'une seconde supplémentaire.

Elle frappa un coup léger, trop léger : elle voulait faire l'effort de lui rendre visite tout en espérant que personne ne l'entendrait. Elle pourrait ainsi repartir et affirmer, l'esprit tranquille, qu'elle avait fait de son mieux. Ce qu'il lui restait de conscience lui soufflait que cette attitude manquait cruellement de courage et d'honnêteté. Son cœur battait à tout rompre et les semelles de ses chaussures couinaient sur le linoléum tandis qu'elle se dandinait d'un pied sur l'autre. L'odeur la rendait malade. Elle détestait cette odeur d'hôpital. La nausée la submergea. Elle prit une profonde inspiration et pria pour se ressaisir, ce que les adultes étaient supposés faire pour surmonter ce genre de situation.

Tandis que Kitty s'absorbait dans la contemplation de ses pieds en respirant lentement, la porte s'ouvrit et elle se retrouva nez à nez avec une infirmière. Dans le lit derrière, Constance n'était plus que l'ombre d'elle-même. Kitty cligna des yeux une fois, deux fois, et à la troisième elle comprit qu'elle devait prendre sur elle : laisser deviner son effroi ne ferait aucun bien à Constance. Elle essaya de trouver quelque chose à dire, mais les mots lui manquèrent. Elle n'avait rien de drôle, rien de banal, rien de rien à dire à cette femme qui était son amie depuis dix ans.

— Je n'ai jamais vu cette personne de ma vie, claironna Constance avec l'accent français dont elle n'était jamais parvenue à se débarrasser même après trente ans passés en Irlande, d'une voix était étonnamment puissante, assurée et ferme, comme toujours. Appelez la sécurité et mettez-la dehors tout de suite.

L'infirmière sourit, ouvrit la porte en grand et regagna le chevet de Constance.

— Je reviendrai, dit Kitty.

Elle pivota pour se trouver face à tout un attirail hospitalier ; elle tourna de nouveau sur elle-même à la recherche de quelque chose de normal, quelque chose d'ordinaire et de quotidien sur lequel elle pourrait se concentrer ou qui pourrait lui faire croire qu'elle ne se trouvait pas dans cette clinique puante, avec son amie en train de mourir.

— J'ai presque fini, annonça l'infirmière en glissant un thermomètre dans l'oreille de Constance. Il ne me reste qu'à prendre votre température.

— Entre. Assieds-toi, ordonna Constance avec un geste en direction du fauteuil placé à côté de son lit.

Kitty était incapable de la regarder dans les yeux. Elle savait que c'était discourtois de sa part, mais ses yeux allaient et venaient, comme attirés par des forces magnétiques vers des objets ne lui rappelant pas la maladie. Elle se concentra donc sur les cadeaux qu'elle avait en main.

— Je t'ai apporté des fleurs.

Elle chercha autour d'elle un endroit où les poser.

Constance haïssait les fleurs. Elle les laissait mourir dans leur vase chaque fois qu'on lui en offrait, que ce soit pour acheter ses faveurs, s'excuser ou embellir son bureau. Kitty le savait pertinemment, mais ces fleurs lui avaient permis de gagner du temps : il y avait une queue immense chez le fleuriste.

— Oh, intervint l'infirmière. La sécurité aurait dû vous dire que les fleurs sont interdites dans le service.

— Bon. Aucun problème. Je vais m'en débarrasser, répondit Kitty en se levant, soulagée de pouvoir s'échapper.

— Je vais les déposer à la réception et vous pourrez les emporter chez vous. Ce serait dommage de perdre un aussi beau bouquet.

— Heureusement que j'ai aussi apporté des cupcakes, dit Kitty en sortant une boîte de son sac.

L'infirmière et Constance échangèrent de nouveau un regard.

— Vous plaisantez. Pas de cupcakes non plus ?

— Le chef préfère que les patients ne mangent que ce qu'il a cuisiné.

Kitty tendit les pâtisseries de contrebande à l'infirmière.

— Vous les rapporterez chez vous aussi, constata cette dernière en riant. Tout va bien, dit-elle à l'adresse de Constance.

Les deux femmes échangèrent un regard entendu, comme si ces trois mots avaient un tout autre sens – obligé – étant donné qu'elle n'allait pas bien du tout. Le cancer était en train de la dévorer. Ses cheveux avaient recommencé à pousser en plaques inégales, ses côtes saillaient sous l'informe chemise de nuit d'hôpital et des tubes et des câbles serpentaient depuis ses bras maigres et couverts d'hématomes.

— J'ai bien fait de ne pas lui parler de la cocaïne planquée dans mon sac, fit remarquer Kitty au moment où l'infirmière fermait la porte derrière elle, et elles l'entendirent rire à gorge déployée dans le couloir. Je sais que tu détestes les fleurs, mais j'ai paniqué. Je voulais t'apporter du vernis doré, de l'encens et un miroir – je trouvais ça drôle.

— Pourquoi est-ce que tu ne l'as pas fait ?

Les yeux de Constance étaient toujours d'un bleu étincelant. Si Kitty parvenait à ne se concentrer que sur eux et sur leur éclat vif, elle pouvait presque oublier le visage émacié qui leur servait d'écrin. Presque.

— Parce que je me suis dit que ce n'était pas si marrant, au final.

— Ça m'aurait fait rire.

— La prochaine fois, alors.

— Ça ne me fera pas rire, parce qu'il n'y aura pas l'effet de surprise. Ma chère…

Constance tâtonna en quête de la main de Kitty, dans laquelle elle glissa la sienne, maigre et abîmée, que Kitty serra, sans parvenir à la regarder.

— … je suis tellement contente de te voir, acheva Constance.

— Je suis désolée d'être en retard.

— T'en as mis du temps.

— Les embouteillages…, commença Kitty.

Mais l'heure n'était pas à la plaisanterie. Elle avait un mois de retard.

Il y eut un silence et Kitty comprit qu'il était temps pour elle de s'expliquer.

— Je hais les hôpitaux.

— Je sais. On appelle ça la nosocomephobie.

— Qu'est-ce que c'est ?

— La peur des hôpitaux.

— Je ne savais pas qu'il y avait un mot pour ça.

— Il y a un mot pour tout. Je suis incapable d'aller à la selle depuis deux semaines ; ça s'appelle le syndrome du plancher pelvien spastique.

— Il y a quelque chose à écrire là-dessus, s'exclama Kitty, l'esprit en alerte.

— Pas question. Mes histoires de rectum ne regardent que moi, toi, Bob et le gentil médecin que j'autorise à m'ausculter les fesses.

— Non, je parlais d'un article sur la phobie des hôpitaux. C'est intéressant.

— Pourquoi ?

— Imagine que quelqu'un de vraiment malade en souffre et refuse de se faire soigner.

— On peut toujours se faire soigner à domicile. Tu parles d'un sujet.

— Et une femme sur le point d'accoucher ? Elle fait les cent pas devant l'hôpital sans pouvoir se résoudre à entrer.

— Elle n'a qu'à accoucher dans une ambulance, ou chez elle, ou dans la rue, répondit Constance en haussant les épaules. J'ai écrit un article il y a longtemps sur une femme au Kosovo qui a accouché alors qu'elle se cachait. Elle était toute seule et c'était son premier enfant. On ne les a trouvés qu'au bout de quinze jours, en parfaite santé tous les deux et très heureux. En Afrique, les femmes accouchent dans les champs, puis elles retournent travailler aussitôt. Dans certaines tribus, elles dansent pour faire sortir leurs bébés. Le monde occidental est complètement à la ramasse avec la naissance, dit-elle en agitant la main, alors qu'elle-même n'avait jamais eu d'enfant. Là-dessus aussi, j'ai publié un article.

— Un médecin incapable d'aller bosser...

Kitty ne lâchait pas son idée.

— C'est ridicule. Il perdrait son boulot.

Kitty éclata de rire.

— Merci pour ton honnêteté – comme d'habitude. (Son sourire disparut et elle reporta son attention sur la main de Constance dans la sienne.) Et un article sur une femme dont la meilleure amie est malade et qui ne va pas lui rendre visite ?

— Mais tu es là, et je suis contente de te voir.

Kitty déglutit.

— Tu n'as rien dit.

— À quel sujet ?

— Tu sais bien…

— J'ignorais si tu voulais qu'on en discute.

— Pas vraiment.

— Affaire réglée.

Le silence s'installa. Kitty finit par lâcher :

— Je suis traînée dans la boue dans la presse, la radio, partout…

— Je n'ai pas lu les journaux.

Kitty décida d'ignorer la pile de magazines posée sur le rebord de la fenêtre.

— Où que j'aille, tout le monde me montre du doigt en murmurant. Je suis devenue l'ennemi public numéro un.

— C'est le prix à payer pour être sous le feu des projecteurs. Tu es une star de la télé maintenant.

— Je ne suis pas une star de la télé, mais une pauvre idiote qui s'est donnée en spectacle à la télé. Ce n'est pas tout à fait la même chose.

Constance haussa de nouveau les épaules : il n'y avait pas de quoi en faire un drame.

— Tu m'avais déconseillé d'accepter ce boulot. Ce n'est pas l'heure du : « Je te l'avais bien dit » ?

— Je ne dis jamais ça. Ça ne sert à rien.

Kitty lâcha la main de Constance et demanda à voix basse :

— Est-ce que je suis virée ?

— Tu n'as pas parlé à Pete ?

Constance avait l'air en colère contre son rédacteur en chef.

— Si. Mais je dois l'entendre de ta bouche. C'est plus important.

— La position d'*Etcetera*, qui t'a embauchée comme journaliste, n'a pas changé, répondit fermement Constance.

— Merci, murmura Kitty.

— Je t'ai soutenue dans *Trente minutes* parce que je sais que tu es une bonne journaliste et que tu as le potentiel pour devenir excellente. Il arrive à tout le monde de se tromper, personne n'est parfait. Mais il faut apprendre de nos erreurs pour devenir de meilleurs professionnels et, plus important encore, de meilleures personnes. Est-ce que tu te souviens de l'histoire que tu as essayé de me vendre quand tu t'es présentée à l'entretien d'embauche, il y a dix ans ?

Kitty éclata de rire et fit une petite grimace.

— Non, mentit-elle.

— Bien sûr que si. Bon, si tu ne veux pas la raconter, je vais le faire. Je t'ai demandé : « Si vous pouviez m'écrire n'importe quel article, qu'est-ce que vous choisiriez ? »

— Tu n'as vraiment pas besoin de me le rappeler. J'étais là, je te signale, protesta Kitty en rougissant.

— Tu m'as répondu, poursuivit Constance en ignorant sa remarque : « J'ai entendu parler d'une chenille qui ne parvient pas à se transformer en papillon… »

— Oui, oui, je sais.

— Tu m'as dit que tu voulais analyser ce que ça faisait de se voir refuser une chose aussi belle. Savoir ce que ça lui faisait de voir les autres chenilles devenir des papillons tout en sachant que ça ne lui arriverait jamais, à elle. Ce jour-là, c'étaient les élections présidentielles américaines, et un navire de croisière venait de couler avec à son bord quatre mille cinq cents personnes. J'ai reçu douze journalistes pour ce poste, et tu as été la seule à ne parler ni politique ni naufrage, ni à me dire que tu rêvais de passer une journée en compagnie de Nelson Mandela. Tu étais inquiète pour cette pauvre chenille.

Kitty sourit.

— Je sortais tout juste de l'université. Je crois que j'avais encore trop de cannabis dans le sang.

— Non, murmura Constance en saisissant la main de Kitty. Tu as été la seule ce jour-là à me dire que tu n'avais pas peur de voler, mais peur de ne pas y parvenir.

Kitty déglutit, les larmes aux yeux. Elle n'avait toujours pas pris son envol – elle en était même très loin.

— Il paraît qu'il ne faut pas laisser la peur guider nos actes, poursuivit Constance, mais s'il n'y a pas de peur, où est le défi ? C'est toujours en surmontant ma peur que j'ai donné le meilleur de moi-même. J'ai vu cette jeune femme qui craignait de ne jamais voler et j'ai songé : ah ! Voilà une recrue pour nous. Et c'est ça, *Etcetera*. C'est un journal politique, c'est vrai, mais nous nous intéressons surtout aux gens qui se cachent derrière. On veut des voyages émotionnels, afin d'analyser non pas leurs actes, mais leurs motivations. Pourquoi croient-ils en ça, pourquoi ressentent-ils ça ? Il nous arrive de parler de régimes, mais pas de machins bio ni de trucs au blé complet, non, on parle de *pourquoi* et de *qui*. Notre journal ne traite que de gens, de sentiments, d'émotions. On vend peut-être moins, mais on a plus de fond. Bon, ce n'est que mon avis, évidemment. *Etcetera* continuera à publier tes articles, Kitty, tant que tu écriras avec sincérité. Personne ne sait ce que les lecteurs veulent lire, entendre ou voir. Mais c'est parce qu'eux-mêmes l'ignorent : ils ne le découvrent qu'après. C'est ça, l'originalité. Trouver quelque chose de neuf, sans faire du réchauffé pour nourrir un marché.

Elle haussa les sourcils.

— C'était mon sujet, répondit Kitty à mi-voix. Je suis la seule à blâmer.

— Il y a plus de gens derrière un sujet que celui qui l'écrit, et tu le sais parfaitement. Si tu me l'avais proposé, je ne l'aurais pas accepté, mais si je l'avais fait, alors je serais intervenue avant qu'il soit trop tard. Tous les signes étaient là et quelqu'un au-dessus de toi aurait dû les voir, mais si tu veux endosser l'entière responsabilité de la chose, alors demande-toi pourquoi tu voulais à tout prix raconter cette histoire.

Kitty ne savait pas si elle était censée répondre à cette question, mais Constance poursuivit avec le peu d'énergie qui lui restait :

— Un jour, j'ai interviewé un homme que mes questions amusaient beaucoup. Lorsque je lui ai demandé pourquoi, il a répondu que les questions d'un journaliste en révélaient davantage sur lui-même que sur la personne qui y répondait. Et que durant notre entretien il en avait appris beaucoup plus sur moi que moi sur lui. J'ai trouvé sa remarque intéressante et pertinente. Je pense que les sujets qu'on choisit en disent plus sur celui qui les traite que sur l'histoire elle-même. En école de journalisme, on nous apprend qu'il faut s'extraire du sujet pour rester objectif, mais, en réalité, il faut être au cœur de l'histoire pour la comprendre et pour aider le public à s'identifier, sinon l'histoire perd son souffle et un robot pourrait la raconter. Mais ça ne veut pas dire donner son avis, Kitty, parce que ça n'est pas acceptable. Je déteste les journalistes qui passent leur temps à exposer leurs opinions. Ces articles-là intéressent qui ? Une nation ? Un genre ? Un sexe ? Voilà qui m'intéresse davantage. Il faut injecter de la compréhension dans tous les aspects de l'histoire et montrer au public l'émotion dissimulée derrière les mots.

Kitty ne souhaitait pas y réfléchir, à ce que cette histoire révélait sur elle-même – en fait, elle ne voulait plus jamais y penser ni en parler –, mais c'était impossible : la chaîne pour laquelle elle travaillait était en procès, et elle s'apprêtait à passer au tribunal pour diffamation. Elle avait une migraine, et elle était fatiguée d'essayer de comprendre ce qui avait bien pu se produire, pourtant elle ressentait soudain le besoin de se repentir, de s'excuser pour toutes ses erreurs, histoire de se sentir de nouveau digne de confiance.

— J'ai un aveu à te faire.

— J'adore ça.

— Tu sais, quand tu m'as embauchée, j'étais tellement enthousiaste que je voulais vraiment que mon premier article pour toi soit cette histoire de chenille.

— Ah oui ?

— Je ne pouvais évidemment pas interviewer une chenille, mais je voulais en faire le point de départ d'un article sur les gens qui ne peuvent pas voler, sur ce que ça veut dire d'être privé de ses ailes, cloué au sol.

Kitty considéra son amie en train de mourir dans ce lit, ses grands yeux posés sur elle, et elle eut du mal à se retenir de pleurer. Elle était certaine que Constance comprenait exactement ce qu'elle voulait dire.

— J'ai commencé à faire des recherches... Je suis désolée... (Elle porta la main à sa bouche et tenta de se ressaisir en vain. Ses larmes se mirent à couler.) Je m'étais trompée. La chenille dont je t'avais parlé, l'Oleander, elle vole en fait. C'est juste qu'elle se transforme en papillon de nuit.

Kitty se sentait ridicule de pleurer, mais elle était incapable de se retenir. Ce n'étaient pas les malheurs de la chenille qui l'attristaient, mais le fait que, à l'époque comme maintenant, ses recherches avaient été consternantes de légèreté et qu'elle en payait le prix à présent.

— J'ai été suspendue.

— On t'a rendu service. Attends que les choses se tassent et tu pourras recommencer à raconter des histoires.

— Je n'en ai plus. J'ai trop peur de me planter une fois de plus.

— Tu ne te planteras pas, Kitty. Tu sais, raconter une histoire – ou, comme je préfère le formuler, chercher la vérité –, ce n'est pas forcément partir dans une quête avec la grosse artillerie pour mettre à jour un mensonge. Elle n'a pas besoin non plus d'être fracassante. Il faut juste aller au cœur de la réalité.

Kitty acquiesça en reniflant.

— Je suis désolée, j'étais supposée te rendre visite, pas être le clou du spectacle. Je suis navrée.

Elle se pencha et posa le front sur le lit, gênée que Constance la voie dans cet état, embarrassée d'être au centre de l'attention alors que son amie était mourante et avait d'autres chats à fouetter.

— Tais-toi, répondit Constance en lui caressant doucement les cheveux. C'est une fin bien meilleure que la première. Notre pauvre chenille vole, après tout.

Lorsque Kitty releva la tête, ce fut pour constater que Constance avait l'air épuisée.

— Ça va ? Tu veux que j'appelle une infirmière ?

— Non… non. Ça arrive tout d'un coup, expliqua-t-elle, les paupières lourdes. Il faut que je dorme un peu et ça ira beaucoup mieux. Je ne veux pas que tu partes. On a encore beaucoup de choses à se dire. Comme parler de Glen, ajouta-t-elle avec un pâle sourire.

Kitty afficha un sourire crispé.

— Oui. Dors. Je reste là.

Constance avait toujours été capable de déchiffrer ses expressions et de détecter ses mensonges en quelques secondes.

— Je ne l'ai jamais aimé de toute façon.

Quelques secondes plus tard, elle dormait.

Kitty s'installa sur le rebord de la fenêtre. Elle observa les passants en essayant de définir l'itinéraire qui lui permettrait de croiser le moins de monde possible en rentrant chez elle. Des mots en français la tirèrent de sa rêverie et elle pivota vers

Constance, surprise. Depuis dix ans qu'elle la connaissait, elle ne l'avait jamais entendue parler français, à part pour jurer.

—Qu'est-ce que tu as dit ?

Constance semblait désorientée. Elle toussota pour se ressaisir.

—Tu as l'air ailleurs.

—J'étais en train de réfléchir.

—Je devrais alerter immédiatement la police.

—Il y a une question que je brûle de te poser depuis toujours.

Kitty s'installa de nouveau sur le fauteuil près du lit.

—Ah oui ? Pourquoi Bob et moi n'avons pas eu d'enfants ?

Constance se redressa un peu et s'empara du verre d'eau dont elle but une minuscule gorgée à la paille.

—Non, espèce de je-sais-tout. Tu as tué toutes les plantes qui te sont passées entre les mains… Je n'ose imaginer ce que tu aurais fait d'un enfant. Non, ce que je voudrais savoir, c'est s'il y a une histoire que tu as toujours eu envie d'écrire, mais que, pour une raison ou une autre, tu n'as jamais traitée.

Constance s'illumina.

—Ah, voilà une excellente question. Ça pourrait même faire un article, dit-elle en haussant les sourcils. Tu pourrais interroger des journalistes à la retraite sur l'histoire qui leur a échappé. Qu'est-ce que tu en penses ? Je devrais en parler à Pete. Ou alors on pourrait contacter des auteurs et leur demander d'écrire cette fameuse histoire, exprès pour le magazine. Je pense à des écrivains comme Oísin O'Ceallaigh et Olivia Wallace. On pourrait leur donner cette chance et en faire une édition spéciale.

Kitty éclata de rire.

—Tu ne t'arrêtes jamais.

Un coup léger fut frappé à la porte et Bob, le mari de Constance, fit son apparition. Ses traits fatigués s'éclairèrent lorsqu'il aperçut sa femme.

— Salut, ma chérie. Ah, bonjour Kitty. C'est gentil d'être passée.

— Les embouteillages, répondit maladroitement Kitty.

— Je comprends, fit-il en faisant le tour du lit pour l'embrasser sur le front. Ça me ralentit pas mal, moi aussi, mais bon, mieux vaut tard que jamais, non ?

Il observa Constance, dont le visage était plissé par la concentration.

— Essaierais-tu de faire caca, ma chérie ?

Kitty éclata de rire.

— Elle me demande quelle histoire j'aurais aimé écrire sans jamais le faire.

— Ah. Les médecins lui ont interdit de réfléchir, plaisanta-t-il. Mais c'est une bonne question. Voyons, laisse-moi deviner. Est-ce que ça a un rapport avec la marée noire lorsque tu as réussi à décrocher le témoignage exclusif du pingouin qui avait tout vu ?

— Je n'avais pas réussi à obtenir l'exclusivité de son témoignage, répondit Constance en riant avant de grimacer sous l'effet de la douleur.

Kitty sentit la nervosité la gagner, mais Bob, manifestement habitué, poursuivit comme si de rien n'était.

— Oh, c'était la baleine. La baleine qui avait tout vu. Elle s'était répandue auprès de tout le monde.

— C'était le capitaine, rétorqua Constance, faussement agacée.

— Pourquoi ne l'as-tu pas interviewé ? demanda Kitty, impressionnée par l'amour qu'ils avaient l'un pour l'autre.

— Mon vol a eu du retard, répondit son amie, les yeux rivés sur sa couverture.

— Elle avait perdu son passeport, balança Bob. Tu sais à quoi ressemble notre appart' : les manuscrits de la mer Morte pourraient bien s'y planquer qu'on ne le saurait pas. Depuis, on range nos papiers dans le grille-pain, comme ça, on est certains de les trouver sans problème. Bref. Elle a raté son vol, et le capitaine a tout révélé à quelqu'un d'autre – celui qu'il ne faut pas nommer.

Bob pivota vers Kitty et murmura :

— Dan Cummings.

— Et voilà, tu m'as tuée, déclama Constance en feignant de mourir.

Kitty s'enfouit le visage dans les mains, se sentant coupable de trouver ça drôle.

— Ah, enfin débarrassés, commenta Bob gentiment. Alors, ma chérie, c'est quoi, cette histoire ? Je suis intrigué.

— Tu n'es pas au courant ? demanda Kitty à Bob.

Il secoua la tête et ils reportèrent tous les deux leur attention sur Constance, qui réfléchissait, pour leur plus grand amusement.

— Ah, finit-elle par dire, rayonnante, je sais ! C'est une bonne idée, en fait, que j'ai eue l'année dernière, avant… Bref. Il s'agissait d'une espèce d'expérience, mais j'y pense beaucoup depuis que je suis ici.

Kitty se pencha vers elle pour mieux entendre.

Constance prenait un malin plaisir à les faire lanterner.

— C'est peut-être ma meilleure idée.

Kitty grommela, impatiente.

— Tu sais quoi ? Le dossier est chez moi. Dans mon bureau. Teresa te fera entrer si elle n'est pas trop occupée à regarder l'émission de Jeremy Kyle. Il est classé à la lettre N et il s'appelle « Noms ». Tu vas le chercher, tu me le rapportes et je t'explique tout.

— Non ! s'écria Kitty en riant. Tu sais bien que la patience n'est pas mon fort.

— Si je te le dis maintenant, tu ne reviendras pas.

— Je te jure que si.

Constance sourit.

— Apporte-moi le dossier et je te raconte tout.

— Marché conclu.

Une poignée de main vint sceller leur pacte.

Chapitre 2

Kitty rentra chez elle à vélo par des ruelles détournées et désertes, ce qui lui donna l'impression d'être un rat se carapatant dans les égouts. Elle était épuisée. L'euphorie ressentie en voyant son amie s'était peu à peu dissipée, laissant place à un sentiment d'impuissance à l'idée de ce qui les attendait toutes les deux.

Kitty avait commencé à travailler un an auparavant pour *Trente minutes*, l'émission de télévision qui l'avait fait connaître avant de la briser. Elle battait des records d'audience avec ses cinq cent mille spectateurs, ce qui était plutôt impressionnant pour l'Irlande, qui ne comptait que cinq millions d'habitants, mais pas suffisant pour faire de Kitty la nouvelle Oprah Winfrey. Et maintenant, à cause de son reportage désastreux, elle venait de se faire virer par la chaîne de télévision et était accusée de diffamation en prime. Tout ça s'était déroulé quatre mois plus tôt, en janvier, mais le procès, qui s'ouvrait dans moins de vingt-quatre heures, faisait la une des journaux. Son visage, son erreur et son nom étaient maintenant sur les lèvres de bien plus de cinq cent mille personnes.

Elle savait que le public l'oublierait rapidement mais que son intégrité professionnelle, en revanche, s'en ressentirait longtemps : elle avait déjà été détruite. Et si *Etcetera*, le magazine fondé et dirigé par Constance, ne l'avait pas renvoyée, c'était seulement grâce au soutien de Constance.

Celle-ci était bien la seule à l'épauler en ce moment, et même si Bob était le rédacteur en chef et un ami, Kitty n'était pas certaine qu'il la garde une fois que Constance ne serait plus là pour faire pression sur lui. Elle redoutait le jour où celle qui lui avait tout appris ne ferait plus partie de sa vie. Constance l'avait guidée depuis le début, l'avait conseillée et lui avait permis de trouver sa voie et d'assumer ses choix, ce qui signifiait que Kitty lui devait ses succès, mais aussi que son nom était estampillé sur tous ses ratages, ce qui lui sautait soudain aux yeux.

Son portable vibra de nouveau dans sa poche, et elle l'ignora comme elle l'avait fait depuis le matin. Des journalistes l'appelaient depuis que des nouvelles du procès avaient filtré, et des gens qu'elle considérait jusque-là comme des amis la harcelaient pour obtenir une déclaration. Ils avaient tous opté pour des stratégies différentes. Certains lui demandaient franchement si elle avait quelque chose à dire, d'autres essayaient de l'amadouer : « Tu sais ce que c'est, Kitty, on a une pression de malade. Mon chef sait qu'on est amis, et il veut que je lui rapporte quelque chose. » D'autres l'avaient invitée à dîner, à boire un verre, à l'anniversaire de mariage de leurs parents, aux quatre-vingt-cinq ans de leur grand-père sans faire allusion au scandale. Elle avait refusé de parler à quiconque, mais elle apprenait beaucoup de choses et la liste des noms de ceux à qui elle enverrait une carte de vœux à Noël se réduisait à vue d'œil. Le seul qui ne lui avait pas encore téléphoné, c'était son ami Steve. Ils avaient fait leurs études de journalisme ensemble et étaient restés proches. Son seul désir était de devenir journaliste sportif, mais il n'avait pas encore dépassé le stade des ragots sur les joueurs de foot dans les magazines people. C'était lui qui lui avait suggéré de postuler à *Etcetera*. Il avait découvert ce journal dans la salle d'attente du médecin consulté pour obtenir la pilule du lendemain après leur seule nuit passée ensemble, et au terme de laquelle ils avaient décidé d'un commun accord qu'il valait mieux rester amis.

Elle pensait à lui quand son téléphone sonna, et son sixième sens la poussa à s'arrêter pour décrocher. C'était lui. Elle hésita à répondre. Elle se méfiait. La catastrophe avait réduit à peu de chose la liste de gens en qui elle pouvait avoir confiance. Elle décrocha.

— Pas de commentaire, aboya-t-elle.

— Pardon ?

— J'ai dit, pas de commentaire. Tu peux expliquer à ton chef que tu ne m'as pas eue au téléphone ou qu'on est fâchés, et d'ailleurs c'est ce qui va se produire. Je n'arrive pas à croire que tu aies le culot de m'appeler et d'utiliser notre amitié à des fins professionnelles.

— T'as fumé du crack ?

— Quoi ? Non. Attends, ça fait partie de l'histoire ? Parce que s'ils prétendent que je suis une junkie, ils peuvent aller...

— Kitty. La ferme. Je vais dire à mon chef que toi, Kitty Logan, dont il n'a d'ailleurs jamais entendu parler, n'a aucun commentaire à faire sur la nouvelle collection de Victoria Beckham, parce que c'est la seule chose dont j'ai le droit de parler en ce moment. Non, maintenant que j'y pense, il y a aussi le match de foot gaélique qui opposera bientôt Carlow à Monaghan, match déterminant parce que Carlow n'a pas joué une finale du All-Ireland depuis 1936 et Monaghan depuis 1930, mais tout le monde s'en fout. Ça n'intéresse personne au journal. Non. Tout ce qui nous importe, c'est de savoir si la nouvelle collec' de Vicky déchire ou délire, si elle *in* ou *out*, ou deux autres adjectifs de ce genre, si possible qui riment entre eux, et que je suis supposé inventer, sauf que j'en suis incapable.

Il interrompit sa diatribe et Kitty ne put s'empêcher de rire. Elle n'en avait pas eu souvent l'occasion au cours de la dernière semaine.

— Ravi de voir que tu trouves ça drôle.

— Je croyais que tu avais enfin le droit d'écrire sur le football.

— Elle a épousé David Beckham, dont apparemment ça suffit à la faire entrer dans cette catégorie. Bon, j'ai besoin d'aide pour mon article, mais ce n'est pas pour ça que je t'appelle. Je voulais juste vérifier que tu n'étais pas en train de pourrir dans ton appart.

— C'est justement ce que j'étais en train de faire, mais je suis sortie rendre visite à Constance. Et maintenant je rentre pour reprendre là où j'en étais.

— Bien. À tout de suite. Je suis devant ta porte. Oh, et, Kitty, ajouta Steve sur un ton plus sérieux, apporte de l'eau de Javel et une brosse métallique.

Kitty sentit son estomac se nouer.

Lorsqu'elle parvint en haut des marches, son vélo sous le bras, Kitty lut : « Connasse de journaleuse » tagué à la bombe sur sa porte. Elle habitait un studio à Fairview, un quartier de Dublin si près du centre qu'elle pouvait s'y rendre à bicyclette, voire parfois à pied. Et comme l'appartement était situé au-dessus d'un pressing, le loyer était abordable.

— Tu devrais peut-être déménager, suggéra Steve alors qu'ils frottaient la porte, agenouillés.

— Pas question. Je n'ai pas les moyens d'habiter ailleurs, à moins que tu ne connaisses un appart' libre au-dessus d'un pressing.

— C'est une obligation ?

— Quand j'ouvre mes fenêtres, de jour comme de nuit, je suis submergée par des produits chimiques répondant au doux nom de perchloroéthylène, qu'on appelle aussi tétrachloroéthylène, PCE ou plus communément « perchlo ». Tu en as déjà entendu parler ?

Steve secoua la tête et pulvérisa davantage d'eau de Javel sur la porte.

— On l'utilise pour le nettoyage à sec et le dégraissage des métaux. Il est considéré comme cancérigène par Organisation mondiale de la santé. Des tests ont prouvé qu'une exposition de huit heures ou moins à sept cent mille microgrammes par mètre cube d'air cause les symptômes suivants : vertiges, somnolence, migraines, étourdissement et perte d'équilibre. Ça part mal, ce rouge, pas vrai ?

— Occupe-toi du vert, je m'occupe du rouge.

Ils échangèrent leurs places.

— Une exposition à trois cent cinquante mille microgrammes pendant quatre heures affecte les nerfs du système visuel, poursuivit Kitty tout en plongeant son éponge dans le seau plein d'eau. On retrouve des traces de cette substance pendant des années dans le sang et l'urine des employés de pressing. Le perchlo peut traverser les sols, les plafonds et les murs, et une étude pratiquée sur quatorze individus en bonne santé habitant à côté d'un pressing a démontré que leurs réponses à de simples tests psychologiques étaient moins bonnes que des gens non exposés.

— Tout s'explique, alors. J'en déduis que tu as rédigé un article sur le perchlo.

— Non. J'ai fait des recherches, puis j'ai dit au proprio que j'allais publier mes résultats et les balancer aux autres locataires et aux employés du pressing. Du coup, il a accepté de me faire une ristourne de cent euros sur le loyer.

Steve leva les yeux sur elle, sidéré.

— Il aurait pu te virer et trouver une autre locataire.

— Je lui ai dit que je balancerais l'info au locataire suivant et à tous ceux qu'il trouverait. Il a paniqué.

Il secoua la tête.

— Tu es…

— Maligne ?

— Une connasse de journaleuse, répondit-il. On devrait arrêter de nettoyer : ce graffiti dit la vérité.

Il continuait à la dévisager comme s'il ne la reconnaissait pas.

— Hé ! Ce sont eux qui utilisent du perchlo, pas moi.

— Déménage.

— Je n'en ai pas les moyens.

— Kitty, tu ne peux pas menacer les gens comme ça. Tu n'as pas le droit d'utiliser ton job pour obtenir ce que tu veux. C'est de l'intimidation.

— Rhôôô.

Elle leva les yeux au ciel et balança l'éponge dans le seau, agacée. Elle ouvrit la porte de son appartement et s'installa à la table de la cuisine, où elle attendit que Steve la rejoigne. Elle mordit dans l'un des cupcakes qu'elle avait rapportés de l'hôpital. Son ami referma la porte derrière lui mais ne s'assit pas.

— Tu as quelque chose sur le cœur, Steve ?

— Je suis passé vérifier que tu allais bien à cause du procès qui s'ouvre demain, mais plus tu parles et moins j'arrive à me sentir concerné par ce qui t'arrive.

Le gâteau se transforma soudain en caillou dans sa bouche. Elle déglutit rapidement. Et il finit par cracher le morceau.

— Tu as accusé un prof d'EPS bien sous tous rapports, marié, père de famille, d'avoir commis des abus sexuels sur deux de ses élèves et d'en avoir mis une enceinte. À la télévision. Devant le pays tout entier. Et tu t'es trompée.

Elle le regarda, les yeux brûlants. Elle était blessée par ses paroles, et même si elle savait qu'elle avait eu tort et qu'elle avait commis une grave erreur, elle ne pensait pas mériter qu'on s'adresse à elle comme ça.

— Je sais tout ça, je sais ce que j'ai fait, répliqua-t-elle avec une assurance qu'elle était loin de ressentir.

— Et tu regrettes ?

— Bien sûr que je regrette, putain ! explosa-t-elle. Ma carrière est foutue. Plus personne ne voudra m'embaucher. Je ne sais pas combien je vais coûter à la chaîne s'il gagne, et je suis certaine qu'il va gagner. Je suis foutue.

Kitty devinait, perturbée, que son ami peinait à garder son calme habituel.

— Tu vois, c'est exactement ça qui me tracasse, Kitty.

— Quoi ?

— Le ton avec lequel tu t'exprimes. Tu es tellement… désinvolte.

— Désinvolte ? Je panique complètement, Steve !

— Tu paniques pour toi. Pour « Katherine Logan, journaliste télé », dit-il en mimant les guillemets avec les mains.

— Pas que pour ça, répondit-elle avec difficulté. Je me fais beaucoup de souci pour mon emploi à *Etcetera* aussi. Il y a beaucoup en jeu.

Il eut un petit rire sans joie.

— C'est exactement ce que je viens de dire. Depuis le début, je n'entends parler que de *ton* nom, de *ta* réputation et de *ta* carrière. Tu ramènes tout à toi. Quand je t'entends raconter comment tu as menacé ton proprio de faire un article, ça ne me plaît pas. Tu ne me plais pas. (Il cessa de faire les cent pas pour la regarder bien en face.) Et ça fait au moins un an que ça me travaille.

— Un an ? Ah, je vois, quelqu'un a manifestement des problèmes dont il a refusé de parler, rétorqua-t-elle, stupéfaite. J'ai commis une erreur professionnelle. Quant à l'histoire de l'appart', je ne vois pas où est le problème : je n'ai fait de mal à personne ! Attends, c'est pas toi qui as fait semblant de trouver un *poil pubien* dans la dernière bouchée de ton hamburger pour pouvoir en avoir un autre gratis ? Et tu as tellement embarrassé le patron devant les autres clients que tu ne lui as pas laissé le choix.

— J'avais dix-huit ans, répondit-il sur un ton égal. Tu en as trente-deux.

— Trente-trois. Tu as oublié de me souhaiter mon anniversaire, fit-elle remarquer puérilement. Je suis comme ça : je vois des histoires partout.

— Des histoires qui te permettent d'utiliser les gens.

— Steve !

— Avant, c'étaient de bonnes histoires, Kitty. Des histoires positives. Des histoires qui n'avaient pas pour but de piéger les gens.

— Je suis désolée. J'ignorais que ton article sur le défilé de Victoria Beckham allait changer la face du monde, répliqua-t-elle, cruelle.

— Ce que je veux dire, c'est qu'avant je prenais plaisir à les lire et à en entendre parler. Maintenant, tu n'es plus que...

— Que quoi ?

Les larmes lui montèrent aux yeux.

— Ça n'a pas d'importance.

— Non, vas-y, s'il te plaît, dis-moi ce que je suis, parce que je l'ai seulement entendu sur toutes les radios du pays, lu sur tous les sites Internet et *sur ma propre porte* depuis une semaine, que j'aimerais vraiment savoir ce que mon meilleur ami pense de moi. Ce serait la cerise sur le gâteau ! hurla-t-elle.

Il soupira et détourna les yeux.

Le silence s'éternisa.

— Comment je suis supposée régler ça, Steve ? finit-elle par demander. Comment faire pour que toi et le reste du monde cessiez de me haïr ?

— Est-ce que tu lui as parlé ?

— À Colin Maguire ? Pas question. Le procès est sur le point de débuter. Si je l'approche, je vais avoir des ennuis. On a présenté nos excuses dans *Trente minutes*, quand on a su qu'il n'était pas le père. On a donné la priorité à cette info.

— Et tu crois que ça suffit ?

Elle haussa les épaules.

— Kitty, si tu m'avais fait ce que tu lui as fait, je ne me serais pas contenté de taguer ta porte. J'aurais eu envie de te tuer, affirma-t-il sur un ton sévère.

Kitty écarquilla les yeux.

— Steve, ne me dis pas des choses pareilles.

— C'est ce que tu refuses de comprendre. Il ne s'agit pas de ta carrière. Ni de ta réputation. Tout ça n'a rien à voir avec toi. Ça le concerne, lui.

— Je ne sais pas quoi faire, répondit-elle en se tordant nerveusement les mains. Peut-être que si je pouvais expliquer ce qui s'est passé… Les deux femmes étaient tellement crédibles, Steve. Leurs histoires concordaient, les dates, les horaires, tout avait l'air béton. Crois-moi, j'ai fait des tonnes de recoupements et de recherches. Je ne l'ai pas balancé comme ça. J'ai travaillé dessus pendant six mois. Le producteur et le rédac' chef m'ont soutenue, je ne suis pas la seule dans cette galère. Et ça n'avait rien à voir avec lui. Tu as vu le reportage ? C'était sur les pédophiles et les délinquants sexuels qui occupent des jobs dans les écoles ou qui sont en contact direct avec les enfants alors qu'ils ont été condamnés pour abus sexuel.

— Sauf lui. Il était totalement innocent.

— D'accord ! Sauf lui, concéda-t-elle, en colère. Tout le reste était parfaitement juste ! Et personne n'a rien trouvé d'autre à remettre en question !

— Parce que c'est ton boulot de dire des trucs justes. On ne va pas te féliciter pour ça.

— N'importe quel autre journaliste en aurait fait autant, mais c'est tombé sur moi.

— Il y a une raison à ça. Ces femmes t'ont piégée. Tu couvrais des histoires nazes et elles ont su que tu sauterais sur le scoop pour avoir ton heure de gloire.

— Je ne cherchais pas à avoir mon heure de gloire.

— Vraiment ? Tout ce que je sais, c'est que je ne t'avais jamais vue aussi excitée que le jour où tu as été embauchée pour cette émission. Et tu faisais un reportage sur le *thé*, Kitty. Si Constance t'avait demandé de rédiger un papier sur le thé, tu l'aurais envoyée bouler. La télévision t'a fait prendre la grosse tête.

Elle essaya de protester, mais en vain. Il avait raison. *Trente minutes* se déroulait en deux parties : un reportage d'investigation – celui sur lequel tout le monde voulait bosser –, suivi de quelques infos de moindre envergure, plus locales et pas très fracassantes. Pour son premier reportage, on lui avait demandé de chercher pourquoi les gens privilégiaient telle ou telle marque de thé. Elle s'était rendue plusieurs fois dans des usines de fabrication de thé, avait fait des enquêtes de terrain dans les supermarchés et assisté à des thés pour finir par se rendre compte que la plupart des gens buvaient le même thé que leurs parents. C'était une histoire de transmission. Son reportage durait quatre minutes et cinquante secondes et Kitty était persuadée d'avoir réalisé une œuvre d'art. Quatre mois plus tard, quand elle avait reçu la lettre des deux femmes qui mettaient en cause Colin Maguire, elle les avait crues sans réserve et avait travaillé à leurs côtés pour bâtir une accusation contre lui. Elle s'était perdue dans le drame, l'excitation et l'atmosphère des studios de télévision, dans l'opportunité de laisser derrière elle les articles sans intérêt pour percer enfin, et, dans sa quête de la vérité, elle avait proféré un mensonge, un mensonge dangereux qui avait ruiné la vie d'un homme.

Steve regardait autour de lui.

— Quoi, maintenant ? demanda-t-elle, épuisée.

— Où est Glen ?

— Au boulot.

— Il prend sa machine à café avec lui quand il va travailler ?

Elle pivota vers le plan de travail, perplexe, mais fut interrompue par son téléphone.

— C'est ma mère. Merde.

— Tu lui as parlé récemment ?

Kitty déglutit en secouant la tête.

— Réponds, ordonna-t-il.

Il ne partirait pas tant qu'elle n'aurait pas décroché.

Elle s'exécuta avec un « allô » théâtral, et Steve quitta l'appartement.

— Katherine, c'est toi ?

— Oui.

— Oh, Katherine… (Sa mère éclata en sanglots.) Katherine, tu n'as pas idée…

Elle parvenait à peine à articuler.

— Maman, qu'est-ce qui se passe ? demanda Kitty en se levant, paniquée. C'est papa ? Tout le monde va bien ?

— Oh, Katherine, dit Mme Logan à travers ses larmes. Je n'en peux plus. On est tellement *gênés.* Comment as-tu pu faire une chose pareille ? Comment tu as pu faire ça à ce pauvre homme ?

Kitty se rassit et se prépara à la curée. C'est alors qu'elle remarqua que l'écran plasma de Glen avait disparu, lui aussi ; en y regardant de plus près, ses vêtements n'étaient plus dans l'armoire non plus.

Chapitre 3

Une semaine plus tard, après les sept jours les plus longs de toute sa vie, Kitty s'éveilla en nage d'un cauchemar. Étendue au milieu des couvertures en désordre, le cœur battant à tout rompre, elle redoutait de regarder autour d'elle ; néanmoins, une fois les images du rêve dissipées, elle prit son courage à deux mains et s'assit sur le lit. Elle suffoquait. Elle ouvrit la fenêtre de sa chambre et inspira de grandes goulées d'air, mais la vapeur toxique qui se déversait vingt-quatre heures sur vingt-quatre par les bouches d'aération s'infiltra directement dans ses poumons. La jeune femme toussa, rabattit violemment la fenêtre et se dirigea vers le réfrigérateur devant lequel elle se tint nue dans l'espoir de se calmer. Elle n'était pas prête pour le lendemain. Même pas en rêve.

— La réputation de Colin Maguire a souffert un dommage irréparable, sa vie a été profondément bouleversée, et il s'est retrouvé exclu par sa famille et sa communauté à la suite de la diffusion de l'épisode du 10 janvier de *Trente minutes*. Katherine Logan a abordé M. Maguire devant son lieu de travail, l'a accusé d'avoir commis des abus sexuels sur deux adolescentes et d'en avoir mise une enceinte. Malgré ses dénégations et sa proposition de se livrer à un test ADN, le reportage a été diffusé. La négligence et le manque de professionnalisme de Katherine Logan, Donal Smith et

Paul Montgomery ont eu un effet dévastateur sur la vie de M. Maguire.

Kitty était assise dans la salle d'audience avec le producteur de l'émission, Paul, et son rédacteur en chef, Donal. Ils écoutaient les termes de la décision de justice les condamnant à verser quatre cent mille euros de dommages et intérêts pour le préjudice moral. La lecture dura très exactement dix-sept minutes. À chaque mot, à chaque accusation, Kitty se haït un peu plus. À côté d'elle, Colin Maguire et sa famille – sa femme, ses parents, ses frères et sœurs –, ainsi que tous ceux venus le soutenir ne la quittaient pas des yeux. Elle sentait leur regard lui vriller le dos. Elle sentait leur haine et leur colère, mais, plus que tout, elle sentait la souffrance de Colin. Il levait à peine la tête, le regard fixé sur ses pieds, le menton sur la poitrine. Il donnait l'impression de ne pas avoir dormi depuis un an.

L'équipe de *Trente minutes* quitta le tribunal, escortée par ses avocats, et se fraya rapidement un chemin au milieu de la haie de photographes et de cameramans, certains travaillant pour leur chaîne. Tous les regards étaient braqués sur Kitty, comme sur ces criminels qu'elle voyait fréquemment à la télé sortir de ce même bâtiment. Les hommes marchaient si vite qu'elle peinait à les suivre sans se mettre à courir. Pour sa santé mentale, il fallait qu'elle survive à cet instant. Elle avait commis tellement d'erreurs jusqu'à présent qu'il était impensable de faire le moindre pas de travers. Elle garda d'abord la tête baissée, puis, songeant que cela lui donnait l'air coupable, elle releva le menton.

Tête droite, accepte ton châtiment et avance, se répétait-elle, les larmes aux yeux.

Les flashs l'aveuglèrent, la contraignant à regarder le trottoir. Marcher lui paraissait soudain artificiel, comme un geste mécanique qui nécessitait trop d'efforts. Elle se concentra : un pied après l'autre, bas gauche avec pied droit et pas l'inverse. Elle s'efforçait de ne pas sourire, sans pour autant avoir l'air bouleversée. Elle savait que ces photos la poursuivraient toute sa vie et que ce film serait diffusé et rediffusé avant d'être remisé aux archives où il pourrirait pour l'éternité. Elle était bien placée pour le savoir puisque c'était ce qu'elle faisait tous les jours. Elle ne voulait pas paraître distante, mais elle ne voulait pas non plus que les gens lui trouvent l'air coupable. Le public n'écoute pas toujours la voix off, il se contente des images. Elle voulait avoir l'air innocente mais désolée. Voilà, c'était ça, elle souhaitait paraître contrite. Elle tentait tant bien que mal de conserver le peu de fierté et de dignité qu'il lui restait, pendant que des gens criaient sur son passage. Ceux qui soutenaient M. Maguire s'étaient rapidement déversés en dehors de la salle d'audience pour répondre aux questions de la presse et casser du sucre sur le dos de *Trente minutes*. Elle entendait leur litanie d'accusations et d'insultes. Les journalistes à l'affût de déclarations tentaient de se faire entendre malgré le brouhaha. Les voitures qui passaient sur Inns Quay ralentissaient pour assister au spectacle, pour distinguer qui était ainsi harcelé par la presse. Écrasée, pressée, épuisée, démoralisée et dépossédée de tout, Kitty songea que c'était exactement ce qu'elle avait fait subir à Colin Maguire. Tandis que les journalistes la bousculaient en tentant de rester à sa hauteur, Kitty continua à marcher, un pied devant l'autre : elle ne pouvait pas faire mieux.

Tête droite, ne souris pas, ne pleure pas, ne tombe pas, avance.

Dès qu'ils furent entrés dans le bureau de leur avocat, tout près, et qu'ils se furent débarrassés de la horde de journalistes, Kitty laissa tomber son sac à main sur le sol, posa le front contre le mur frais et inspira profondément à plusieurs reprises.

— Bon sang, marmonna-t-elle.

Son corps tout entier fut submergé par une vague de chaleur.

— Ça va ? demanda gentiment Donal.

— Non, murmura-t-elle. Je suis désolée, je suis tellement désolée pour tout ça.

Elle sentit qu'il lui tapotait légèrement le dos et elle lui en fut reconnaissante. Elle était la cause de tout et il aurait été en droit de l'engueuler.

— C'est totalement ridicule, criait Paul à l'adresse de l'avocat dans la pièce à côté, tout en faisant les cent pas. Quatre cent mille euros *plus* ses frais d'avocat. Ce n'est pas du tout ce que vous aviez prévu.

— J'ai dit qu'il y avait des risques que…

— Ne vous avisez pas de me dire que vous m'aviez prévenu ! hurla Paul. C'est effroyable. Comment peuvent-ils nous faire une chose pareille ? Nous nous sommes excusés. Publiquement. Au début de l'émission du 8 février. Quatre cent cinquante mille téléspectateurs ont vu ces excuses, nous ont entendus dire qu'il n'était pas coupable, des millions de gens ont vu tout ça sur Internet et Dieu seul sait combien d'autres après aujourd'hui. J'ai vraiment l'impression qu'il s'agit d'une machination depuis le début. Je suis prêt à parier que Colin Maguire est de mèche avec ces deux femmes et qu'ils vont partager l'argent. Ça ne me surprendrait pas outre mesure – rien ne me surprendrait. Putain. Quatre cent mille euros. Comment je vais expliquer ça au directeur général ?

Kitty décolla le front du mur et s'approcha de la porte.

— Nous méritons ce qui nous arrive, Paul.

Il y eut un silence et elle entendit Donal inspirer bruyamment dans son dos. Paul pivota et la regarda comme si elle était une moins que rien, ce qui était plus flatteur que ce qu'elle pensait d'elle-même en cet instant.

— Nous avons saccagé la vie de Colin Maguire. Nous méritons tout ce qui a été dit au tribunal. Nous n'aurions jamais dû faire une erreur pareille, et maintenant il nous faut assumer nos actes.

— *Nos* actes ? Non. Les *tiens*. C'est *toi* qui as gâché sa vie, moi je suis juste l'abruti qui est parti du principe que tu avais fait correctement ton travail et tes recherches. Je savais que je n'aurais pas dû te permettre de faire cette enquête. Tu peux me croire : la chaîne ne t'embauchera plus jamais, Kitty, plus jamais. Tu n'as aucune idée de ce qu'est véritablement le boulot de journaliste, hurla-t-il.

Kitty hocha la tête et recula.

— Au revoir, Donal, dit-elle doucement.

Celui-ci lui rendit son salut d'un bref mouvement du menton et elle quitta l'immeuble par la sortie de secours.

Elle avait peur de rentrer chez elle pour deux raisons. D'abord, elle se demandait si les agressions dont elle était l'objet cesseraient maintenant que Colin avait été innocenté et financièrement indemnisé. Ensuite, elle n'avait aucune envie d'être seule. Elle se sentait tiraillée : elle ne supporterait pas de ruminer une minute de plus en se flagellant, mais avait l'impression qu'il serait immoral de ne pas le faire. Elle méritait d'être punie et de boire sa honte jusqu'à la lie.

Kitty alla récupérer son vélo derrière le tribunal et pédala en direction de chez Constance. Paul l'avait accusée de ne pas savoir faire son boulot correctement, mais elle connaissait une vraie pro ; il était peut-être temps de recommencer à apprendre.

Constance et Bob habitaient l'appartement en sous-sol d'un immeuble édouardien de trois étages à Ballsbridge. Les bureaux du magazine occupaient le reste du bâtiment. Leur appartement était devenu au fil des années une extension des locaux du journal. Ils y vivaient depuis vingt-cinq ans. La cuisine, qu'ils n'utilisaient jamais – ils sortaient dîner tous les soirs –, disparaissait sous un amas de souvenirs et d'objets rapportés de leurs très nombreux voyages. Toutes les surfaces étaient recouvertes d'un mélange d'art éclectique : des sculptures en ébène côtoyaient des bouddhas souriants et des femmes nues en verre de Murano, de vieux ours en peluche portaient des masques africains et vénitiens, et, sur les murs, des estampes chinoises et des paysages étaient accrochés à côté des caricatures préférées de Bob. Tout l'appartement leur ressemblait. Il avait de la personnalité et de l'humour, et, surtout, il était vivant. Teresa, la gouvernante, travaillait pour eux depuis vingt-cinq ans et avait à présent plus de soixante-dix ans. Elle ne faisait rien d'autre qu'épousseter et regarder l'émission de Jeremy Kyle, mais Constance, qui se fichait du ménage comme d'une guigne, n'avait pas le cœur de la congédier. Teresa connaissait bien Kitty et l'accueillit chaleureusement sans lui poser de question. Elle regagna ensuite son fauteuil avec une tasse de thé pour regarder un homme et une femme se hurler dessus à cause d'un détecteur de mensonge qui n'avait tranché en faveur d'aucun des deux. Kitty était ravie que Teresa ne regarde jamais les infos. N'ayant aucune idée de tout ce qui s'était passé durant la semaine, la vieille dame ne lui fit pas subir d'interrogatoire. Kitty se rendit dans le bureau de Constance et Bob.

Leurs tables se faisaient face, disparaissant toutes deux sous des tonnes de papiers qui avaient l'air de mériter d'être jetés mais devaient revêtir une importance vitale. Au-dessus de celle de Constance étaient accrochées des photos françaises de femmes nues dans des poses lascives, datant des années 1930. Elle les avait disposées là pour le plaisir des yeux de Bob, qui, en échange, avait suspendu des statuettes africaines d'hommes nus au-dessus de la sienne. Le sol était aussi encombré que le reste : des tapis persans se chevauchaient et il était difficile de ne pas trébucher sur les plis et les bosses. Dans cette pièce aussi, l'art était omniprésent : des dizaines de chats en porcelaine montaient la garde près des murs. Kitty savait que Constance détestait les chats, en vrai comme en faïence, mais ceux-ci avaient appartenu à sa mère et, à sa mort, Constance avait tenu à leur donner un deuxième foyer.

La pièce était si encombrée que Kitty se demandait comment ils arrivaient à se concentrer, mais ils y parvenaient plutôt bien. Constance avait quitté Paris pour Dublin afin de faire les pieds à son père, un homme riche à millions, et étudier la littérature anglaise au Trinity College. Elle s'était occupée du journal étudiant, et son premier job avait consisté à écrire des articles pour la section société du *Irish Times*, où elle avait rencontré Robert McDonald. De dix ans son aîné, Bob était le correspondant financier du *Times*. Lorsqu'elle en avait eu assez qu'on lui donne des ordres, ce qui était arrivé assez rapidement, Constance avait décidé de contrarier davantage son père en quittant le journal le plus respectable d'Irlande et en fondant son propre magazine. Bob l'avait suivie et, après s'être fait les dents sur plusieurs publications, ils créèrent *Etcetera*, douze ans plus tôt, leur création la plus prospère. Ce n'était pas le magazine le plus lu en Irlande, parce qu'il ne révélait pas comment se débarrasser de sa cellulite ou avoir un corps de rêve, mais il était largement reconnu par ses pairs. Écrire pour *Etcetera* était un honneur, une marche importance sur l'échelle menant au succès. Constance était une éditrice droite et franche avec un jugement très sûr sur les sujets et sur les talents : bien des auteurs à succès du pays avaient débuté en écrivant pour *Etcetera*.

Kitty se dirigea sans hésiter vers le classeur à rideaux et fut impressionnée par la rigueur du classement de Constance. Rien à voir avec le reste de l'appartement : tous les articles écrits pour *Etcetera* ou pour les autres magazines qu'elle avait dirigés, de même que ses articles pour d'autres journaux et toutes les idées qu'elle avait eues dans le passé et pour le futur étaient rangés par ordre alphabétique. Kitty, curieuse comme à son habitude, ne put s'empêcher de lire tout ce qu'elle put jusqu'à la lettre N. Elle trouva une grande enveloppe en kraft. Cette dernière était scellée : elle ne devait pas rompre le marché passé avec Constance, mais son impatience était trop forte. Elle s'assit au bureau de son amie pour l'ouvrir. C'est alors que Teresa fit son apparition. Kitty sursauta comme une mauvaise élève prise en train de fumer. Elle lâcha l'enveloppe et se moqua d'elle-même.

— Est-ce que tu l'as vue ? demanda Teresa.

— Oui. La semaine dernière. Je n'ai pas pu passer cette semaine parce que j'avais un truc, expliqua-t-elle.

Elle se sentait coupable que le procès l'ait tenue éloignée de Constance une fois de plus. Elle savait qu'elle aurait dû faire un effort, mais les journées au tribunal l'avaient laissée épuisée, abattue, repliée sur elle-même et, pour dire la vérité, sur la défensive et de mauvaise humeur. Ça n'aurait pas été juste de trimballer ce genre d'énergie négative au chevet de Constance.

— J'imagine qu'elle doit être l'ombre d'elle-même. Mon Frank est mort d'un cancer. Au poumon. Il fumait deux paquets par jour, mais quand même, personne ne mérite de mourir comme ça. Il avait le même âge que Constance. Cinquante-quatre ans. Tu y crois, toi, que j'ai passé presque autant de temps sans lui qu'avec lui ? soupira-t-elle en secouant la tête. Tu veux du thé ? Il a un goût métallique. J'ai trouvé des pièces de monnaie dans leur théière. Ils s'en servaient comme d'une tirelire. Bob m'a demandé de déposer cet argent à la banque. Soixante-seize euros et vingt-cinq centimes, qu'y avait.

Kitty éclata de rire en entendant cette anecdote et déclina son offre. Excitée à la perspective d'avoir trouvé l'enveloppe, elle surmonta l'envie de l'ouvrir tout de suite et appela Bob pour organiser une visite à l'hôpital. Elle tomba trois fois sur son répondeur. Elle décida de ne pas attendre. Elle était en route pour l'hôpital lorsque son téléphone vibra. Elle répondit en appuyant sur le bouton sous l'écouteur.

— Salut, Bob. Je suis en route, j'espère que ça ne pose pas de problème. J'ai trouvé le dossier dont Constance voulait nous parler. Je ne peux pas attendre.

— Ce n'est pas le bon moment, répondit Bob dont l'inquiétude était palpable malgré les bruits de la circulation. Elle, euh... Elle ne va pas bien.

Kitty arrêta brusquement de pédaler. Un autre cycliste manqua de la percuter et l'insulta copieusement. Elle quitta la piste cyclable pour monter sur le trottoir.

— Qu'est-ce qui s'est passé ?

— Je ne voulais pas t'en parler – tu as eu une semaine assez pénible comme ça et j'espérais que son état s'améliorerait –, mais elle... elle a considérablement décliné depuis ta visite. Elle dormait beaucoup, ne m'a pas reconnu les deux derniers jours, était confuse, avait des hallucinations, ne parlait plus que français. Et aujourd'hui, eh bien... elle est dans le coma, Kitty.

Sa voix se brisa.

— Tu veux que je reste avec toi ? demanda Kitty.

Elle sentit la panique la gagner. Elle voulait sincèrement, de tout son cœur, être là-bas, dans cet endroit où flottait une odeur nauséabonde, avec lui, aux côtés de Constance.

— Non, non, tu as autre chose à faire, je gère.

— Je n'ai rien d'autre à faire, Bob. Je veux être là. S'il te plaît.

Kitty raccrocha et se mit à pédaler comme si sa vie en dépendait, ce qui était le cas, d'une certaine façon.

— Salut, Steve, c'est moi. J'ai pensé à toi et j'ai eu des idées suite à notre dernière conversation. Alors voilà. « Rad ou *bad* ». « Rad », c'est le début de radical, mais les ados cool l'utilisent parce que c'est encore plus cool. Ça fait un peu vocabulaire de surfeur, et donc c'est probablement démodé. J'ai pensé aussi à « Cool ou plouc », ou alors, plus moderne, « Cool ou *out* ». Et pour finir, mon préféré, et certainement le tien aussi parce que ça nous renvoie au foot : « But ou pute ». J'espère que ton chef aimera et qu'il n'est pas trop tard. Bon, apparemment, t'es pas chez toi, ou alors t'es chez toi et t'écoutes ce message en pensant que je suis bourrée ou que… Je ne sais pas ce que tu penses. Je te laisse. Ah… Une dernière chose, Constance est morte. Ce soir. Et je suis vraiment désolée de pleurer sur ton répondeur mais… je ne sais pas quoi faire. OK. Merci d'avoir écouté. Salut.

Chapitre 4

Même si Kitty n'avait pas passé beaucoup de temps avec Constance ces derniers temps, elle savait qu'elle était là. Quand quelqu'un meurt, tout change. Son absence pèse sur chaque seconde. Chaque fois que Kitty se posait une question, elle avait le réflexe de lui téléphoner. Elle pensait à une anecdote amusante qu'elle avait envie de partager avec elle ou, de manière plus frustrante, à une conversation inachevée qu'elle voulait terminer ou à une question restée sans réponse. Constance n'était plus là, et Kitty avait plus que jamais besoin d'elle ; elle se torturait en songeant qu'elle n'était pas allée lui rendre visite à l'hôpital et ne l'avait pas suffisamment appelée – pas uniquement lors de sa maladie. Kitty aurait pu l'inviter à certaines occasions, sortir davantage avec elle : tout ce temps perdu qu'elle aurait pu passer avec elle... Pourtant, au fond, elle savait pertinemment que si elle devait revivre leur amitié, rien ne changerait. Constance n'avait pas eu plus besoin de Kitty.

Comme elle n'avait pas de travail dans lequel se noyer, ni de petit ami pour la distraire et lui faire voir le bon côté des choses, ni de famille capable de compassion à proximité, Kitty se sentait plus seule que jamais. Le seul endroit où elle avait envie d'aller, c'était les bureaux d'*Etcetera.* Être là-bas serait comme être avec Constance, qui était le cœur du magazine. Elle l'avait créé, lui avait insufflé ses idéaux, l'avait inspiré, et lorsque Kitty tenait un numéro entre ses mains, elle avait l'impression que Constance était toujours vivante. Ce devait être comme lorsqu'on voit l'enfant d'un disparu : l'apparence, les tics et les bizarreries du défunt transparaissent dans sa progéniture.

Au moment où elle pénétra dans le bureau, Kitty fut submergée par la perte qu'elle essayait désespérément de fuir. Elle la cingla comme une brise glacée, comme une gifle qui lui aurait coupé le souffle. Elle sentit les larmes lui monter aux yeux.

— Oh, je sais, dit Rebecca, la directrice artistique, la voyant paralysée sur le seuil. Tu n'es pas la seule à avoir réagi comme ça. (Elle se dirigea vers elle et l'étreignit chaleureusement avant de lui ôter son manteau et de l'entraîner loin de la porte.) Viens. Ils sont tous dans le bureau de Pete en train de *brainstormer*.

Le bureau de Pete.

Cette appellation agaça immédiatement Kitty, et même si ça n'avait rien à voir avec Pete, elle le méprisa un instant, comme s'il avait conspiré avec Dieu pour se débarrasser de son amie. En tant que rédacteur en chef, il avait assuré l'intérim pendant la maladie de Constance et Cheryl Dunne, une ambitieuse jeune femme à peine plus âgée que Kitty, avait pris la place de rédacteur adjoint, Bob passant son temps avec Constance. Du fait de la nouvelle autorité de Pete et de Cheryl, l'endroit était différent. Ils avaient trouvé leur routine et leur rythme et, si tout le monde semblait s'être mis au diapason, Kitty n'était pas parvenue pas à trouver ses marques.

Cela faisait neuf mois que Constance avait quitté la barre d'*Etcetera* et six qu'elle n'avait pas mis les pieds dans les bureaux, et il était clair que, pendant tout ce temps, Kitty n'avait pas été particulièrement brillé. Pete n'aurait pas publié ses articles s'ils avaient laissé à désirer, et Constance, qui avait surveillé les publications de très près jusqu'à la fin, aurait traîné Kitty jusqu'à son lit d'hôpital pour lui faire la leçon. C'était un de ses talents. Elle voulait que son magazine soit le meilleur sur le marché et que tout le monde réalise son potentiel. Ne pas y veiller était selon elle la pire des erreurs possibles.

Sachant tout ça, après l'enterrement, Kitty s'était réfugiée dans son appartement, non pas pour panser ses blessures mais pour verser du sel sur ses plaies en relisant tous ses articles pour trouver où elle s'était trompée, quelle direction elle devait emprunter à l'avenir et quelles étaient ses forces et ses faiblesses. Lorsqu'elle relut ses articles des six derniers mois, elle constata tout de suite qu'ils manquaient de flamme. Même s'il lui en coûtait de l'admettre, et elle ne l'aurait jamais fait devant témoin, il y avait quelque chose de mécanique dans sa façon de traiter ses sujets, comme si elle s'était contentée de peindre sur une trame préexistante, en suivant les numéros. Informatifs, pleins d'émotion, ses articles n'étaient pas dépourvus de style et d'élégance. Ils correspondaient aux standards du magazine à tous égards en couvrant des thèmes similaires sous des angles différents – avec un mensuel, aborder un sujet déjà connu sous un angle original était une priorité absolue –, mais, en les relisant, Kitty ne put s'empêcher de se sentir mal à l'aise. Après la désastreuse expérience de *Trente minutes*, elle était bien consciente que rien de ce qu'elle avait déjà écrit et qu'elle écrirait jamais la satisferait pleinement. Elle savait qu'elle se cherchait délibérément des défauts et qu'elle se trouvait bien peu de qualités. Elle remettait en question tout ce qu'elle avait fait et dit, mais, en dépit de sa sévérité à son encontre, elle savait qu'elle avait raison de trouver que son style s'était détérioré.

La méthode qu'utilisait Constance pendant les brainstormings ne convenait pas à tout le monde. Kitty l'adorait, mais elle savait que même si Pete et Cheryl l'appréciaient, ils aimaient aussi retourner à leurs sources d'inspiration : les autres magazines, les journaux, les sites Internet et les chaînes d'info en continu afin de voir ce qui était nouveau, actuel ou tendance. Constance, elle, cherchait les réponses à l'intérieur. Elle demandait aux journalistes de son équipe de trouver des sujets en eux-mêmes : qu'est-ce qui les émouvait en ce moment, qu'est-ce qui les contrariait, quels étaient les problèmes non pas du jour et dans le monde mais dans leurs cœurs et leurs esprits – du charabia pour des gens comme Pete et Cheryl. Constance était persuadée que ce genre de sujets faisaient de bien meilleurs articles. Au lieu d'écrire pour le marché, elle voulait qu'ils écrivent pour eux-mêmes. C'était seulement à ce prix, jugeait-elle, que les lecteurs adhéreraient. Elle voulait que ses auteurs soient pédagogues et sophistiqués, mais elle encourageait aussi l'artiste qui sommeillait en chacun d'eux à s'exprimer. Pour décider qui écrivait quoi, Constance attribuait certaines histoires à certains journalistes qui, elle le savait, sauraient les traiter judicieusement ou les transcender, tout en écoutant les idées des uns et des autres. Elle faisait ça très bien.

Là était le problème – Kitty le comprenait enfin. Pendant les six derniers mois, elle n'avait pas écrit un seul article dont elle aurait eu l'initiative. Chaque sujet avait été proposé par Pete, Cheryl ou quelqu'un qui avait déjà trop à faire. Elle ne s'en était pas rendu compte parce qu'elle s'en fichait. Et elle s'en fichait parce qu'elle travaillait sur *Trente minutes* et que, pour cette émission, elle se contentait de faire ce qu'on lui demandait. À certains égards, son travail pour la chaîne avait influencé sa façon d'écrire pour le magazine. À la télévision, elle ne réalisait aucun reportage sur des sujets qui lui tenaient à cœur ; elle ne faisait pas l'effort de les comprendre d'un point de vue personnel parce qu'elle n'en avait pas le temps. Les conditions d'enregistrement étaient bonnes ou pas ; ils perdaient quelques minutes de sujet à cause d'un autre sujet ; ils avaient une interview et subitement n'en avaient plus – ils devaient trouver un autre intervenant suite à un désistement : elle avait l'impression de s'ouvrir et de se fermer à la demande, comme un robinet. C'était une façon de travailler beaucoup moins créative et beaucoup plus mécanique. Elle passait ses journées sur ses pieds et non pas dans sa tête. Pendant six mois, Kitty n'avait pas eu une seule idée personnelle et, lorsqu'elle s'en rendit enfin compte, cela la terrifia tellement qu'elle fut incapable de se remettre à penser tout de suite. La dernière conversation qu'elle avait eue avec Constance à l'hôpital prenait tout son sens à présent. Lorsque cette dernière l'avait accusée d'écrire une histoire parce qu'elle en avait reçu l'ordre, elle ne parlait pas du magazine télévisé mais de ses articles pour *Etcetera.* Kitty en était certaine.

La jeune femme se dirigea vers la salle de réunion à côté du bureau de Constance. Elle se sentait vulnérable depuis sa récente humiliation et savait qu'elle n'avait aucune idée originale. Sans le soutien de Constance et de Bob, elle se sentait abandonnée. Depuis que son amie avait cessé de venir au bureau, il y avait eu de nombreuses conférences de rédaction, qu'elle n'avait cependant pas manqué de diriger de loin. Celle-ci, avec Pete à sa tête et Bob toujours absent, était la première en son genre.

Kitty ouvrit la porte, et tous les regards se braquèrent sur elle.

—Bonjour.

—Kitty, la salua Pete, sur un ton surpris. On ne s'attendait pas à ce que tu sois là. Je croyais que Bob t'avait donné la semaine...

Il n'avait pas l'air heureux de la voir. Ou alors elle était juste parano.

— C'est vrai, répondit Kitty sans s'asseoir, comme si tous les sièges étaient pris. Mais c'est le seul endroit où j'ai envie d'être.

Les autres lui lancèrent des regards tristes et compatissants.

— D'accord. Bien. On était en train de discuter du prochain numéro, qui sera un hommage à Constance.

Kitty sentit les larmes lui monter aux yeux.

— C'est une magnifique idée.

— Bon…, dit-il en frappant dans ses mains, ce qui fit sursauter Kitty. Des idées. Je suggère huit à douze pages de rétrospective sur la carrière de Constance, des articles qu'elle a écrits pour *Etcetera* et d'autres magazines. Ses meilleures analyses, les auteurs qu'elle a découverts – par exemple ce serait bien d'interviewer Tom Sullivan et qu'il explique comment elle l'a aidé à trouver et développer sa voix. Dara, je te mets là-dessus ; j'ai croisé Tom à l'enterrement et l'idée lui plaît. Niamh, tu couvres les autres écrivains, vivants et morts : qui elle a découvert, comment, ce qu'ils ont écrit pour elle, ce qu'ils ont écrit ensuite, etc.

Dara et Niamh acquiescèrent tout en prenant des notes.

Pete continua à distribuer les sujets aux autres et Kitty songea que tout ça était étrangement déplacé. Constance aurait détesté un truc pareil, pas seulement parce que le magazine lui était consacré, mais parce qu'il allait recycler du vieux. Elle observa les autres : tout le monde était très concentré et occupé à noter les ordres de Pete. Et c'était exactement ce que c'était : des ordres. Rien de subtil ni d'inspirant. Il n'essayait pas de susciter des idées chez les autres. Aucune question sur des sujets personnels ou sur les souvenirs qu'ils avaient de cette femme qu'ils respectaient tous profondément, non, juste des informations sur ses propres idées. Kitty avait conscience que la tâche était difficile pour

Pete, et elle n'avait aucune idée neuve à proposer, aussi préféra-t-elle ne rien dire.

— Bon, cette partie est réglée. Passons au reste du numéro. Conal, comment avance ton papier sur la présence de la Chine en Afrique du Sud ?

Ils commencèrent à parler du reste, considérant que la question de l'hommage à Constance était réglée, et Kitty sentit la colère monter.

— Euh… Pete ?

Il leva les yeux vers elle.

— Je ne sais pas, mais… Tout ça n'est pas un peu… réchauffé ?

Pas le genre de truc à dire en pleine conférence de rédaction. Certains protestèrent et s'agitèrent sur leurs chaises.

— Je parle de l'hommage à Constance, poursuivit Kitty. Elle détestait republier de vieux articles.

— On ne fait pas que ça, Kitty. Tu le saurais si tu avais écouté. Et un hommage est forcément une rétrospective.

— Bien sûr, répondit Kitty en essayant de ménager les susceptibilités. Mais Constance disait que c'était comme réutiliser du papier toilette, vous vous souvenez ? (Elle fut bien la seule à rire à ce souvenir.) Elle n'aimerait pas qu'on se contente de ça. Elle aurait voulu qu'on ajoute quelque chose de neuf, quelque chose qui aille de l'avant, quelque chose qui célèbre sa mémoire.

— Par exemple ? demanda Pete.

Kitty se figea.

— Je n'en sais rien.

Quelqu'un soupira bruyamment.

— Kitty, ces douze pages vont rendre hommage à Constance. On a tout le reste du magazine pour déployer notre inventivité, trancha Pete.

Il essayait de faire preuve de patience, mais n'arrivait à manifester que de la condescendance.

— Si tu n'as rien de mieux à me proposer, je continue.

Elle réfléchit, tous les regards rivés sur elle. Mais rien ne vint. La seule pensée qui l'obsédait, c'était précisément son incapacité à penser. Cela faisait six mois que ça durait et elle n'allait certainement pas se remettre à avoir des idées lumineuses maintenant. Ses collègues finirent par détourner les yeux, gênés pour elle, mais Pete continuait d'attendre, comme pour lui prouver qu'il avait raison. Elle aurait voulu qu'il enchaîne : pourquoi ne le faisait-il pas ? Elle sentit le rouge lui monter aux joues et elle baissa les yeux. Elle ne pouvait décidément pas tomber plus bas.

— Je n'ai pas d'idée, finit-elle par murmurer.

Pete reprit le fil de la réunion, mais Kitty n'écoutait plus un mot. Elle avait l'impression d'avoir laissé tomber Constance – elle s'était déçue elle-même aussi, mais, même si c'était douloureux, elle y était habituée à présent. Elle ne cessait de se demander ce que Constance aurait voulu. Si elle était dans cette pièce avec eux, quelle histoire aurait-elle voulu raconter ? C'est alors que Kitty eut une idée.

— J'ai trouvé, dit-elle tout à trac, coupant la parole à Sarah, qui expliquait comment avançait son papier sur les ventes de vernis à ongles et de rouge à lèvres pendant la Seconde Guerre mondiale.

— Kitty, Sarah est en train de parler.

Les autres lui lancèrent des regards agacés.

Elle se renfonça davantage sur sa chaise et laissa Sarah poursuivre. Lorsque cette dernière eut terminé, Pete donna la parole à Trevor. Elle attendit pendant que deux autres exposaient leurs idées, qui ne plurent pas à Pete, avant que ce dernier reporte enfin son attention sur elle.

— La dernière fois que j'ai parlé à Constance, elle avait une idée dont elle aurait aimé vous parler. Je ne sais pas si elle l'a fait. C'était il y a une semaine.

Elle était encore vivante.

— Non. Je ne lui ai pas parlé de tout le mois.

— D'accord. Elle voulait écrire un article sur les écrivains à la retraite. Elle voulait leur demander quelle était l'histoire qu'ils regrettaient de ne pas avoir écrite.

Pete jeta un coup d'œil aux autres. Tout le monde avait l'air intéressé.

— Elle a mentionné Oísin O'Ceallaigh et Olivia Wallace, poursuivit Kitty.

— Oísin a quatre-vingts ans et vit dans les îles d'Aran. Il n'a rien publié depuis dix ans et n'a pas écrit un mot d'anglais depuis vingt ans.

— Elle a mentionné ces deux-là.

— Tu en es sûre ?

— Certaine, répondit Kitty.

Elle avait les joues brûlantes, gênée par le feu roulant de questions.

— Et on les interrogerait sur ces histoires ou on leur demanderait de les écrire ?

— D'après elle, je devrais commencer par les interviewer…

— Elle a dit que c'est toi qui devrais les interviewer ? l'interrompit sèchement Pete.

— Oui…, répondit Kitty, perplexe. Puis elle a ajouté que tu pourrais leur demander d'écrire leurs histoires.

— Une commande ?

— Je suppose.

— Des écrivains de ce niveau, ça coûte cher.

— Comme c'est un hommage, ils offriront peut-être de travailler gratuitement. Si c'est une histoire qu'ils portent en eux depuis longtemps, ils ne voudront peut-être pas être rémunérés. Ce sera cathartique.

Pete semblait dubitatif.

—Comment le sujet est arrivé sur le tapis?

Les regards passèrent de Pete à Kitty.

—Pourquoi?

—J'essaie de trouver un lien entre ton idée et l'hommage à Constance.

—Il s'agit d'une de ses dernières idées.

—Vraiment? Ce n'est pas plutôt une des tiennes?

Les autres s'agitèrent sur leurs sièges, gênés.

—Tu es en train de m'accuser d'utiliser l'hommage à Constance pour te refiler une de mes idées?

Kitty aurait voulu le prendre de haut, mais sa voix défaite et faible la trahit, lui donnait l'air coupable.

—Je propose que nous fassions une pause et que chacun regagne son bureau…, intervint Cheryl.

Tout le monde quitta rapidement la pièce. Pete resta en bout de table, les mains à plat sur la surface du bureau, penché en avant. Cheryl demeura à ses côtés, ce qui déplut à Kitty.

—Kitty, je ne cherche pas à jouer au plus malin, mais je veux être sûr qu'il s'agit d'un projet de Constance. Je sais que tu la connaissais mieux que nous tous, mais tu me parles d'une conversation privée. Elle avait vraiment l'intention d'écrire cet article?

Kitty déglutit, soudain hésitante. Ce qui lui avait d'abord semblé limpide lui paraissait à présent bien flou.

—Je ne peux pas te l'assurer, Pete.

—Allons, Kitty, répondit-il avec un rire agacé, décide-toi.

—Tout ce que je sais, c'est que je lui ai demandé s'il y avait un sujet qu'elle regrettait de ne pas avoir traité. Elle a trouvé cette question intéressante et a dit que c'était une bonne idée d'article, que je devrais écrire quelque chose sur les écrivains à la retraite ou, mieux encore, leur demander d'écrire l'histoire qu'ils n'avaient jamais écrite. Elle a dit qu'elle t'en parlerait.

— Elle ne l'a pas fait.

Un silence.

— C'est une bonne idée, Pete, intervint Cheryl sur un ton égal, et Kitty se félicita finalement qu'elle soit restée.

Pete tapota la table du bout de son crayon.

— Et est-ce qu'elle t'a dit quel était l'article qu'elle aurait voulu avoir rédigé ?

— Non.

Il ne la croyait pas.

— Elle m'a dit d'aller chercher une enveloppe dans son bureau et de la lui rapporter, qu'elle m'expliquerait tout à ce moment-là, mais quand je suis revenue à l'hôpital, c'était trop tard.

Ses yeux se remplirent de larmes et elle détourna le regard. Elle espéra que l'un des deux aurait un mot réconfortant à son égard, mais rien ne vint.

— Tu l'as ouverte ? demanda Pete.

— Non.

Il ne la croyait toujours pas.

— Je ne l'ai pas ouverte, insista Kitty, qui sentait la colère monter.

— Où est-elle ?

— Je l'ai donnée à Bob.

Pete garda le silence.

— Qu'est-ce que tu en penses ? demanda Cheryl.

— J'en pense que ce serait génial si on avait l'article de Constance, plus les histoires des écrivains. Si Bob nous donne l'enveloppe, tu pourrais rédiger l'article, dit-il à Cheryl.

Furieuse qu'il confie la mission à Cheryl, Kitty objecta :

— Bob souhaitera peut-être l'écrire.

— On lui donnera la priorité, répondit Pete.

— J'ai l'enveloppe avec moi.

La voix de Bob leur parvint du bureau adjacent.

— Bob, dit Pete en se redressant. J'ignorais que tu étais là.

Ce dernier pénétra dans la pièce. Il avait l'air épuisé.

— Je ne pensais pas venir, et puis je me suis rendu compte qu'il n'y avait pas d'autre endroit où j'avais envie d'être, dit-il en utilisant la même expression que Kitty, et celle-ci comprit qu'il était là depuis le début. J'avais besoin de récupérer quelque chose dans le bureau de Constance – son carnet d'adresses, mais Dieu seul sait où il est –, et je vous ai entendus parler de son histoire, dit-il en souriant. Pete, je trouve que c'est une idée fantastique. Bravo.

— Est-ce que tu veux l'écrire ? demanda Pete.

— Non. Je n'ai pas le recul nécessaire.

— Quel est le sujet ?

— Aucune idée, répondit Bob avec un haussement d'épaules. Je n'ai pas ouvert l'enveloppe.

Kitty se sentait évincée de la conversation. Elle résista à l'envie de se lever et de brandir vers le ciel un poing rageur.

— D'accord.

Pete regarda Cheryl, satisfait. Il s'apprêtait à lui confier l'article, mais Bob l'interrompit.

— Je veux que ce soit Kitty qui s'en charge.

La stupéfaction se lut sur les visages de Pete et de Cheryl.

— Kitty est la plus indiquée, poursuivit-il gentiment avec un regard d'excuse à l'intention de Cheryl.

Cette dernière encaissa le coup en essayant de ne pas paraître blessée.

— Mais tu ne sais même pas de quoi il s'agit, contra Pete, prenant la défense de sa protégée.

— C'est vrai, répondit Bob en tendant l'enveloppe à Kitty.

Ils la regardèrent tous, dans l'expectative. Elle ouvrit soigneusement l'enveloppe. Cette dernière ne contenait qu'une feuille. Elle l'en sortit. Sur la feuille étaient écrits cent noms.

Chapitre 5

Sarah McGowan
Ambrose Nolan
Eva Wu
Jedrek Vysotski
Bartle Faulkner
Bridget Murphy
Mary-Rose Godfrey
Bernadette Toomy
Raymond Cosgrave
Olive Byrne
Marion Brennan
Julio Quintero
Maureen Rabbit
Patrick Quinn
Gloria Flannery
Susan Flood
Kieran Kidd
Anthony Kershaw
Janice O'Meara
Angela O'Neill
Eugene Cullen
Evelyn Meagher
Barry Meegan
Aiden Traynor
Seamus Tully

Diana Zukov
Bin Yang
Gabriela Zat
Barbara Tomlin
Benjamin Toland
Anthony Spencer
Aidan Somerville
Patrick Leahy
Cyril Lee
Kelly Marshall
Josephine Fowler
Colette Burrows
Ann Kimmage
Dermot Murphy
Sharon Vickers
George Wallace
Michael O'Fagain
Lisa Dwyer
Danny Flannery
Karen Flood
Máire O'Muireagáin
Barry O'Shea
Frank O'Rourke
Claire Shanley
Kevin Sharkey
Carmel Reilly
Russell Todd
Heather Spencer
Ingrid Smith
Ken Sheeran
Margaret McCarthy
Janet Martin
John O'Shea

Catherine Sheppard
Magdalena Ludwiczak
Declan Keogh
Siobhán Kennedy
Dudley Foster
Denis MacCauley
Nigel Meaney
Thomas Masterson
Archie Hamilton
Damien Rafferty
Ian Sheridan
Gordon Phelan
Marie Perrem
Emma Pierce
Eileen Foley
Liam Greene
Aoife Graham
Sinéad Hennessey
Andrew Perkins
Patricia Shelley
Peter O'Carroll
Seán Maguire
Michael Sheils
Alan Waldron
Carmel Wagner
Jonathan Treacy
Lee Reehill
Pauric Naughton
Ben Gleeson
Darlene Gochoco
Desmond Hand
Jim Duffy
Maurice Lucas

Denise McBride
Jos Merrigan
Frank Jones
Gwen Megarry
Vida Tonacao
Alan Shanahan
Orla Foley
Simon Fitzgerald
Katrina Mooney

Aucun résumé. Pas la moindre explication. Comment savoir qui étaient ces gens ou quel était le sujet de l'article ? Kitty glissa de nouveau la main dans l'enveloppe, mais elle ne contenait rien de plus.

— De quoi s'agit-il ? demanda Pete.

— D'une liste de noms, répondit Kitty.

Ils étaient tapés à l'ordinateur et numérotés de un à cent sur la gauche.

— Ces noms te disent quelque chose ?

Pete se pencha tant qu'il termina pratiquement étalé sur la table.

Kitty secoua la tête, de nouveau assaillie par un terrible sentiment d'échec.

— Peut-être qu'ils vous seront familiers.

Elle fit glisser la feuille vers eux, et ils se ruèrent dessus comme un seul homme. Ils la placèrent au milieu du bureau, devant Pete, et la parcoururent. Kitty guetta leur réaction ; elle s'attendait à ce qu'ils reconnaissent certains noms, mais, lorsqu'ils relevèrent la tête, visiblement aussi perplexes qu'elle, elle se rencogna sur sa chaise, à la fois soulagée et intriguée. Aurait-elle dû comprendre ce que ces noms signifiaient ? Constance les avait-elle évoqués avant ? Y avait-il un message caché dans cette liste ?

— Qu'est-ce qu'il y a d'autre dans l'enveloppe ? demanda Pete.

— Rien.

— Fais voir.

Voilà qu'il remettait en question sa parole, et la faisant douter d'elle-même, alors qu'elle avait déjà vérifié à deux reprises le contenu de l'enveloppe. Obligé d'admettre qu'elle avait raison, Pete balança l'enveloppe vide sur la table. Kitty s'en saisit et la tint aussi précautionneusement que s'il s'était agi d'un nourrisson.

— Est-ce qu'elle gardait des notes ? demanda Pete à Bob. Dans un carnet ou un dossier ? Il y a peut-être quelque chose dans son bureau.

— Si c'est le cas, alors c'est chez nous, répondit Bob, les yeux rivés sur la liste. Ma chère Constance, qu'est-ce que tu mijotais ?

Kitty ne put s'empêcher d'éclater de rire. Constance aurait adoré les voir se torturer les méninges comme ça.

— Je ne trouve pas ça très drôle, lança Pete. L'article n'a pas de sens si on n'a pas l'histoire qu'elle voulait raconter.

— Je ne suis pas d'accord, protesta Kitty. C'est le dernier article qu'elle a suggéré pour le magazine.

— J'aimerais mieux qu'on ait l'article de Constance, insista Pete, têtu. Je veux que les autres sujets tournent autour de lui. Si on ne l'a pas, le reste ne tient pas.

— Mais nous ne disposons que d'une liste de noms, rétorqua Kitty, de nouveau incertaine.

Elle ne voulait pas que tout l'hommage repose sur sa capacité à résoudre ce mystère. Elle n'avait pas assez de temps devant elle, et tout ça tombait au plus mauvais moment dans sa vie. Elle ne se sentait pas inspirée, et sa confiance en elle était au plus bas.

— Impossible de connaître les intentions de Constance, ni ce qu'elle en pensait.

— Bon, dans ce cas, je donne l'article à Cheryl, trancha Pete, les prenant tous par surprise. Elle saura découvrir de quoi il retourne.

Il referma brusquement son dossier et se leva.

— Sans vouloir t'offenser, je pense que Kitty devrait s'en charger, protesta Bob.

— Apparemment, elle ne s'en sent pas capable.

— Elle a juste besoin d'être encouragée, déclara fermement Bob. C'est une tâche intimidante.

— Comme tu veux, rétorqua Pete. On imprime dans deux semaines. Kitty, tiens-moi au courant de l'avancée de tes recherches. Je veux un rapport quotidien.

— Quotidien ? répéta-t-elle, surprise.

— Oui.

Il rassembla ses affaires et se dirigea vers le bureau de Constance – son bureau désormais.

L'exigence de Pete confirma à Kitty que son renvoi par la chaîne, les graffitis sur sa porte, sa rupture et le procès ne faisaient qu'annoncer les véritables répercussions du scandale.

À contrecœur, Kitty s'assit, hésitante, devant le bureau de Constance dans son appartement, les mains en l'air comme si elle était tenue en joue. Elle avait peur de toucher à quoi que ce soit, de déplacer les affaires de son amie : personne ne pourrait plus jamais les remettre en place. La semaine précédente, elle avait adoré s'y trouver, mais ce jour-là elle avait l'impression d'être une intruse. Bob lui avait donné carte blanche : elle était libre de tout lire et de tout fouiller. L'ancienne Kitty – celle qui avait toujours Constance dans sa vie et qui n'avait pas été accusée d'être une journaliste irresponsable – aurait sauté sur l'occasion de fourrer son nez partout et aurait lu tout ce qui lui serait tombé sous la main, en rapport ou non avec l'article. Mais plus rien n'était pareil.

Elle passa l'après-midi à faire des recherches infructueuses dans le meuble de classement, dans l'espoir de trouver quelque chose qui ait un lien avec la liste. C'était absurde : elle n'avait aucune idée de ce que cette liste pouvait signifier, ni du point commun entre ces noms. Elle les chercha un à un sur Google, sans rien découvrir d'intéressant : tous les chemins menaient à des impasses.

À la fin du deuxième jour, après un entretien embarrassant avec Pete à qui elle n'avait rien eu à annoncer, elle rentra chez elle. Des bandes de papier toilette peintes en rouge avaient été fixées sur sa porte pour imiter le ruban de balisage utilisé par la police judiciaire sur les scènes de crime.

En dépit du fait qu'elle s'était couchée désespérée et avait bouché ses toilettes en voulant se débarrasser du papier toilette, elle s'éveilla pleine d'entrain et d'énergie. Un nouveau jour signifiait de nouvelles recherches. Elle en était capable. C'était l'occasion de se racheter et d'être à la hauteur des attentes de Constance. Sa dernière pensée avant de s'endormir avait été que les noms sur la liste pouvaient être ceux de n'importe qui – et où trouver n'importe qui ? Elle s'assit à la table de la cuisine sans prendre la peine de s'habiller et se mit à compulser l'annuaire.

Elle avait fait plusieurs photocopies de la liste de Constance pour ne pas endommager l'originale, qu'elle avait remise à sa place dans le meuble. Sa copie disparaissait sous les idées, les questions et les gribouillis. Elle disposa donc devant elle une liste vierge, un carnet neuf, l'annuaire, une tasse de café frais – instantané puisque Glen était parti avec sa machine et son café en grains – et inspira profondément. Elle était prête.

C'est alors qu'elle entendit la clé dans la serrure et que la porte s'ouvrit sur... Glen. Se sentant vulnérable, elle porta immédiatement les mains à sa poitrine nue, croisa les jambes, puis ouvrit l'annuaire et s'en couvrit.

— Désolé, dit Glen, figé sur le seuil, clé en main. Je pensais que tu serais au boulot.

— Tu es obligé de continuer à me regarder comme ça ?

— Désolé. (Il cilla, détourna les yeux puis lui tourna le dos.) Tu veux que je m'en aille ?

— C'est un peu tard pour poser la question, non ? répondit-elle sèchement en se dirigeant vers son armoire.

— Et c'est parti, lança-t-il, toute politesse ayant déserté sa voix.

La porte claqua et il la suivit dans la chambre.

— Je ne suis pas encore habillée.

— Tu sais quoi, Kitty, j'ai déjà vu tout ça et je m'en fous.

Il ne lui jeta pas un coup d'œil pendant qu'il farfouillait dans les tiroirs de la commode.

— Qu'est-ce que tu cherches ?

— Ça ne te regarde pas.

— C'est mon appart', donc si, ça me regarde.

— J'ai payé la moitié du loyer pour le mois, donc techniquement c'est aussi le mien.

— Si tu me disais de quoi il s'agit, je pourrais t'aider. J'aimerais vraiment que tu ôtes tes mains de mes culottes.

Il finit par sortir une montre du tiroir de sous-vêtements de Kitty et la mit à son poignet.

— Depuis combien de temps elle est là ?

— Toujours.

— Oh.

Y avait-il d'autres choses qu'elle ignorait de lui ? Se posait-il la même question à son propos ? Ils restèrent silencieux un moment, puis Glen parcourut la chambre plus calmement et récupéra des chaussures, des CD et d'autres affaires éparses qu'il fourra au fur et à mesure dans un sac-poubelle noir.

Incapable de le regarder faire, Kitty retourna s'asseoir dans la cuisine.

—Merci de m'avoir prévenue que tu partais, lança-t-elle tandis qu'il faisait le tour de la cuisine. (Il récupéra les maniques. *Les maniques!*) Très courtois de ta part.

—Tu savais que j'allais le faire.

—Ah oui ? Et comment ?

—Combien de fois on s'est engueulés ? Combien de fois je t'ai expliqué ce que je ressentais exactement ? Combien de disputes tu voulais encore avoir ?

—Zéro, évidemment.

—Eh bien, voilà !

—Mais ce n'est pas le dénouement que j'espérais.

Il parut surpris.

—Je pensais que tu n'étais pas heureuse. C'est ce que tu disais.

—C'était une période difficile. Je ne pensais pas que... Quoi qu'il en soit, tout ça n'a plus d'importance, n'est-ce pas ?

Elle fut étonnée de constater qu'elle espérait qu'il dise que si, au contraire, ça en avait, qu'ils pouvaient arranger les choses... Au lieu de ça, il laissa le silence s'installer.

—Pourquoi tu n'es pas au boulot ?

—J'ai décidé de travailler à la maison.

—Le magazine t'a virée ? demanda-t-il.

—Non, aboya-t-elle, fatiguée qu'on doute systématiquement d'elle. Ils ne m'ont pas virée. Ça va te surprendre, mais il y a encore des gens qui croient en moi.

Ce qui n'était pas entièrement vrai, il n'y avait qu'à voir la façon dont Pete la traitait.

Glen soupira puis se dirigea vers la porte, le sac-poubelle sur l'épaule. Kitty reporta son attention sur l'annuaire. Ses yeux sautaient d'un nom à l'autre : elle était incapable de se concentrer tant qu'il était là.

— Je suis désolé pour Constance.

L'émotion la submergea et elle fut incapable de répondre.

— J'étais à l'enterrement, au cas où tu ne l'aurais pas su.

— Sally me l'a dit.

Elle se frotta violemment les yeux, agacée par ses larmes.

— Ça va ?

Kitty enfouit le visage dans ses mains. C'était trop humiliant de pleurer devant lui alors que, quelques semaines plus tôt, il l'aurait consolée. Elle pleurait sur ça autant que sur Constance. Et tout le reste.

— Va-t'en, s'il te plaît, sanglota-t-elle.

Elle entendit la porte se fermer doucement.

Une fois les yeux secs, elle se mit au travail. Elle commença par le premier nom de la liste, Sarah McGowan. Elle ouvrit l'annuaire à la bonne page. Il y avait des centaines de McGowan. Quatre-vingts M. et Mme, vingt S. McGowan et huit Sarah McGowan : si les vingt-huit McGowan spécifiques ne donnaient rien, elle devrait appeler tout le monde.

Elle commença par la première Sarah. Elle décrocha tout de suite.

— Allô ? Je voudrais parler à Sarah McGowan, s'il vous plaît.

— C'est moi-même.

— Je m'appelle Katherine Logan et je suis journaliste pour le magazine *Etcetera.*

Elle laissa planer un silence pour voir si son interlocutrice réagissait.

— Je ne veux participer à aucun sondage.

— Il ne s'agit pas de ça. Je vous appelle de la part de mon éditrice, Constance Dubois. Je pense qu'elle a été en contact avec vous pour rédiger un article.

Ce n'était pas le cas. Pas plus que pour les six autres S. qu'elle appela ensuite. Deux sonnèrent dans le vide et elle laissa deux messages. Kitty s'attaqua ensuite aux autres McGowan en espérant que Sarah était enregistrée sous le nom de son mari. Dix personnes ne répondirent pas et elle décida de les rappeler plus tard. Aucune Sarah dans les huit premiers McGowan qu'elle contacta. Il y en avait bien une chez le neuvième, mais, à trois mois, la petite Sarah en question n'avait aucun rapport avec Constance. Il lui restait vingt McGowan à appeler, sans parler des quatre-vingt-dix-neuf autres noms de la liste, qui allaient se multiplier en des centaines de coups de fil pour chacun. Il était possible qu'elle ait un millier de coups de fil à passer, à moins de commencer avec les noms les moins courants. Kitty ne doutait pas un instant de pouvoir le faire – les recherches ne l'ennuyaient jamais –, mais deux facteurs jouaient contre elle : le temps et l'argent. Elle n'avait pas les moyens de passer tous ces coups de fil.

À l'heure du déjeuner, elle abandonna l'idée de travailler chez elle et se rendit au magazine. Tout le monde bossait dur pour respecter la deadline et pour que l'hommage à Constance soit prêt à temps.

Rebecca, la directrice artistique, sortit du bureau de Pete en grimaçant.

— Il est de mauvaise humeur. Bonne chance.

Une inconnue était assise au bureau qu'elle utilisait généralement. Ce n'était pas inhabituel : ils employaient beaucoup de journalistes free-lance qui allaient et venaient. Kitty chercha des yeux un bureau inoccupé. En vain. Elle partit alors en quête d'un téléphone. Pete ouvrit la porte de son bureau et l'interpella.

— Qu'est-ce que tu fiches ?

— Je cherche un bureau. J'ai une tonne de coups de fil à passer. Tu crois que tu pourrais demander à quelqu'un de me prêter son téléphone pour la journée ? Et qui est la femme assise à mon bureau ?

— Tu as trouvé quelque chose ?

— Je vais appeler les gens de la liste directement histoire de voir s'ils ont eu des contacts avec Constance. Qui est la femme assise à mon bureau ?

— Comment tu comptes les contacter ?

— Grâce à l'annuaire, répondit-elle en essayant de ne pas lui montrer qu'elle savait l'idée ridicule.

— C'est tout ?

— Oui.

— Combien il y a de noms sur la liste ?

— Cent. Qui est la femme assise à mon bureau ?

— Cent ? Bon sang, Kitty, ça va te prendre une éternité.

— J'ai presque terminé le premier nom.

— Et ? Tu as trouvé quelque chose ?

— Pas encore.

Il lui lança un regard noir.

— Elle s'appelle McGowan, probablement le nom le plus courant de tout le pays. J'ai déjà passé une centaine de coups de fil. Pete, tu veux que je fasse quoi ? Il n'y a pas d'autre solution. J'ai commencé par une recherche Google, et soit Archie Hamilton est un clown disponible pour les anniversaires d'enfants, soit il travaille pour un agent de change, soit il est mort il y a dix ans, soit il est en prison depuis cinq ans pour agression. D'après toi, lequel est le bon ?

Il soupira.

— Écoute, tu ne peux pas travailler ici.

— Et pourquoi donc ?

Elle jeta un coup d'œil par la fenêtre, puis reporta ostensiblement son attention sur son bureau.

— C'est Bernie Mulligan. Je lui ai demandé d'écrire un article à ta place pour le prochain numéro. Les frères Cox ont téléphoné, ainsi que certains de nos plus gros annonceurs. On leur met la pression pour qu'ils retirent leurs pubs ce mois-ci.

— Pourquoi ?

Un silence.

— Oh. À cause de moi.

— Ça fait des mois que ça dure, mais maintenant que le procès a eu lieu, ils exigent que tu sois punie d'une manière ou d'une autre.

— Mais la chaîne m'a déjà suspendue. Ça n'a rien à voir avec *Etcetera*.

— Ils sont harcelés.

— Les partisans de Colin Maguire, comprit-elle. Ils font tout ce qu'ils peuvent pour me détruire.

— Rien ne prouve qu'il s'agit d'eux, fit-il remarquer sur un ton qui manquait de conviction.

Il se passa une main dans les cheveux. Ils étaient si brillants et parfaitement coupés qu'ils retombèrent aussitôt en place, comme dans une pub pour Head & Shoulders. Pour la première fois, Kitty se fit la réflexion qu'il était plutôt beau.

— Donc, tu me suspends.

— Non… Je te demande juste de ne pas venir travailler ici pendant les trois prochaines semaines, le temps qu'il me faut pour les convaincre.

— Et l'histoire de Constance, alors ?

Il se frotta les yeux, fatigué.

— C'est pour ça que tu ne voulais pas que je m'en charge, pas vrai ? C'est pour ça que tu voulais la donner à Cheryl.

— Je n'ai aucune marge de manœuvre, Kitty. Ce sont nos plus gros annonceurs. Si on les perd, on se suicide. Je ne peux pas permettre ça.

— Est-ce que Bob est au courant ?

— Non, et je t'interdis de le lui dire. Il n'a pas besoin de ça en ce moment. C'est à Cheryl et moi de gérer ça.

— Je veux écrire ce papier.

Kitty ressentit un besoin soudain de faire cette enquête. C'était tout ce qui lui restait.

— Si je ne parviens pas à négocier avec eux, alors ton nom ne peut pas apparaître dans le magazine, expliqua-t-il, l'air soudain épuisé. Je ne vois pas comment faire.

Kitty aima ce qu'elle voyait : il paraissait soudain plus humain et il ne ressemblait plus au pitbull dont elle avait l'habitude.

— J'avais pensé à écrire sous le nom de Kitty Logan à partir de maintenant, et à laisser tomber Katherine. Il n'y a que ma mère qui m'appelle comme ça, de toute façon…

Elle déglutit. Katherine Logan traînait tellement de casseroles qu'elle était gênée de prononcer son nom à haute voix et s'était sentie mal à l'aise en appelant tous ces gens. En proie à une paranoïa permanente, elle se demandait en permanence comment les autres allaient réagir, ce qu'ils pensaient sans oser le dire. En devenant Kitty, elle pouvait repartir de zéro.

Pete lui lança un regard plein de commisération.

— Ou encore mieux, répondit-elle en feignant de ne pas avoir perçu sa pitié, ravie d'avoir eu une nouvelle idée. On n'a qu'à utiliser le nom de Constance. C'est son histoire après tout.

— C'est impossible, Kitty. Ce sera ton article, pas le sien.

Il parut agréablement surpris de voir qu'elle était prête à renoncer à ce que son travail soit reconnu. Il s'adoucit.

— On trouvera une solution. Continue de bosser. Tu ne peux pas travailler chez toi ?

— Je… je n'ai pas les moyens de passer autant de coups de fil.

Il soupira et se pencha en avant, les deux mains à plat sur son bureau. Il avait un dos très musclé et, à sa grande surprise, Kitty se sentit fondre. Elle avait envie de lui masser les épaules pour lui permettre de se détendre.

— D'accord, dit-il doucement. Utilise ton téléphone fixe ; le magazine paiera la facture.

— Merci.

— Mais il va falloir que tu procèdes autrement. L'annuaire n'est pas la solution.

— Oui. Je sais.

En descendant l'escalier, Kitty découvrit que le nichoir dans le jardin portait un panneau « Publicités » et débordait de prospectus. Elle songea à Glen, qui cachait sa montre sous ses culottes. Bob et Constance rangeaient des choses à des endroits étranges : la clé de l'histoire de Constance se trouvait certainement chez eux. Elle frappa à la porte.

Teresa lui ouvrit.

— Il fait la sieste, ma chérie.

— J'ai besoin d'utiliser le bureau de Constance. Il faut que tu m'aides à trouver leur annuaire.

Teresa éclata de rire.

— Bonne chance. Tu sais que, l'autre jour, j'ai retrouvé leur téléphone dans le panier à linge sale ? Bob m'a expliqué l'avoir mis là parce que sa sonnerie était trop forte.

Elles regardèrent autour d'elles.

— De la monnaie dans la théière, les passeports dans le grille-pain, les prospectus dans le nichoir – où diable Constance pouvait-elle bien ranger l'annuaire ?

— Probablement au petit coin. Elle devait s'en servir comme papier toilette, répondit Teresa en regagnant la cuisine où Kitty entendait ronronner le lave-vaisselle.

La jeune femme fut ravie de constater que Teresa ne se contentait plus de faire la poussière et qu'elle s'occupait de Bob à présent.

Livrée à elle-même, elle se mit à la recherche de l'annuaire. Elle commença par les endroits les plus évidents, puis se força à songer aux plus improbables. Elle s'agenouilla sur le tapis en peau de mouton à poil long posé sur le sol du bureau de Constance et Bob, curieusement déplacé à côté de son voisin persan, et fouilla la table basse sur laquelle était posé le téléphone. Sans savoir pourquoi, elle vérifia sous la table : ils étaient là. En lieu et place des pieds attendus, le plateau en bois reposait sur des piles de pages blanches et de pages jaunes qui s'étalaient sur dix ans. Kitty éclata de rire et Teresa vint voir sur quoi elle avait mis la main. En voyant Kitty ôter le plateau de bois, la gouvernante leva les yeux au ciel, mais ne put dissimuler son amusement avant de tourner les talons pour regagner la cuisine. Kitty feuilleta l'annuaire en cours : il ne contenait rien d'intéressant. Elle passa à celui de l'année précédente. Elle se rendit directement à la page des McGowan et faillit sauter de joie. L'un des noms était surligné en rose. Elle tourna les pages jusqu'au deuxième de la liste, Ambrose Nolan, et découvrit avec ravissement qu'il l'était également. Elle sortit la liste de sa chemise et vérifia les noms. Ils étaient tous surlignés. Elle avait enfin de la chance. Elle brandit le poing en signe de victoire et heurta une lampe. Cette dernière vacilla dangereusement et un petit carnet d'adresses en cuir rouge tomba sur le sol, celui que Bob cherchait. Kitty éclata de rire, l'annuaire serré contre elle, et leva le visage vers le ciel.

— Merci, murmura-t-elle.

CHAPITRE 6

Kitty avait à présent en sa possession tous les noms, toutes les adresses et tous les numéros de téléphone. Ils habitaient tous en Irlande : sa chasse au dahu était limitée à un seul pays. Elle était si près de résoudre le mystère qu'elle sentait presque l'odeur de l'encre fraîche flotter dans l'air. Elle n'avait qu'une semaine et demie pour pondre son papier et cent personnes à rencontrer, mais elle n'avait pas envie de s'y mettre tout de suite. Alors qu'elle feuilletait l'annuaire, elle eut envie de chercher un autre nom, qui n'était pas sur la liste de Constance.

Kitty prit le bus 123 jusqu'à O'Connell Street, puis le 140 jusqu'à Finglas. Une fois parvenue à destination une heure plus tard, elle ne savait toujours pas ce qu'elle allait dire, même après avoir passé tout le trajet à préparer son discours. Elle resta immobile dans le square face à la maison de Colin Maguire. Des enfants à vélo pédalaient à toute allure autour d'elle, manquant de la renverser, comme si elle n'était pas là. Elle se prit soudain à regretter d'être venue. À cette heure de la journée, la rue était pleine de mères et d'enfants, et personne ne prêtait la moindre attention à une inconnue. Du moins pas encore. Elle était persuadée qu'il ne faudrait pas longtemps pour qu'un gamin dise à sa mère qu'une drôle de femme rôdait dans les parages. Le square était une bande de cent mètres de pelouse traversée en diagonale par un sentier et entourée par une petite clôture. Rien ne la protégeait des regards, elle était exposée, et elle n'était séparée de la maison de Colin que par quelques dizaines de mètres et sa propre terreur.

Elle observa les voisins en se demandant si certains étaient venus au tribunal, s'ils faisaient partie de ceux qui lui avaient hurlé dessus, si c'étaient eux qui avaient tagué sa porte et accroché du papier toilette pendant qu'elle dormait ou qu'elle était au travail. Est-ce qu'ils l'avaient surveillée comme elle le faisait à présent ? Son chapeau rabattu sur le front, elle contemplait la maison de Colin Maguire en essayant de décider si elle devait aller sonner, et, si oui, ce qu'elle devait dire.

Désolée. Désolée d'avoir saccagé votre vie. Désolée qu'à cause de moi vous ayez été mis à pied et rejeté par votre entourage. Désolée que pour je ne sais quelle raison, mais qui a certainement à voir avec cette histoire, vous ayez dû mettre votre maison en vente. Désolée que votre mariage en ait pâti. Désolée de vous avoir presque fait virer. Désolée d'avoir mis votre famille dans l'embarras et détruit vos relations. Je sais que vous ne me croyez pas capable de comprendre, parce que vous me prenez pour une salope sans cœur, mais c'est pourtant le cas. Je comprends parfaitement. Je comprends parce que c'est exactement ce que je vis en ce moment. Voilà ce qu'elle avait envie de dire, mais à quoi bon s'excuser si c'était encore pour s'apitoyer sur son sort ? Elle souffrait trop pour taire sa propre détresse. C'était entièrement sa faute, mais ils en subissaient tous les deux les conséquences, et ceux qui aimaient Colin et tentaient de le protéger prolongeaient son calvaire.

Elle observa la maison. Un panneau « À vendre » avait poussé au milieu de la pelouse. Aucun signe de ses enfants, pas de bicyclettes dans le jardin ni de jouets sur le rebord des fenêtres. Une voiture était garée dans l'allée. C'était celle de Colin. Elle se souvenait de l'avoir poursuivi alors qu'il regagnait son véhicule à sa sortie de cours, la caméra braquée sur son visage capturant son expression désorientée et stupéfaite. Elle le prenait pour un criminel à l'époque. Elle avait honte quand elle repensait à tout ce qu'elle lui avait balancé à la figure. Elle se demandait si la présence de la voiture signifiait qu'il n'avait pas encore repris le travail. Elle présumait qu'il avait réintégré le lycée maintenant que la justice l'avait lavé de tout soupçon. Mais peut-être qu'elle lui avait causé trop de tort et qu'il était traumatisé.

Désolée.

Colin avait trente-huit ans. Il avait commencé à travailler au collège-lycée de Finglas – qui accueillait des élèves âgés de douze à dix-huit ans – dès sa sortie de l'université. Il était très apprécié par les élèves, ce qui lui avait causé du tort. C'était un habitué des bals de promo, un jeune prof investi qui avait du mal à se faire respecter : il ne donnait pas de devoirs, et la seule punition à laquelle il avait recours consistait à faire des pompes en chantant les derniers tubes à la mode. C'était le prof vers qui les élèves se tournaient quand ils avaient des problèmes, et sa cote de popularité lui avait valu d'être nommé plusieurs fois professeur principal, ce qui était assez inhabituel pour un professeur d'EPS. Lorsqu'il avait repoussé les avances de Tanya O'Brien, alors âgée de seize ans, il ne pouvait pas savoir qu'il en subirait les conséquences dix ans plus tard. Quelles qu'en soient les raisons, Tanya avait réussi à persuader son amie, Tracey O'Neill, d'être sa complice. Tracey avait vraiment cru que son amie avait été violée et que son fils de dix ans était celui de Colin. Tanya avait convaincu Tracey que deux versions identiques de la même histoire valaient mieux qu'une : Tracey avait accepté pour soutenir Tanya, mais aussi parce qu'elle pensait que cette sombre affaire lui permettrait de gagner un peu d'argent. La presse magazine s'emparerait certainement de ce scandale, et peut-être même la télévision.

Tanya avait montré à son amie des cas similaires dans lesquels les victimes avaient été payées par les médias. Une jeune femme malintentionnée et une autre, oisive et tordue, s'étaient unies et en avaient pris pour cible une troisième, journaliste dont les dents rayaient le parquet. Kitty était jeune et au début de sa carrière. Elle goberait tout, c'était certain. Comme prévu, elle avait adhéré sans réserve à leurs mensonges et était revenue vers elles après la validation du producteur et du rédacteur de *Trente minutes* qui allaient donner crédit à leur histoire. Elle était convaincue de servir une juste cause en révélant le visage de ce pervers au monde entier.

La porte d'entrée de la maison de Colin s'ouvrit et il fit son apparition. Tête baissée comme au tribunal, menton sur la poitrine. Le cœur de Kitty se mit à battre à toute allure, et elle comprit qu'elle ne pourrait pas le faire. Elle tourna les talons et s'éloigna rapidement, le chapeau enfoncé jusqu'aux yeux. Elle avait une fois de plus l'impression d'être une intruse dans la vie de cet homme.

Personne n'avait donné suite aux messages laissés le matin. Ceux qu'elle avait appelés n'avaient pas répondu ou n'étaient pas chez eux. Ses interlocuteurs avaient promis de transmettre le message aux absents, mais elle n'était pas certaine qu'ils tiendraient parole. Par ailleurs, de plus en plus de gens ne décrochaient pas leur téléphone s'ils ne reconnaissaient pas le numéro qui s'affichait sur l'écran ou si le numéro appelant était masqué. Kitty jugea finalement qu'une rencontre en chair et en os valait mieux qu'un incertain contact téléphonique.

Le premier jour, elle se rendit à l'adresse de Sarah McGowan, à Lucan, un bâtiment de briques rouges de plain-pied construit dans les années 1970 et qui ressemblait à une résidence pour personnes âgées. La baie vitrée à côté de la porte d'entrée s'ouvrit sur une femme d'une vingtaine d'années en uniforme d'infirmière.

— Vous êtes Sarah McGowan ?

La jeune femme la détailla des pieds à la tête avant de prendre une décision.

— Elle est partie il y a six mois.

Kitty ne cacha pas sa déception.

— Pas de travail pour elle ici, poursuivit l'infirmière en haussant les épaules. Je comprends bien, mais elle aurait quand même pu me donner ses trois mois de préavis.

— Elle est partie où ?

— En Australie.

— En Australie !

— À Victoria, il me semble. En tout cas, c'est là qu'elle est allée en premier. Elle a des amis là-bas qui font pousser des pastèques. Ils lui ont proposé d'en ramasser.

Elle leva les yeux au ciel.

— Je ne sais pas, ça a l'air sympa, répondit Kitty en songeant que partir ramasser des pastèques à l'autre bout du monde était peut-être la solution à tous ses maux.

— Pour une diplômée en comptabilité ?

Kitty comprenait son point de vue.

— Est-ce que vous avez son numéro de téléphone ?

L'infirmière secoua la tête.

— On n'était pas spécialement amies. Elle fait suivre son courrier et j'ai vendu ses affaires sur eBay. C'était bien le moins qu'elle pouvait faire après m'avoir plantée.

— Vous connaissez sa famille ou ses amis ?

La jeune femme lui lança un regard qui répondait à la question.

— Merci pour votre aide.

Kitty tourna les talons : cette femme ne pouvait rien lui apprendre de plus.

— Eh, c'est bien vous ?

Elle s'arrêta net.

— Ça dépend. Vous qui ?

— La nana de la télé. De *Trente minutes.*

Kitty ne répondit pas tout de suite.

— Oui.

— Vous m'avez laissé un message.

Inutile de répondre.

— Je n'ai jamais vu votre émission. Je vous connais à cause du procès.

Le sourire de Kitty s'évanouit.

La jeune femme sembla réfléchir quelques secondes.

— C'est une chouette fille, vous savez. Sarah. Malgré ce que je vous ai dit sur elle. Ne lui faites pas de mal.

— Ne vous inquiétez pas.

Kitty retrouva son chemin dans la résidence tranquille en songeant qu'elle ferait peut-être mieux de se faire appeler Kitty à partir de maintenant.

Dans le bus qui la conduisait à sa destination suivante, elle essaya d'oublier la fin de leur conversation en prenant des notes.

Hypothèse : les gens qui sont partis vivre à l'étranger.
Une histoire de récession ?

Elle espérait que ce n'était pas le cas. Elle en avait assez lu – les médias ne parlaient que de ça –, et à moins que la situation ne soit unique, elle savait que Constance partageait son point de vue.

Elle regarda par la vitre du bus. Elle aurait voulu suivre la liste dans l'ordre exact, mais comme elle avait décidé de faire du porte-à-porte et qu'elle ne possédait pas de voiture, elle commençait par les adresses à Dublin. Sixième de la liste mais deuxième pour elle, Bridget Murphy.

Le numéro 42 était une maison mitoyenne à Beaumont que rien ne distinguait des rangées de maisons identiques à côté, en face et autour, dans le dédale du lotissement. Dans un effort pour égayer leur demeure, certains l'avaient repeinte, mais manifestement sans se concerter. Des jaunes et des orange criards se heurtaient, des vert tendre et des vert menthe se côtoyaient, de jolis roses avoisinaient la pierre terne d'origine. Le numéro de la maison figurait sur un autocollant fantaisie en forme de smiley collé sur la poubelle à roulettes devant le portail, l'allée était jonchée de jouets et de vélos abandonnés, mais aucune voiture n'était garée dans l'allée ou devant la maison. Il était 17 h 30, les gens rentraient du travail, et la nuit tombait déjà. Devant la maison voisine, une vieille femme assise sur une chaise profitait des derniers rayons du soleil. Elle portait une jupe mi-longue, des collants épais sur ses mollets bandés et des chaussons écossais. Elle ne quittait pas Kitty des yeux et lui fit un signe de tête lorsque leurs regards se croisèrent.

Kitty sonna à la porte de Bridget Murphy et fit un pas en arrière.

— Ils sont en train de dîner, expliqua la vieille femme. Voyant que l'intérêt de Kitty s'était reporté sur elle, elle poursuivit en plissant le nez. Poulet au curry. Comme tous les jeudis. Je le sens jusque chez moi.

Kitty se mit à rire.

— Vous n'aimez pas le poulet au curry ?

— Pas le sien, répondit-elle en détournant le regard comme si la simple vue de la maison de ses voisins l'offensait. Ils ne vous entendront pas, ils sont très bruyants.

Effectivement. On aurait dit qu'une armée de gamins glapissants faisaient tomber leurs couverts et heurtaient leurs verres. Elle ne voulait pas se montrer impolie en sonnant de nouveau, surtout si elle perturbait le dîner avec pour public cette vieille femme.

— Si j'étais vous, j'insisterais, commenta la voisine.

Ravie de recevoir la permission, Kitty s'exécuta.

— Vous voulez voir qui ? Lui ou elle ? Parce qu'il n'est pas là, il ne rentre jamais avant 19 heures. Il travaille dans une banque.

Elle fronça de nouveau le nez.

— Je viens voir Bridget Murphy.

La vieille femme sembla perplexe.

Kitty vérifia le nom inscrit sur son carnet, même si elle avait mémorisé quasiment toute la liste, mais c'était devenu une nouvelle manie ; jamais sûre d'elle, elle vérifiait tout vingt fois.

— Bridget n'habite plus là, dit la vieille femme au moment où la porte d'entrée s'ouvrait sur une mère de famille à l'air débordé.

— Oh. Bonsoir, dit Kitty.

— Je peux faire quelque chose pour vous ?

— Je l'espère. Je cherche Bridget Murphy, mais je viens d'apprendre qu'elle ne vivait plus ici.

— Non. Je viens de vous le dire, reprit la vieille voisine. Je viens de le lui dire, Mary.

— Oui, c'est vrai, dit la mère en ignorant superbement sa voisine.

— Vous voyez ?

— Est-ce que vous savez comment je peux contacter Bridget ?

— Je ne la connais pas du tout. On a acheté cette maison l'année dernière. Mais peut-être qu'Agnes pourrait vous aider.

Kitty s'excusa d'avoir interrompu son dîner, la porte se referma et elles entendirent Mary hurler pour obtenir le silence de sa progéniture.

Kitty pivota vers Agnes. Elle était persuadée que cette femme connaissait la vie de tous ses voisins. Un rêve de journaliste. Elle envisagea d'enjamber la petite clôture qui les séparait, mais se dit qu'Agnes trouverait peut-être ça mal élevé, alors elle fit le tour par la rue et la rejoignit dans son jardin.

La vieille femme lui jeta un regard intrigué.

— Vous auriez pu enjamber la clôture.

— Est-ce que vous savez où est Bridget ?

— On a été voisines pendant quarante ans. C'est une femme géniale. Ses enfants sont une bande de bons à rien, égoïstes par-dessus le marché. À les entendre, ils font partie de la famille royale. C'est bien loin de la réalité. Elle est tombée, c'est tout, poursuivit-elle avec colère. Elle a trébuché. Ça arrive à tout le monde, pas vrai ? Mais non, ils l'ont foutue en maison de retraite, la pauvre Birdie, comme ça ils ont vendu la maison et dépensé l'argent en vacances au ski.

Elle marmonnait dans sa barbe, et son dentier sortait parfois.

— Elle est dans quelle maison de retraite ?

— Sainte-Margaret à Oldtown, répondit-il sur un ton qui laissait penser qu'elle en voulait à tous les habitants de Oldtown.

— Est-ce que vous êtes allée la voir ?

— Moi ? Non. Je ne peux pas aller plus loin que le magasin au coin de la rue et après je ne sais jamais comment revenir.

Elle se mit à rire, un rire sifflant qui se termina en quinte de toux.

— Vous pensez qu'elle accepterait de me recevoir ?

Agnes la dévisagea.

— Votre visage m'est familier.

— Oui, répondit Kitty piteusement.

— C'est vous qui avez fait le reportage sur le thé.

— Oui, c'est moi, répondit Kitty, soulagée.

— Je bois du Barry's. Comme ma mère et ma grand-mère avant moi.

Kitty hocha solennellement la tête.

— C'est un bon choix.

Agnes se décida et plissa les yeux.

— Dites-lui qu'Agnes pense que vous êtes sympa. Et que j'ai demandé de ses nouvelles. On se connaît depuis très longtemps toutes les deux. (Elle contempla un instant le jardin, pensive.) Dites-lui que je suis toujours là.

Au moment où Kitty s'éloignait, la porte de la maison voisine s'ouvrit et quatre enfants en jaillirent comme des boulets de canon, leur mère sur les talons leur criant des ordres.

— Et dites-lui qu'ils ont coupé ses roses. Un vrai massacre.

Mary lança à Agnes un regard d'un mépris absolu et Kitty la salua de la main en souriant. En route vers sa nouvelle destination, Kitty regarda les noms des deux femmes à qui elle avait rendu visite dans la journée. Sarah McGowan et Bridget Murphy.

Hypothèse : des gens qui ont déménagé malgré eux ?

C'était un sujet qui la concernait aussi. Elle et Colin Maguire.

Chapitre 7

Oldtown étant très mal desservi par les transports en commun, Kitty n'eut pas d'autre choix que de prendre un taxi. Le chauffeur n'était pas du coin, ce qu'il lui rappela au moins dix fois durant le trajet, et ils durent s'arrêter à trois reprises pour demander leur chemin au milieu d'un lacis de petites routes de campagne de plus en plus étroites. Ils finirent par atteindre, au milieu de nulle part, Sainte-Margaret, un pavillon datant des années 1970, agrandi et transformé plus tard en maison de retraite. Sur la droite, la véranda plein sud servait de salle à manger. Des fauteuils et des canapés meublaient l'extension sur la gauche qui tenait lieu de séjour aux pensionnaires de la maison. Les jardins étaient très bien entretenus, avec des bancs un peu partout, et des paniers colorés étaient fixés sur les murs de la bâtisse. Si jamais elle la revoyait, Kitty pourrait dire à Agnes que son amie était installée dans un endroit très agréable. Il était 19 heures ; les visites prenaient fin une demi-heure plus tard. Ayant jusque-là joué de malchance, Kitty espérait de tout son cœur que Bridget accepterait de la voir.

Elle s'annonça à la réception et attendit qu'une infirmière à l'air sévère, les cheveux relevés en chignon, consulte le registre des visiteurs. Kitty la regarda faire avec inquiétude, essayant de mettre en place une stratégie pour lui annoncer qu'elle n'était pas attendue et retourner la situation à son avantage. Sur sa droite s'ouvrait la salle commune, pleine de visiteurs ; on y disputait des parties d'échecs animées. Une femme entre deux âges avec des dreadlocks obligeait trois vieux bonhommes, l'un avec un déambulateur, l'autre avec un sonotone, à jouer à Jacques a dit.

— Non, Wally ! s'exclama-t-elle, hilare. Je n'ai pas dit « Jacques a dit » !

Le vieil homme avec le sonotone eut l'air perplexe.

— Asseyez-vous, vous êtes éliminé. Éliminé ! cria-t-elle encore plus fort.

Elle abandonna les deux joueurs restant les mains sur la tête et s'avança jusqu'au seuil de la salle commune.

— Molly, dit-elle en détaillant Kitty des pieds à la tête comme si elle jaugeait la concurrence. Où est Birdie ?

— Elle se repose, répondit sur un ton blasé une jeune infirmière aux cheveux et aux ongles bleus sans lever le nez du dossier qu'elle était en train de compulser.

— Est-ce que je peux monter la voir ? demanda la femme aux dreadlocks. J'ai apporté mes cartes des anges.

Molly jeta un coup d'œil en direction de Kitty comme pour dire : « Pas étonnant qu'elle se repose. »

La femme aux dreadlocks eut l'air un peu désemparée en apprenant ça, comme une petite fille qui aurait perdu son compagnon de jeu.

Molly soupira.

— Je vais aller la voir et lui demander si elle veut descendre.

La femme regarda autour d'elle et s'adressa d'une voix très forte au vieil homme à côté d'elle.

— Seth, vous voulez que je vous lise le poème que j'ai écrit cette semaine ?

L'intéressé avait l'air un peu méfiant, mais elle s'installa quand même à côté de lui avant qu'il n'ait le temps de répondre et commença à lui réciter son poème comme une enfant de six ans.

Kitty vit Molly emprunter un couloir, s'arrêter devant les toilettes, s'adosser au mur et examiner ses ongles. Au bout de dix secondes, elle regagna l'entrée.

— Elle dort, dit-elle à la femme aux dreadlocks.

— Seth a besoin de piles, annonça l'infirmière qui s'occupait de Kitty lorsque Molly parvint à la hauteur de la réception.

Molly lança un coup d'œil à la femme qui n'avait pas fini de réciter son poème.

— Et si on attendait un peu avant de les changer ?

Kitty aimait bien le style de Molly.

— Je suis désolée, c'est quoi votre nom déjà ? demanda l'infirmière à l'air sévère en levant enfin le nez de son registre.

— Kath...

Elle s'interrompit, incapable de donner son nom, puis rectifia le tir :

— Kitty Logan.

— Vous avez rendez-vous avec Bridget ?

— Non. Je passais juste dans le coin, répondit-elle avec autant d'amabilité que possible.

Il paraissait pourtant impossible de se retrouver par hasard dans cet endroit paumé. Même un missile ne pourrait pas être programmé pour cibler cette maison de retraite.

— Les visites ne se font que sur rendez-vous, répliqua l'infirmière en fermant le registre d'un coup sec.

Les négociations s'annonçaient difficiles.

— Mais je suis là et je viens de loin. Est-ce que vous pourriez lui demander si elle accepte de me recevoir ? Dites-lui qu'Agnes pense que je suis sympa, fit-elle en souriant.

— Ça va à l'encontre des règles de la maison. Vous reviendrez si Brenda...

— Bridget. Je suis venue voir Bridget Murphy, la coupa Kitty qui commençait à bouillir intérieurement.

Elle n'avait encore réussi à rencontrer personne de la liste, les jours passaient et elle était à bout de patience. Elle n'avait pas l'intention de partir sans avoir vu Bridget ou giflé quelqu'un, peu importe qui, mais de préférence la mégère en face d'elle.

— Eh bien…

L'infirmière posa les mains sur ses hanches, l'air prête à donner la fessée à Kitty.

— Bernadette, intervint la jeune femme aux cheveux bleus. Je m'en charge. Si tu allais t'occuper de Seth ? Il t'aime mieux que moi.

Bernadette lui lança un regard noir, agacée d'être interrompue dans ses remontrances, puis elle céda avec un dernier grognement à l'intention de Kitty et vola au secours de Seth.

— Suivez-moi, dit Molly en se dirigeant vers l'extension du fond.

Super, c'était la marche de la honte : elles n'avaient même pas le courage de la mettre dehors par la grande porte. Lorsqu'elles débouchèrent sur le magnifique jardin, Molly se tourna enfin vers elle.

— Ne faites pas attention à elle, c'était un sergent instructeur dans une vie antérieure, et sacrément frustré, par-dessus le marché. Birdie déteste les visites. L'espèce de hippie que vous avez vue emmerde tout le monde, et spécialement Birdie. Si je pouvais, je lui mettrais mon poing dans la figure. Elle n'a rien de mieux à faire, soit elle embrasse des arbres, soit elle ennuie les petits vieux, et si elle embrasse les petits vieux autant qu'elle ennuie les arbres, elle n'en est pas très appréciée pour autant. Par ici, poursuivit-elle en conduisant Kitty vers un banc. Ne me faites pas dire ce que je n'ai pas dit, c'est génial que les pensionnaires aient des visites, affirma-t-elle comme pour lui montrer qu'elle n'avait pas de problème avec elle. Ils se sentent seuls parfois, mais bon, ce serait bien que ce soient des gens sains d'esprit qui viennent les voir.

Des notes de piano leur parvinrent, et la femme aux dreadlocks se mit à chanter un gospel, « This little light of mine ».

— Bridget n'a pas de visiteurs le soir ?

— Sa famille ne peut venir que le week-end. On est loin de tout, ici, comme vous avez pu vous en rendre compte. Mais ne vous inquiétez pas, Birdie s'en fiche. Je pense même qu'elle s'en accommode à merveille. Mettez-vous à l'aise, je vais la chercher.

Elle se dirigea vers les minuscules bungalows qui se dressaient non loin. Kitty prépara son carnet et son enregistreur. Quel pouvait bien être le sujet de Constance ?

Bridget fit son apparition. C'était une femme gracieuse qui se déplaçait lentement à l'aide d'une canne. Elle ressemblait davantage à une prof de danse classique qu'à une vieille dame. Ses cheveux gris étaient sagement tirés en arrière, sans une mèche de travers. Un doux sourire étirait ses lèvres peintes en rose, et son regard curieux se posa sur Kitty, qui devina que Bridget se demandait si elle la connaissait. Elle était vêtue avec une certaine sophistication, et il semblait qu'elle avait fait un effort même si elle n'avait prévu de voir personne ce jour-là.

Kitty se leva pour la saluer.

— Je reviens avec votre thé, Birdie. Kitty ?

Cette dernière accepta d'un hochement de tête et se tourna vers la vieille dame.

— Je suis ravie de faire enfin votre connaissance, Bridget, dit-elle.

Ce disant, elle se rendit compte, à sa grande surprise, qu'elle était sincère.

Elle avait enfin réussi à établir un contact avec quelqu'un de la liste. Elle se sentait liée à Constance, prête à embarquer pour le dernier voyage qu'elle aurait voulu faire.

Bridget sembla soulagée.

— Appelez-moi Birdie, je vous en prie. Donc, nous ne nous connaissons pas.

C'était une affirmation plus qu'une question. Elle avait un léger accent de Cork.

— Non.

— Je me vante d'avoir une bonne mémoire, mais il arrive qu'elle me joue des tours, expliqua Bridget en souriant.

— Pas cette fois-ci. Nous ne nous sommes jamais rencontrées. Mais nous avons une connaissance commune, et c'est pour ça que je suis ici. Elle s'appelle Constance Dubois.

Kitty se rendit compte qu'elle s'était assise au bord du banc, tant elle était impatiente. Elle attendit de déceler une lueur de reconnaissance dans les yeux de Birdie. En vain. Elle sentit son enthousiasme décroître. Elle sortit un exemplaire d'*Etcetera* de son sac à main afin de lui rafraîchir la mémoire.

— Je travaille pour ce magazine. Constance Dubois en était la rédactrice en chef. Elle voulait écrire une histoire dont vous faites partie.

— Oh, ma chère, répondit Birdie en ôtant ses lunettes et en levant les yeux du journal. J'ai bien peur que vous ne vous trompiez de personne. Je suis désolée que vous ayez fait tout ce chemin. Je n'ai jamais entendu parler de votre amie…

— Constance.

— Oui, Constance. Je n'ai jamais été en contact avec elle de quelque manière que ce soit. (Elle regarda de nouveau le mensuel comme pour essayer de se souvenir de quelque chose.) Je n'ai jamais vu ce magazine. Je suis vraiment navrée.

— Vous n'avez jamais été en contact avec Constance Dubois ?

— Non, ma chère.

— Vous n'avez reçu aucune lettre d'elle, ni mail, ni message ?

Le désespoir de Kitty exsudait par tous les pores de sa peau, de même que sa frustration : elle était à deux doigts de demander à Birdie s'il y avait des antécédents de maladie d'Alzheimer dans sa famille.

— Non, ma chère, je suis désolée. Je m'en souviendrais. Je suis ici depuis six mois, alors à moins qu'elle ne soit tombée sur la virago de l'accueil qui a exigé qu'elle prenne un rendez-vous pour me voir, elle ne m'a jamais contactée. (Birdie contempla de nouveau le magazine.) Je n'aurais pas oublié quelque chose d'aussi excitant qu'une rédactrice en chef qui aurait voulu me parler.

Molly arriva avec le thé et fit un clin d'œil à Birdie en lui tendant sa tasse. L'odeur qu'exhalait le breuvage ne ressemblait pas à celle du thé.

— C'est ma complice, les autres sont raides comme la justice, expliqua Birdie en souriant avant de prendre une gorgée de brandy.

Kitty fut déçue de découvrir que son thé, en revanche, était bien du thé : elle n'aurait rien eu contre quelque chose de plus fort.

— Si Constance vous a contactée, c'était il y a plus de six mois, plus vraisemblablement un an. Vous viviez encore à Beaumont. (En voyant la surprise se peindre sur les traits de la vieille dame, Kitty jugea bon de s'expliquer.) Je suis d'abord allée chez vous. C'est Agnes qui m'a appris que vous étiez ici.

— Ah, voilà le lien avec Agnes, commenta la vieille dame en souriant. Agnes Dowling. La plus curieuse des vieilles chouettes et la plus loyale des femmes. Comment va-t-elle ?

— Vous lui manquez. Elle n'a pas l'air d'aimer beaucoup ses nouveaux voisins.

Birdie gloussa.

— Agnes et moi formions une bonne équipe. Nous avons été voisines pendant quarante ans. Nous nous sommes beaucoup rendu service au fil des ans.

— Elle aimerait beaucoup vous rendre visite, mais elle a du mal à se déplacer.

— Ah, oui, murmura Birdie.

Kitty fut soudain frappée par une révélation : en venant vivre en maison de retraite, on se coupait du reste du monde. Les résidents recevaient de la visite et faisaient parfois des sorties d'une journée, voire d'un week-end ou d'une semaine, mais la vie qu'ils avaient connue et les gens qui les entouraient disparaissaient. Elle songea à Sarah McGowan, ancienne comptable qui ramassait des pastèques à l'autre bout du monde.

Hypothèse : dire adieu à une ancienne vie, bonjour à une nouvelle. Des laissés-pour-compte ?

Birdie posa un regard inquiet sur ce que Kitty venait de griffonner. Kitty y était habituée : les gens avaient peur de parler aux journalistes, peur de dire quelque chose qu'ils regretteraient ensuite.

— Ma rédactrice en chef et amie, Constance, est morte il y a quelques semaines, expliqua Kitty. Elle voulait rédiger un article dont elle m'a en quelque sorte confié la rédaction, mais elle n'a jamais pu m'expliquer exactement ce dont il s'agissait. Votre nom apparaît dans la liste des gens dont elle voulait parler.

— Mon nom ? s'étonna Birdie. Mais en quoi pouvais-je l'intéresser ?

— À vous de me le dire, la pressa Kitty. Est-ce qu'il vous est arrivé quelque chose d'extraordinaire ? Quelque chose qui aurait pu lui revenir aux oreilles ? Quelque chose dont vous avez parlé en public et qu'elle aurait pu apprendre de quelqu'un d'autre ? Peut-être que vos chemins se sont croisés à un moment. Elle avait cinquante-quatre ans, l'accent français et elle était dure à cuire.

Kitty sourit pour elle-même.

— Mon Dieu, par où commencer ? Je n'ai jamais rien fait de particulier de ma vie. Je n'ai sauvé personne, jamais été récompensée... Je ne vois pas en quoi j'aurais pu l'intéresser.

— Est-ce que vous accepteriez de me laisser écrire un article sur vous ? demanda Kitty. Est-ce que vous voulez bien que je vous pose quelques questions, histoire de comprendre ce qui aurait pu intéresser Constance ?

Birdie se mit à rosir.

— Dire que je m'apprêtais à aller jouer aux échecs avec Walter et que je me retrouve interviewée par une journaliste, fit-elle remarquer avec un rire aux accents enfantins. Je serais ravie de vous aider. Je ne sais pas si je vais pouvoir vous être utile, cela dit.

— Fantastique, répondit Kitty, sans grande conviction.

Elle avait enfin mis la main sur quelqu'un de la liste, mais n'était pas plus avancée. Tout ça était de plus en plus étrange.

Birdie devina son hésitation.

— Combien de noms y a-t-il sur cette liste ?

— Cent.

— Doux Jésus ! Et si personne ne sait de quoi il s'agit ?

— Vous êtes la première que je rencontre.

— J'espère que vous aurez plus de chance avec les autres.

Moi aussi, songea Kitty sans oser le dire à haute voix.

Encouragée par la journaliste, Birdie raconta sa vie en commençant par son enfance. Kitty n'entra pas dans les détails, se contentant de noter des bricoles qu'elle lui demanderait de préciser la prochaine fois qu'elle lui rendrait visite. Birdie se montra d'abord intimidée, comme la plupart des gens lorsqu'on leur demandait de parler d'eux. Elle laissa de côté certains aspects de sa vie, en privilégia d'autres, mais elle finit par se détendre vers la fin de l'entretien, les rouages de sa mémoire se dégrippant davantage avec chaque question.

Birdie avait quatre-vingt-quatre ans et elle avait grandi dans une petite ville du comté de Cork, dans le sud-ouest de l'Irlande. Son père était instituteur, aussi sévère à la maison qu'à l'école, et sa mère était morte peu après sa naissance. Elle avait trois sœurs et un frère, et, lorsqu'elle avait eu dix-huit ans, elle avait déménagé pour Dublin où elle était devenue nounou. Cette année-là, elle avait rencontré son mari, Niall. Ils s'étaient mariés et avaient aussitôt fondé une famille. Elle avait sept enfants, six garçons et une fille, qui avaient entre soixante-cinq et quarante-six ans. Sa fille était la plus jeune. Birdie l'avait eue à trente-huit ans. S'il n'y avait pas eu d'autre enfant après, c'était parce qu'elle avait envoyé son mari dormir sur le canapé. Les sept enfants avaient été élevés à Cabra, puis à Beaumont, dans la maison où Kitty s'était rendue un peu plus tôt, et Agnes avait tout l'air d'être le deuxième parent : elle avait pris la place que le mari de Birdie, très occupé par son job de fonctionnaire, avait laissée vacante.

Même si la vie de Birdie était intéressante, rien ne frappa particulièrement Kitty. La vieille dame était gênée et s'excusa de ne pas avoir mené une vie plus palpitante. Kitty l'assura qu'il n'en était rien, que sa vie était passionnante et qu'elle était une source d'inspiration pour bien des femmes.

En rentrant chez elle, Kitty compulsa ses notes et se sentit coupable : pourquoi la vie riche et dense de Birdie ne suffirait-elle pas ?

La vieille dame resta assise sur le banc longtemps après que Kitty fut partie, contemplant le jardin plongé dans la pénombre, uniquement éclairé par les loupiotes qui balisaient le sentier et les lanternes. Elle était consciente de la banalité embarrassante de sa vie et sentait que ses réponses simples n'avaient pas inspiré la femme qui lui avait consacré une heure entière, même si cette dernière avait tout fait pour la persuader du contraire. Birdie était convaincue que sa vie ne présentait pas le moindre intérêt. Elle avait parfois peiné à lui en trouver elle-même, mais c'était sa vie et elle l'avait appréciée : elle n'avait jamais eu à supporter plus qu'elle ne le pouvait. Birdie ne put s'empêcher de se perdre dans ses souvenirs ce soir-là, et elle eut la tête ailleurs pendant toute la partie d'échecs, laissant Walter gagner.

Birdie allait avoir quatre-vingt-cinq ans la semaine suivante ; bien sûr qu'elle avait des histoires à raconter, bien sûr qu'elle avait des secrets, comme tout le monde. Il fallait juste décider lequel plairait le plus à la journaliste et lequel elle était prête à révéler.

Kitty ignora le coup de fil de Pete alors qu'elle rentrait chez elle en taxi. Elle ne voulait pas lui avouer qu'elle n'avait pas avancé d'un iota. Elle ne supporterait pas d'entendre de la condescendance dans sa voix, ni le jugement et le doute qui imprégneraient chacun de ses mots. Elle mit son téléphone sur silencieux et rata un autre appel. Lorsqu'elle écouta le message, son interlocutrice parlait si fort que le chauffeur lui jeta un regard courroucé et qu'elle dut baisser le volume.

— Bonjour, Kitty, ici Gaby O'Connor, l'agent d'Eva Wu. Nous avons bien reçu votre message. Désolée, nous sommes débordées. Eva est ravie de vous accorder une interview. Nous sommes à Galway, mais serons à Dublin demain. En fait, Eva donne une interview demain chez Arnotts sur Henry Street, ce serait bien que vous veniez aussi.

Eva Wu. Numéro trois des cent noms. Kitty avait pris contact avec la deuxième personne de la liste, et celle-ci avait un agent et donnait une interview télévisée. Qui était-elle, et comment Kitty avait-elle pu la rater ?

Lorsqu'elle arriva chez elle, épuisée mais un peu plus optimiste quant à son article, elle trouva de la merde de chien étalée sur sa porte.

Chapitre 8

— Désolée de te traîner dehors si tard, s'excusa Kitty quand Steve descendit de sa voiture.

Elle s'était essuyé les yeux approximativement en l'attendant pour qu'il ne s'aperçoive pas qu'elle avait pleuré.

— Je n'avais pas l'intention de te faire venir, c'est juste que je ne savais pas qui appeler. Les gens du pressing ont dit qu'ils me mettraient à la porte le mois prochain si je ne réglais pas mes problèmes, je ne veux pas appeler la police et je ne savais pas vers qui me tourner. Désolée, répéta-t-elle.

— Kitty, arrête de t'excuser, d'accord ? dit-il doucement en passant son bras autour de ses épaules et en l'enlaçant autant que son aversion pour les démonstrations publiques d'affection le lui permettait. (Même si cela ressembla davantage à une accolade de footballeur, elle apprécia qu'il l'ait touchée.) Ils ont fait quoi, cette fois ?

Elle n'eut pas besoin de répondre ; l'odeur l'atteignit de plein fouet quand il monta l'escalier.

— Oh, putain…

Il remonta le col de son pull sur son nez. Il leur fallut vingt minutes entre l'asphyxie et la nausée pour nettoyer la porte, et il faudrait certainement une éternité avant que l'odeur dissipe tout à fait. Pour s'excuser et le remercier, Kitty invita Steve à dîner dans un bistro tout proche.

— Il faut encore que j'aille me laver les mains, annonça Steve en fronçant le nez, dégoûté. Je sens encore cette odeur de merde. Je ne suis pas certain de pouvoir manger.

— Tu t'es déjà lavé les mains six fois, observa Kitty en riant, tandis qu'il disparaissait dans les toilettes du restaurant. Alors, comment ça va ? demanda-t-elle quand il revint. La collection de Victoria Beckham est-elle plutôt Fantastique ou plutôt Merdique ?

— Ha, ha, répondit-il sans un sourire. Aucune idée. Je ne suis plus l'esclave de son style.

Steve n'était l'esclave d'aucun style en particulier à part le sien, qui n'était pas vraiment moche, avait le mérite d'être cohérent et n'avait pas changé depuis la fac, à ceci près que ses vêtements étaient de meilleure qualité à présent et qu'il les lavait plus souvent. Il avait trente-quatre ans, les mêmes cheveux frisés qu'à l'université, cheveux qui, comme lui, étaient indomptables. Ses boucles avaient tendance à retomber devant ses yeux bleus et il relevait sans arrêt la tête pour les chasser, ayant depuis longtemps abandonné l'idée de les balayer de la main. Kitty ne l'avait jamais vu rasé ni avec une vraie barbe : il était adepte de la barbe de trois jours. Il portait des blousons en cuir et des jeans, et ressemblait davantage à un journaliste musical qu'à un journaliste sportif… enfin, plutôt à un journaliste sportif refoulé. Même quand il allait au stade, il ne portait jamais le maillot de l'équipe qu'il soutenait, refusant que son amour du foot déteigne sur son style vestimentaire. C'était un éternel étudiant, qui semblait n'avoir jamais d'argent, il vivait en colocation avec des personnages étranges et déménageait en fonction d'eux. En ce moment, il vivait en banlieue dans une maison mitoyenne de trois chambres avec un couple marié qui avait besoin d'aide pour payer son prêt immobilier. Cela faisait six mois qu'il s'accordait à leur style de vie plutôt strict qu'il avait presque fini par adopter. On aurait pu dire qu'il avait mûri.

— En fait..., commença-t-il en s'agitant sur sa chaise, ce qui signifiait qu'il s'apprêtait à annoncer quelque chose qu'il jugeait intéressant, je ne travaille plus au journal.

— Quoi ?

— Je ne travaille plus au journal, répéta-t-il sur le même ton.

— Oui, j'ai entendu mais... Ils t'ont viré ?

— Non, rétorqua-t-il, indigné. J'ai démissionné.

— Pourquoi ?

— Pourquoi ? Je pensais que tu comprendrais. Pour un million de raisons, mais surtout parce que tu avais raison quand tu m'as dit il y a quelques semaines...

— Non, non, non, l'interrompit-elle, ne souhaitant aucunement s'entendre rappeler ses paroles. Je me suis trompée. Sur toute la ligne. Ne te fie jamais à ce que je dis pour prendre une décision.

Il sourit.

— En fait, tu n'as pas grand-chose à voir là-dedans.

— Tant mieux.

— Mais tu avais raison sur un truc. On ne peut pas dire que j'éclairais le monde avec mes histoires, sans compter que mon rédac' chef les modifiait tellement que, la plupart du temps, je ne les reconnaissais pas. De toute façon, je n'ai jamais cherché à éclairer le monde. J'aime le sport, c'est tout. J'aime en regarder, en parler, lire des articles dessus, et je voulais apporter ma pierre à l'édifice. Rien de plus.

— Tu écris pour qui ?

— Personne.

— Je croyais que tu avais démissionné pour devenir journaliste sportif.

— J'ai démissionné parce que je n'étais pas journaliste sportif. Quel était l'intérêt pour moi de rester là-bas ? Rédiger des articles ridicules sur des gens que je n'ai jamais rencontrés et qui ne m'intéressent pas ? C'est pas le boulot que je veux faire. C'est bon pour Kyle, qui quitte les réunions pour aller voir les gros titres sur *E! News*. C'est bon pour Charlotte qui rêve d'accéder à la salle VIP de toutes les boîtes de nuit du monde pour écrire des articles sur des gens qui, bizarrement, l'obsèdent. Le lendemain qui a suivi notre… conversation, la première chose qu'on m'a demandée au journal, c'est cent cinquante mots sur la prétendue liaison entre un footballeur et une top model qui tourne dans des films érotiques.

— Ooooh, qui ça ? demanda Kitty en se penchant vers lui.

— Là n'est pas la question, répondit-il sèchement. Je ne voulais pas écrire là-dessus. Ça ne m'intéresse pas. Je ne te parle même pas de ne jamais rédiger d'articles fracassants, mais d'écrire des papiers qui anesthésient le cerveau des gens. Ce n'est pas mon but dans la vie non plus.

— Je comprends, mais le footballeur, c'était qui ?

— Kitty…

— D'accord. Et le mannequin ?

— Là n'est pas la question !

Elle se renfonça dans son siège, déçue.

— Comment est-ce que j'ai pu te donner des leçons alors que je fais exactement la même chose ? J'aurais dû avoir assez d'amour-propre pour ne jamais écrire ces conneries. Ce genre de journalisme… était en train de me tuer à petit feu.

Kitty essaya de ne pas grimacer quand il lui enfonça le doigt dans les côtes pour appuyer son propos.

— Je comprends, c'était un geste honnête de sacrifice, une espèce de manifeste adressé aux obscénités que le public est contraint d'avaler, ce qui est très honorable de ta part et je le respecte, mais maintenant arrête tes conneries et balance le nom du footballeur et de sa pute.

— La seule chose que je vais te balancer, c'est ce cocktail de crevettes.

— Tu n'oserais pas.

Il piocha une minuscule crevette et la plaça sur sa fourchette dont il se servit comme d'une catapulte. La crevette vola et atterrit sur le sein de Kitty, répandant de la sauce cocktail sur sa blouse en satin.

Elle poussa un petit cri.

— Petit con.

— Rien n'est petit chez moi.

— Tu as taché mon haut.

— Apporte-le au pressing. J'en connais un ouvert toute la nuit.

— Je vais puer le poisson.

— Ça ira bien avec la merde de chien.

C'était comme au bon vieux temps, quand ils étaient étudiants et qu'ils se renvoyaient la balle.

Elle plongea sa serviette dans son verre d'eau et l'ignora pendant les cinq minutes qu'elle passa à frotter la tache, ne parvenant qu'à l'étaler davantage.

— Tu fais quoi alors ? C'est le bon moment pour être un wannabe journaliste sportif au chômage.

— Ha ! C'est là que tu te trompes. Je ne suis pas au chômage. Je bosse dans les jardins ouvriers.

— Non !?

— Si.

— Dans les jardins ouvriers de ton père ?

— Oui.

— Mais tu les détestes.

— Détestais, nuance.

— Et tu détestes ton père.

— Détestais. Nuance *bis*. Et puis maintenant qu'il me verse un salaire, je le trouve moins pire. Il avait besoin d'aide à cause de ses problèmes de dos, alors je fais le factotum. Besoin d'un rotavator ? Je suis là. D'engrais ? D'une cabane à outils ? D'un tunnel en plastique ? Tu n'as qu'un mot à dire. Au lieu de passer mes journées confiné dans un bureau, je les passe au grand air.

— Tu as horreur de la lumière du jour. Ta peau de vampire ne la supporte pas.

— Kitty, gronda-t-il en la menaçant d'une autre crevette.

— D'accord, d'accord… C'est juste que je suis sidérée. Tu as chamboulé toute ta vie pour un mec qui change de caleçon une fois par semaine. Il faut que je digère l'information.

Une autre crevette vola dans sa direction, mais cette fois Kitty parvint à l'éviter.

— Pourquoi tu veux bosser avec ton père tout d'un coup ? La dernière fois que tu m'as parlé de lui, tu m'as dit que tu en avais assez et que tu préférais couper les ponts.

— Ça a duré un certain temps. On a renoué lentement.

Steve joua avec son pain, évitant de croiser son regard ; il détestait aborder des sujets personnels. Il se mit à marmonner.

— Puis je lui ai présenté Katja et ils se sont bien entendus bizarrement, et…

Il ajouta quelque chose sur les changements opérés dans sa vie, mais Kitty n'en entendit pas un mot : elle était toujours coincée à « Katja ».

— Pourquoi tu me regardes comme ça ?

Elle se rendit compte qu'il avait arrêté de parler.

— Oh. Ben, j'ai cru t'entendre mentionner « Katja » et je suis restée perplexe.

— J'ai bien dit Katja.

— *Katja*, répéta-t-elle très fort comme s'il était sourd.

— Oui, répondit-il avec un sourire amusé.

— La fille avec qui tu es allé dîner il y a quelques mois ?

— Oui, et avec qui je sors toujours, confirma-t-il en rougissant légèrement.

Quand leurs filets de bœuf arrivèrent, Kitty n'avait plus faim.

— Katja. Tu ne m'as jamais dit que vous sortiez ensemble.

— Eh bien, si.

— Donc vous êtes en couple ?

Il leva les yeux au ciel.

— Tu ne m'as jamais dit que tu avais rompu avec Glen.

— Parce que tu l'as su avant moi.

— Comment ça ?

— La machine à café.

Il saisit soudain ce qu'elle voulait dire.

— Il venait juste de partir ?

— Quelque chose dans ce goût-là.

— C'était un connard de toute façon.

— Je croyais que tu l'aimais bien.

Steve secoua la tête, la bouche pleine.

Elle soupira.

— Est-ce que quelqu'un appréciait ce mec ?

Il déglutit.

— Toi.

— J'aurais bien aimé ne pas être la seule.

— Y avait Teigneux aussi…

Ils éclatèrent de rire. Teigneux était le chien de Steve : il avait quatorze ans, et Steve l'avait adopté dans un refuge quatre ans plus tôt. Personne ne connaissait son nom mais il avait l'air teigneux et, même une fois lavé, il ne semblait pas plus aimable. Ce nom lui allait à merveille. Il se faisait vieux, mais il avait toujours trouvé l'énergie de se frotter contre la jambe de Glen, qui, dégoûté, s'était sans doute interrogé sur son orientation sexuelle, puisqu'il passait sa vie à tout surinterpréter, comme lorsqu'il s'était demandé avec quel genre de femme il vivait après le scandale autour de Colin Maguire.

— Ça fait combien de temps que vous êtes ensemble ? Deux mois ?

— Cinq.

— Cinq ? Bon sang, Steve, autant te marier. Je devrais acheter un chapeau.

— Surtout pas. On verrait tes oreilles de Spock.

Kitty éclata de rire.

— Elle est roumaine ?

— Croate.

— Ah oui, c'est vrai. Elle est peintre ?

— Photographe.

— Ah.

Elle l'examina.

— Quoi ?

Il eut un rire gêné comme un adolescent de douze ans surpris avec sa petite amie.

— Rien.

— Allez, balance.

— Je ne sais pas, Steve, répondit-elle en attaquant sa viande. Tu as changé. Tu n'écris plus d'articles sur Victoria Beckham et tu as une petite amie. Je pense…

— Tu penses quoi ?

— Je ne sais pas, il se peut que j'aille un peu vite en besogne, mais je pense qu'il est possible que tu ne sois pas gay, finalement.

Un projectile en forme de frite frôla sa tête.

Kitty passa le reste du repas avec l'impression d'avoir une frite coincée en travers de la gorge. Elle avait du mal à avaler et ne comprenait pas pourquoi. Elle avait toujours trouvé réconfortante l'idée que Steve ait un job qu'il déteste et qu'il refuse de s'engager. Le fait qu'il se rende compte qu'il devait changer et qu'il le fasse la perturbait. Elle ne voulait pas être la seule à avoir des problèmes.

— Comment avance ton article ? finit-il par demander alors que le silence devenait pesant.

— Oh, soupira Kitty, déjà épuisée par cette histoire. Je n'en sais rien. J'ai rencontré une charmante vieille dame ce soir, qui m'a raconté sa charmante vie et tout ça est très charmant, mais rien de… (Elle se frotta les mains l'une contre l'autre.)… rien de bien palpitant. Il faut que je fouille son passé pour déterrer des cadavres. Quelque chose de moins charmant. C'est l'occasion pour moi de me racheter aux yeux de tellement de gens – certainement la dernière occasion –, et ce que Constance a vu m'échappe totalement. C'est frustrant.

Steve ne répondit pas. Elle le regarda : il était tendu. Il serrait les dents et la considérait comme s'il avait envie de la frapper.

— Tu as parlé à Colin Maguire ?

— Je l'appelle tout de suite si ça peut t'empêcher de me dire la chose horrible que tu as sur le bout de la langue.

— Il est encore question de toi, répliqua-t-il sèchement. Tu ne t'intéresses qu'à ta petite personne.

Elle fut décontenancée par son brusque changement d'humeur.

— C'était une blague, Steve, mais vas-y, je vois que tu as envie de me mettre plus bas que terre. Je veux juste que tu saches que je suis vraiment désolée pour tout ce qui lui est arrivé, dit-elle avant qu'il n'ait eu le temps de réagir.

— Ce qui lui est *arrivé* ? Il ne lui est pas arrivé quelque chose par hasard, Kitty, c'est ta faute, tu es responsable !

— Je sais ! Je me suis mal exprimée. Je ne peux pas gagner avec toi. Je sais bien que c'est ma faute. J'ai une conscience, figure-toi. Je serai désolée pour le restant de mes jours.

— *Après coup*, dit-il sous son regard perplexe. Tu es toujours désolée après coup. Tu ne te demandes jamais ce que pensent ou ressentent les gens *avant* d'agir. C'est ça qui m'ennuie. Tu n'as rien appris de l'affaire Maguire. Tu interviewes une gentille petite vieille qui a vécu une gentille petite vie sans histoire, et tu veux plus. Tu veux toujours plus.

Kitty était tellement abasourdie par son changement d'humeur qu'elle en eut les larmes aux yeux. Elle regarda autour d'elle en essayant de se concentrer pour ne pas éclater en sanglots. Kitty n'avait pas la larme facile, mais elle était à fleur de peau ces derniers temps, et Steve n'avait jamais eu de mots aussi durs à son encontre. Elle accordait beaucoup d'importance à son opinion. Sa mère l'avait accusée de tous les maux depuis janvier, mais rien – absolument rien – ne l'affectait autant que la déception qu'elle lisait dans le regard de Steve.

Ils finirent de dîner en silence, elle paya l'addition, puis il la raccompagna chez elle.

— Je vais vérifier que tu ne crains rien, dit-il en montant les marches quatre à quatre.

La porte qui donnait sur l'escalier menant à son appartement était toujours ouverte. Kitty avait exigé à plusieurs reprises qu'elle soit fermée, mais les propriétaires avaient toujours refusé parce que c'était aussi par cette porte que les employés accédaient au pressing. Cela voulait dire que n'importe qui pouvait monter jusque chez elle.

— C'est bon, dit-il en redescendant. Ça pue toujours la merde.

— Merci d'être venu. J'apprécie d'autant plus que tu as une petite amie, le taquina-t-elle en lui donnant un coup de coude.

— Elle voudrait te rencontrer, annonça-t-il, radouci.

— Ouais, super idée, ce serait génial ! s'enthousiasma-t-elle tout en sachant qu'elle en rajoutait. Je ferais mieux de rentrer chez moi avant que quelqu'un me balance un ballon rempli de vomi. Je suis contente que tu sois heureux, Steve.

Elle essaya d'avoir l'air gai et sincère mais, au fond d'elle, c'était une autre histoire.

Ton bonheur me rend jalouse et malheureuse, Steve. Je suis une pauvre fille amère et tarée.

Elle se couvrit le nez et la bouche avec sa veste et gravit les marches quatre à quatre tout en tentant de se convaincre que la cause de ses larmes était l'odeur nauséabonde qui flottait devant sa porte d'entrée.

CHAPITRE 9

— Nous voici chez Arnotts, au tout nouveau rayon dédié au *personal shopping* et avec moi aujourd'hui Eva Wu, la super *personal shopper* des stars et auteur du blog mondialement reconnu, « Pour vous ».

Debout à côté des caméras de télévision et de Gaby, l'agent d'Eva, Kitty regardait la scène qui se déroulait devant elle, en même temps qu'une dizaine de clients attirés par les caméras. La première chose que le cameraman lui avait apprise lors de son premier jour de tournage sur *Trente minutes*, c'était que les caméras étaient des « aimants à connards ». Dès qu'on en sortait une en public, ça encourageait pléthore de comportements ridicules et gênants chez gens d'habitude normaux. Bien des reportages de Kitty avaient été gâchés par des idiots qui se mettaient dans le champ derrière elle pour faire coucou à leur mère.

Kitty était dans le grand magasin sur Henry Street, à Dublin, pour interviewer Eva Wu. Incapable de dormir après sa dispute avec Steve, elle avait passé une grande partie de la nuit à faire des recherches sur Eva et sur son blog. Gaby tenait absolument à ce que Kitty vienne l'interviewer : elle lui avait passé trois coups de fil le matin même pour vérifier qu'elle serait bien là. Gaby était insistante et parlait vite et fort. C'était le stéréotype de l'agent qui s'arrange pour que les choses se produisent même lorsque le destin conspirait contre elle, et Kitty imaginait qu'Eva était tout l'inverse. Elle parlait tellement bas que la journaliste devait tendre l'oreille. Elle avait l'air réservé et peu expansive, mais pas timide.

Eva était interviewée par l'une des présentatrices vedettes du *Scoop* dont la vie personnelle faisait la une des tabloïds en ce moment. *Le Scoop* était un programme people focalisé sur la beauté et la mode.

— Alors, Eva, fit la présentatrice au front figé par l'abus de botox et à la lèvre supérieure trop épaisse pour être honnête, en parlant dans un micro surdimensionné au logo de l'émission. Donnez-nous *le* scoop : ça fait quel effet de rencontrer Brad Pitt ?

Eva sourit poliment.

— Désolée Laura, mais, euh… je n'ai jamais rencontré Brad Pitt.

Laura jeta un coup d'œil à ses notes et arrêta immédiatement de sourire.

— Coupez, dit-elle en se tournant vers le cameraman. On recommence.

Trois secondes plus tard, le sourire immense était de nouveau plaqué sur son visage.

— Alors, Eva, donnez-nous *le* scoop : ça fait quel effet de rencontrer George Clooney ?

Eva lança un regard à la fois inquiet et agacé à Gaby.

— Je n'ai pas vraiment rencontré George Clooney. Une entreprise qui travaillait avec lui m'a contactée pour me demander si je voulais bien lui faire un cadeau en leur nom.

— Ooooh, George Clooney, les filles !

Laura retira le micro de sous le nez d'Eva et couina dedans comme une folle sans quitter la caméra des yeux. Comme en réponse à son cri d'excitation, la caméra s'inclina et s'avança vers elles. Pour éviter de la prendre en pleine face, Eva recula maladroitement sur son tabouret. Gaby se prit la tête dans les mains.

— Qu'est-ce que vous lui avez acheté ? Attention, réponse exclusive pour *Le Scoop.* (Laura lança de nouveau un regard enthousiaste vers la caméra avant de reporter son attention sur Eva.) Dites-nous tout !

— Je suis désolée de vous décevoir, répondit Eva sur un ton aimable mais froid, mais j'ai refusé leur proposition en raison de l'esprit de mon blog. (Elle s'illumina soudain, ravie de pouvoir parler de son bébé.) J'ai développé « Pour vous » afin de trouver le bon cadeau pour la bonne personne. Pour ce faire, je passe beaucoup de temps avec la personne en question afin de comprendre quel est son vœu le plus cher. Ce que je ne peux pas faire avec quelqu'un que je ne connais pas, sinon ce n'est plus du *personal shopping.*

Gaby enfouit la tête dans ses mains en grimaçant, sous les yeux d'Eva.

Les yeux de Laura étaient devenus vitreux à la moitié du discours de la jeune femme, et Kitty était prête à parier ses maigres économies que tout ce qu'Eva venait de dire serait coupé au montage. Il aurait suffi qu'Eva fasse un commentaire sexuellement désobligeant sur George Clooney pour que les producteurs de l'émission soient aux anges. Eva avait l'air sincère, ses déclarations sonnaient juste même aux oreilles critiques de Kitty, qui se demandait si elle croyait à la philosophie de la jeune femme ou si elle croyait que la jeune femme y croyait. En tout cas, sa façon de concevoir le *personal shopping* était radicalement différente, du jamais-vu. C'était probablement ce que les entreprises recherchaient. Cela paraissait bien compliqué pour faire un truc aussi simple qu'acheter un cadeau.

L'homme assis à côté d'Eva lui lança un regard noir.

— En plus d'Eva, nous avons avec nous Jack Wilson, le *personal shopper* d'Arnotts. Alors, Jack, parlez-nous de ce que vous allez acheter pour vos clients cette année.

— Eh bien, dit-il en regardant droit vers la caméra, nous avons cette housse pour iPad dessinée par Tom Ford. Parfaite pour l'homme de votre vie qui aime les accessoires de designers. Elle protégera son iPad du sable pendant les prochaines vacances. Elle coûte mille cinq cents euros, ce qui est donné pour un article aussi luxueux.

Eva écarquilla les yeux.

— Arrête, marmonna Gaby entre ses dents.

Le perchiste lui lança un regard courroucé.

— Nous avons aussi un parapluie Chanel. Parfait pour la femme de votre vie qui n'aime pas se mouiller.

— C'est génial pour les femmes aux cheveux frisés, commenta Laura face à la caméra qui s'agita frénétiquement en réponse, s'approchant tellement d'elle qu'elle faillit la percuter.

— Il coûte mille euros.

Eva ouvrit grand la bouche, de même que Kitty, mais cette dernière n'était pas filmée. Elle sentait Gaby bouillonner à ses côtés.

— Pour quelles célébrités allez-vous faire du shopping ? demanda Laura.

— Oh, elles viennent toutes ici.

Jack se mit à dresser la liste des stars qui venaient à Dublin assister aux concerts estivaux. Kitty remarqua qu'il ajoutait « probablement » devant chaque nom.

— Waouh. Vous avez entendu ça ? Madonna ! Dites-moi, Eva, les lunettes de soleil que portent Victoria Beckham et Katie Holmes en ce moment : pour qui pourriez-vous les acheter ?

— Vous parlez de mes clients ?

— Allez, allez, la pressa Gaby.

— Eh bien, la liste de mes clients est strictement confidentielle, et donc je ne…

— D'accord, mais pour quel genre de personnes vous pourriez les acheter ?

— Pour qui j'achèterais des lunettes de soleil ? répéta Eva en regardant autour d'elle comme si elle pensait qu'on lui jouait un tour.

— Celles que portent Victoria Beckham et Katie Holmes, insista Laura, irritée.

Eva ouvrit et referma la bouche, mais aucun son n'en sortit.

— Eh bien, intervint Jack, ces lunettes seraient parfaites pour les femmes dans votre vie qui adorent Victoria Beckham et Katie Holmes, et qui n'aiment pas avoir le soleil dans les yeux.

— Merci pour ces conseils de premier ordre qui vous permettront d'offrir à votre moitié un cadeau digne d'une star.

Coupez.

Eva sauta à bas de son tabouret.

— Bon sang, dit Laura à la cadreuse pendant qu'elle rangeait le matériel. On fait quoi après ? Un reportage sur le vajazzling ?

— Comment les aider à se sentir comme des célébrités ? demanda Eva à Gaby une fois dans la rue. (Elle ne criait pas, mais sa colère était palpable.) Des lunettes de soleil ? Pour ressembler à une star ? Bon sang, Gaby !

— D'accord, ce n'est pas la meilleure idée d'interview que j'aie eue.

— Pas la meilleure ? Gaby, c'était la pire. Sur un tas de très mauvaises. Comment je peux parler de mon job si tu me fais faire ce genre de pub ? Le message se perd. Personne n'écoute. Ils n'en ont rien à fiche de « Pour vous », ils veulent juste ma liste de clients célèbres ! Et George Clooney ? C'était quoi, ce bordel ?

Eva n'avait toujours pas haussé la voix, mais on devinait son exaspération. Sachant qu'elle n'était pas consciente de sa présence, Kitty demeura un peu en retrait, ravie d'entendre la jeune femme exprimer clairement ce qu'elle pensait de l'émission.

— Ça impressionne les gens. Ça aide à décrocher des interviews, répondit Gaby en haussant les épaules.

— Le fait que je n'aie pas acheté de cadeau à Clooney impressionne les gens ?

— Les gens n'écoutent que les questions.

Eva ferma les yeux et prit une profonde inspiration.

— Je préfère ne plus faire d'interviews dans ces conditions.

— Mais ça te permet d'être médiatisée.

— Tu crois vraiment que ça m'a aidée ?

— Peut-être pas.

Eva poussa un gémissement, mais Kitty voyait bien qu'elle était en train de se calmer.

— Tout ce travail… Il faut trouver de la pub qui me permette de parler de ce en quoi consiste vraiment l'acte d'offrir, à quel point c'est précieux et unique, particulièrement à cette époque où les gens en bavent. Ça n'a rien à voir avec l'argent qu'on met dedans – on ne fait plus de somptueux présents –, mais avec l'intention derrière, comment le cadeau peut remonter le moral de celui qui le reçoit, comment on se sent aimé grâce à un simple geste.

— Je sais, je sais, pas besoin de me faire la leçon, répliqua Gaby en enfournant un chewing-gum.

Apparemment, elle avait besoin d'activer sa mâchoire tout le temps.

— Vraiment ? rétorqua Eva en la regardant droit dans les yeux.

— Je suis stupéfaite et atterrée que tu éprouves le besoin de me demander ça, répondit-elle sur un ton faussement indigné qui était, devina Kitty, pour son seul bénéfice. Ça fait combien de temps qu'on travaille ensemble, Eva ?

— Trop longtemps ? hasarda Eva avec un sourire.

— Quoi qu'il en soit, ton prochain rendez-vous est déjà là.

— Où ça ?

— Là.

Gaby pivota pour faire face à Kitty, qui tenta de reculer un peu afin d'aider Eva à sauver la face, mais c'était trop tard. Eva rougit, gênée d'avoir été espionnée, par une journaliste de surcroît.

— Je suis désolée, je ne… (Elle jeta un regard courroucé à Gaby.) J'ignorais que vous étiez là.

Gaby en prenait pour son grade.

— Pas de problème, ça m'a fait du bien d'entendre ça. Je ne vais pas faire comme si je n'avais rien entendu.

— Je suis très embarrassée. Je suis une grande fan d'*Etcetera*. Vraiment. Je le lis tous les mois. Je suis très heureuse que vous m'ayez téléphoné.

— Merci, répondit Kitty, rayonnante. Ma rédactrice en chef vous a contactée l'année dernière, il me semble. Constance Dubois ?

— Je sais de qui il s'agit, mais elle ne m'a pas contactée, non. Elle aurait dû ? (Elle se tourna vers Gaby.) Elle l'a fait ?

Gaby haussa les épaules.

— Pas à ma connaissance. Je ne te cache rien.

Kitty ne les connaissait pas depuis longtemps, mais elle en doutait. Son cœur se serra en découvrant une autre personne dont le nom figurait pourtant sur la liste avec laquelle Constance n'avait pas eu de contact. C'était quoi, cette liste, à la fin ?

— Est-ce que vous accepteriez que je rédige un papier sur vous ?

— Oui, bien sûr. Quels en seraient l'histoire ou l'angle, comme vous dites ?

Kitty se figea. Excellente question.

— C'est un article sur vous et, eh bien… quatre-vingt-dix-neuf autres personnes.

— Cent personnes ? (Gaby était visiblement déçue que le papier ne concerne pas uniquement Eva.) Qui sont les autres ? On les connaît ?

— Non. Ça m'étonnerait. Mais c'est une bonne question, dit-elle, tandis qu'une idée lui venait soudain. (Elle fourragea dans son sac.) Est-ce que ces noms vous sont familiers ?

Elle avait posé la question à Eva, mais Gaby lut par-dessus son épaule. Eva prit son temps pour parcourir la liste. Gaby en acheva la lecture en trois secondes.

— Non, constata Gaby. Je ne connais personne. Je peux avoir une copie de cette liste ?

— Pour quoi faire ?

— Pour faire des recherches sur ces gens. Pas question d'accepter cette interview sans savoir à qui ma cliente va être associée.

C'était une requête raisonnable, mais elle prit Kitty et Eva par surprise.

— Il m'arrive d'être très professionnelle, affirma Gaby en lançant à Eva un regard qui signifiait : « Je te l'avais bien dit. »

— Je ne pense pas que ce soit la peine, répondit Eva sur un ton égal. Si nous allions prendre un café, toutes les deux ? (Gaby fronça les sourcils.) On pourrait parler de tout ça dans un endroit plus cosy que Henry Street à l'heure du déjeuner.

— Excellente idée, répondit Kitty, soulagée.

— Le problème, c'est que j'ai un rendez-vous avec un client dans le centre des finances dans une demi-heure. On se retrouve après ? Ou vous m'accompagnez et on discute chemin faisant ?

— Ou alors… je pourrais vous observer pendant que vous travaillez ?

Eva lança un regard incertain à Gaby. S'il y avait un moment où elle avait besoin que Gaby prenne une décision à sa place, c'était là, parce que la suggestion de Kitty l'embarrassait. Mais Gaby ne saisit pas l'allusion. Elle se contentait de la dévisager en mâchant son chewing-gum.

— Quoi ?

— Ce serait une excellente opportunité pour moi de voir comment vous travaillez. De découvrir par moi-même pourquoi vous n'êtes pas une *personal shopper* comme les autres.

Eva sourit.

— Vous êtes douée. D'accord. Allons-y.

Le centre des finances se dressait sur les rives de la Liffey, entre North Wall Quay et Custom House Quay. Quatorze mille personnes y travaillaient au sein de quatre cent trente services différents, des hôtels, des restaurants et des boutiques. Elles se dirigèrent vers Molloy Kelly Avocats sur la place Harbourmaster, un gros cabinet spécialisé dans le droit fiscal et les litiges commerciaux. Eva avait rendez-vous avec George Webb, l'un des associés. Kitty chercha son nom sur Google : il était spécialisé en droit fiscal, insolvabilité, banqueroute et redressement d'entreprise, assurances, diffamation, séparation et divorce.

— Vous travaillez toujours avec ce genre de personnes ? demanda Kitty. Des hommes d'affaires débordés qui n'ont pas le temps de trouver des cadeaux pour les gens qu'ils aiment ?

Eva lui lança un regard intrigué.

— Qu'est-ce qui vous fait penser que c'est le cas ici ?

— Je l'ai googlé. Je connais bien ce genre d'hommes. Le travail d'abord, la famille après. Ils sont tellement habitués à avoir des employés qui font tout pour eux – leur pressing, leurs courses, leur ménage – que choisir des cadeaux pour leurs proches n'est pas dans leurs priorités.

— Si c'est le cas, il se passera de mes services.

— Comment ça ?

— Je travaille pour des gens qui cherchent le cadeau parfait, pas pour des gens qui s'en fichent. Je choisis mes clients autant qu'ils me choisissent, répondit-elle avec sincérité.

Kitty était intriguée par la philosophie d'Eva autant que par son sérieux.

— J'investis beaucoup de temps dans mes clients, Kitty, poursuivit Eva en souriant. J'ai besoin de savoir que ce cadeau est important pour eux, sinon, pourquoi serait-il important pour moi ? C'est comme pour vos articles. Si vous vous en fichez, le lecteur aussi.

Kitty réfléchit à ce qu'elle venait de dire. Cette femme était pleine de bon sens.

Après dix minutes d'attente dans un hall en marbre étincelant, l'ascenseur fit entendre sa sonnerie et un jeune homme vêtu d'un élégant costume avec cravate et pochette rose les appela depuis la cabine. Kitty devina tout de suite que ce n'était pas George Webb ; il lui rappelait Julian Clary jeune. Ses sourcils étaient épilés à la perfection et sa peau rayonnait comme si elle avait été soigneusement exfoliée et nourrie depuis l'enfance. Elle ne distinguait pas de maquillage, mais l'éclat de ses pommettes la rendit jalouse.

— Je m'appelle Nigel, fit l'assistant fringant à Kitty sur un ton brusque et sans lui tendre la main. Je vous accompagne dans le bureau. Vous êtes ?

— Kath… Kitty Logan, bafouilla-t-elle, toujours pas habituée à utiliser son diminutif comme prénom professionnel.

— Et que faites-vous ici Kath-Kitty ? demanda-t-il en se moquant de son erreur.

—Un stage, mentit-elle juste pour l'agacer.

—Un stage pour étudiant mûr, apparemment !

Eva se contenta de sourire.

Il les conduisit dans une antichambre.

—Attendez ici. Il ne va pas tarder.

Eva s'assit, tandis que Kitty déambulait dans la pièce, curieuse. Elles étaient bien différentes toutes les deux. Eva était du genre à obéir aux ordres poliment. Kitty en avait toujours été incapable. Elle avait systématiquement l'impression qu'on lui cachait quelque chose et voulait découvrir ce dont il s'agissait. Elle avait été une enfant très curieuse qui cherchait à voir au-delà des apparences et à déterrer les secrets que les gens dissimulaient parce qu'ils pensaient qu'ils avaient du sens, alors qu'ils n'intéressaient qu'eux. À l'université, elle ne restait pas avec ses amis quand ils sortaient : elle s'asseyait à côté de la personne qu'elle jugeait la plus intéressante, la plus complexe et la plus stimulante de la pièce et elle écoutait son histoire fascinante. Elle recherchait les esprits inhabituels et adorait écouter des anecdotes terre à terre aussi bien que fantastiques. Elle pensait que tout le monde avait une histoire à raconter et elle brûlait d'envie de découvrir les différentes facettes de chacun. C'était cette fascination et cet amour d'autrui qu'elle avait déversé dans ses articles pour *Etcetera* et mal transféré dans ses reportages pour *Trente minutes*. En enquêtant pour la télévision, son amour s'était transformé en méfiance et en besoin vital de découvrir ce qu'on lui cachait. Ses facilités à converser et son empathie étaient devenus des outils dans le jeu de la manipulation : elle essayait de faire parler les gens sans qu'ils s'en rendent compte et d'obtenir des commentaires de la part de personnes qui ne souhaitaient pas commenter. Elle s'était mise à raconter ses histoires de manière complètement différente.

Cette soudaine compréhension de sa propre attitude la fit réfléchir. Steve avait peut-être raison. Steve, son ami depuis longtemps et avec qui elle avait rarement eu de conversations profondes, la connaissait mieux qu'elle ne se connaissait elle-même. Elle sentit soudain sa peau se hérisser de chair de poule et elle leva les yeux pour découvrir ce qui avait causé ce phénomène.

Eva la regardait tout en examinant les tableaux accrochés aux murs, et Kitty se sentit mal à l'aise. C'était son métier d'observer les autres. Elle avait le don de se rendre invisible, ce qui lui conférait une certaine perspicacité, et voilà qu'Eva occupait sa place. En tant qu'observatrice, elle trouvait perturbant d'être épiée et se sentit soudain nerveuse. Kitty cessa de déambuler dans la pièce et se laissa choir sur l'un des fauteuils en cuir.

La porte s'ouvrit et George Webb entra dans la pièce.

— Bonjour, dit-il avec un grand sourire qui dévoila deux rangées de dents parfaites. Mademoiselle Wu, je présume, poursuivit-il en se tournant vers Eva.

C'était le choix évident. Elle était orientale, avec de longs cheveux raides et soyeux, si sombres qu'ils avaient presque un reflet bleu. Sa peau était parfaite. Elle était à peine maquillée mais elle n'en avait pas besoin : son teint était uni et elle était d'une beauté saisissante.

— Ce n'est pas moi, c'est sûr, plaisanta Kitty.

— Voici Kath-Kitty Logan, intervint Nigel en les rejoignant. Elle est journaliste pour *Etcetera*.

Il haussa un sourcil parfait comme pour lui prouver qu'on ne pouvait rien lui cacher.

George Webb ne dissimula pas sa perplexité.

— C'est un magazine, expliqua Nigel. Pas un de ceux que vous lisez.

— Contrairement à vous, constata Kitty en souriant.

— Non. Je vous ai googlée.

Kitty éclata de rire.

— Je rédige un article sur Mlle Wu, répondit-elle. Mais ne vous inquiétez pas, le sujet de l'article, c'est elle, pas ses clients. Aucun nom ne sera cité. Je voudrais simplement comprendre comment elle travaille.

Enfin, si son article abordait le sujet, car il pourrait aussi porter sur tout autre chose. Kitty n'était pas plus avancée que la veille, mais elle essayait de se donner une contenance.

George Webb réfléchit un instant.

— D'accord. Ça me va. Vous êtes une femme populaire, dit-il à l'intention d'Eva tout en s'asseyant en face d'elle.

George était très beau et très élégant, à la façon d'un Irlandais moderne : des sourcils bien dessinés, des poils de nez coupés... Il soignait les moindres détails de son visage sans embarras. Il portait un costume élégant, bien coupé sans être trop élaboré. Eva le dévisageait comme quelqu'un qui est confronté à un objet somptueux, et il l'examinait de la même façon. Leur attirance était palpable. C'était comme si Kitty n'était pas là, ce qu'elle appréciait – du moins quand elle travaillait. Elle allait se régaler.

— C'est Nigel qui vous a recommandée à moi, poursuivit George. Il m'a dit que vous étiez la meilleure dans votre domaine.

Nigel, qui était en train de préparer du café, leur jeta un regard courroucé. Kitty avait compris que c'était grâce à lui qu'elles étaient là lorsqu'il avait dépassé les bornes par ses plaisanteries discourtoises.

— C'est très aimable à lui, répondit Eva, sincèrement touchée.

— Il me semble que vous avez travaillé avec une de mes voisines, enfin, une voisine de travail. Elizabeth Toomey ?

— Effectivement, répondit Eva avec chaleur. Elle travaille juste en face, chez PricewaterhouseCoopers.

— Vous savez qu'elle a obtenu une promotion en janvier ?

— Oui. J'ai été ravie pour elle.

— Son patron a sûrement apprécié le cadeau que vous aviez choisi pour lui.

Eva se ferma aussitôt. Kitty assista à la transformation sous ses yeux, comme un insecte qui se réfugie dans son cocon. George le sentit aussi.

— Je pense qu'elle l'a mérité. Elle a travaillé très dur, se contenta de répondre Eva.

— Et moi je pense que votre cadeau n'y est pas étranger, répliqua George en riant.

Sa réaction surprit Kitty. Il était suffisamment intelligent pour ne pas insister, mais il ne pouvait pas s'en empêcher : il voulait désespérément savoir et ça se voyait. Connaissant la philosophie d'Eva en matière de confidentialité, Kitty craignait que ça ne présage rien de bon pour le charmant George.

Eva sourit sans répondre.

— Qu'est-ce que c'était alors ? demanda-t-il avant de se tourner vers Kitty. Je suis sûr que vous voulez savoir.

Kitty leva les mains pour montrer que ça ne la concernait pas.

— Je ne suis qu'une simple observatrice.

Un cadeau qui permettait d'obtenir une promotion ? Bien sûr qu'elle voulait savoir de quoi il s'agissait et où elle pouvait en acheter un. Le bruit fut si léger qu'elle aurait pu l'imaginer, mais il lui sembla entendre Nigel ricaner en posant une tasse de café devant elle.

Nigel intervint :

— M. Webb voudrait discuter avec vous d'une réunion familiale. Il y aura beaucoup de monde et autant vous dire qu'il leur tarde, expliqua-t-il sèchement et Eva, Kitty et George ne purent s'empêcher de rire. Sa sœur se marie, son grand-père fête ses quatre-vingts ans et ils ont décidé de tout fêter le même jour. M. Webb a tout simplement besoin de votre aide.

— Merci, Nigel, dit George.

Sur ces mots, son assistant quitta la pièce.

George jeta un coup d'œil inquiet à sa montre. Kitty devina qu'ils avaient épuisé le temps qui leur était imparti. Nigel avait rempli sa mission, George avait pris de son temps pour voir la jeune femme, et c'était fini. Elle but rapidement son café.

George regarda Eva.

— Qu'est-ce que vous en pensez ?

— Pardon, qu'est-ce que je pense de quoi ?

— Est-ce que vous acceptez le job ?

— Où vit votre famille ?

George eut l'air surpris.

— À Cork.

— Quand a lieu la fête ?

— Je n'ai pas fait preuve d'un grand sens de l'organisation sur ce coup-là. C'est la semaine prochaine. Vendredi. Mais Nigel et moi, nous vous donnerons tous les détails dont vous avez besoin.

Il se pencha en avant, le regard intense. Si Eva avait été moins belle, il aurait certainement quitté la pièce depuis longtemps, songea Kitty.

— C'est très proche. Il me faut plusieurs semaines d'habitude.

— Plusieurs semaines ?

George était aussi surpris que Kitty.

— Il vous faut combien de cadeaux ?

— Oh, voyons voir, c'est Nigel qui a les détails, mais... il me faudrait un cadeau pour l'anniversaire de mon grand-père et un pour ma sœur et son futur mari. (Il se débarrassa d'une poussière invisible sur son pantalon, puis d'une deuxième.) Ah, et un autre pour une autre personne.

Kitty fut sincèrement déçue en entendant ça, pas pour elle – George l'avait à peine regardée depuis qu'il était entré dans la pièce, son attention tout entière consacrée à Eva, et pas seulement pour des raisons professionnelles. Elle dut se mordre l'intérieur des joues pour ne pas dire quelque chose. L'identité de cette personne était évidente, mais il s'était montré très charmant, et même si Eva était professionnelle et peu expansive, il était évident qu'elle n'était pas insensible. Kitty en était bien consciente, et maintenant qu'il y avait une connexion entre eux, ce qu'il avait à dire était embarrassant.

— Votre petite amie ? demanda Eva sur un ton professionnel.

— Oui. (Il s'éclaircit la voix.) Ça fait un an que nous sommes ensemble, marmonna-t-il.

Et ça risque de ne pas durer plus longtemps, songea Kitty.

— Un anniversaire de rencontre, commenta Kitty en notant quelque chose dans son carnet. Laissez-moi vous expliquer comment je travaille, monsieur Webb...

— Je vous en prie, appelez-moi George.

— George, répéta Eva en souriant. (Le lien était rétabli et Kitty était de nouveau invisible.) J'aime passer du temps avec les gens pour qui j'achète des cadeaux. J'aime voir qui ils sont, ce qu'ils veulent vraiment et je choisis des objets faits spécialement pour eux. Je ne suis pas sûre que votre assistant vous l'ait dit.

— Non, effectivement, répondit George, embarrassé. Je pourrais vous donner un budget, disons de trois mille euros ? Ce serait suffisant. Vous êtes rémunérée à l'heure ? Je ne sais pas comment ça fonctionne tout ça, mais, si c'est le cas, vous n'avez pas besoin de passer du temps avec eux, je suis prêt à vous payer un forfait très avantageux.

— Je ne suis pas la personne qu'il vous faut, répliqua Eva, à la grande surprise de Kitty.

George proposait de la payer ce qu'elle voulait et elle le rembarrait. Elle avait envie de lui balancer son carnet à la figure.

— Vous cherchez un *personal shopper*. Vous lui décrivez la personne, il trouve le cadeau. Du parfum pour votre mère, des étiquettes à bagages et étuis de passeports assortis pour votre sœur et son époux, ce genre de choses ?

— Parfait, parfait, répondit-il, ravi.

Puis il jeta un nouveau coup d'œil sur sa montre et fronça les sourcils : il était encore plus en retard à présent.

— Je suis désolée, George, je ne suis pas faite pour ce job.

Eva sourit et se leva.

Il resta assis sur le canapé et leva les yeux vers elle, décontenancé. Puis il comprit ce qui se passait et se leva à son tour.

— D'accord. (Il lui serra la main, mi-irrité, mi-contrarié.) Merci d'être venue. Nigel va vous reconduire. Je suis en retard à une réunion.

Il lui jeta un dernier regard intrigué, fit un signe de tête en direction de Kitty, dit au revoir et quitta la pièce.

Nigel réapparut immédiatement et ils reprirent l'ascenseur tous les trois en silence.

— Pourquoi avez-vous suggéré à George d'embaucher Eva ? demanda Kitty.

— C'est pour votre papier ?

Il prononça « papier » comme si c'était un gros mot.

— Si vous voulez.

— Non.

—Alors ça restera entre nous.

Il lui jeta un regard sarcastique puis se tourna vers Eva pour répondre.

—Cela fait six ans que je travaille pour lui et que je m'occupe de tous ses cadeaux. Pour les anniversaires, les Noëls, les baptêmes et j'en passe. Je pense qu'il est temps que son grand-père ait droit à autre chose que des mouchoirs et des cravates, même de luxe.

—Est-ce que sa famille est sympathique ? demanda Eva.

Kitty trouva la question étrange.

—Sympathique ? À vous en rendre malade, répondit Nigel, et elles en déduisirent toutes deux que c'était une réponse positive. Ils sont aussi merveilleux que moi. (Il se tourna vers Kitty et battit des cils dans sa direction avant de reporter son attention sur Eva.) Ils méritent mieux, conclut-il, sérieux.

Eva acquiesça en silence.

—Quant à moi, reprit-il sur un ton moqueur, j'ai assez perdu de temps à choisir de la crème antirides. J'ai mieux à faire.

—Comme le café, rétorqua Kitty en sortant de l'ascenseur.

—Eddie va vous montrer la sortie, Kath-Kitty.

Il fit un signe de tête au vigile baraqué debout dans un coin.

Les portes se refermèrent et Kitty se mit à rire. Elles sortirent du centre des finances.

—Eh bien, constata la journaliste qui avait l'impression d'avoir assisté à quelque chose de très inhabituel, c'était intéressant.

—Vraiment ?

Eva avait l'air dubitative.

—M. Webb vous a trouvée à son goût, affirma Kitty.

Sa remarque fit rosir Eva.

— M. Webb ne devrait trouver personne à son goût, rétorqua-t-elle sèchement. Il a un anniversaire de rencontre à fêter.

— C'est pour ça que vous avez refusé le job ?

— Non ! Si vous croyez que je fais ce métier pour rencontrer des hommes, vous faites fausse route, sinon j'aurais accepté.

Elles se mirent à rire en chœur.

— Pourquoi avoir refusé, alors ?

— Et si nous allions prendre un café ?

Kitty réfléchit un instant. Eva était très aimable et son métier intéressant, mais elle n'était pas certaine qu'il y ait matière à rédiger un article, à moins que l'intérêt que Constance lui portait réside dans sa vie personnelle. Jusqu'ici le regard professionnel de Kitty n'avait rien remarqué de passionnant. Elle n'arrivait pas à trouver le fil d'Ariane qui permettait de relier entre eux les noms de la liste. Elle avait tout intérêt à poursuivre son enquête sur les quatre-vingt-dix-huit autres noms – des personnes qui avaient certainement des histoires plus palpitantes – plutôt que de perdre encore quelques heures avec Eva. Cette dernière était charmante, mais Kitty avait une deadline. Il fallait qu'elle avance.

— Je ne veux pas vous ennuyer davantage, répondit-elle avec un sourire poli. (Eva sembla déçue et Kitty se sentit coupable.) Mais j'ai une dernière question avant de partir.

— Bien sûr, dit Eva, ravie.

— Je me demandais si vous vous souveniez du premier cadeau vraiment mémorable que vous avez reçu et face auquel vous avez ressenti une émotion profonde ? Celui qui serait peut-être à l'origine de ce... de ce désir de trouver les cadeaux parfaits pour les autres. Ce cadeau a pu jouer un rôle décisif dans votre choix de... carrière.

Eva eut l'air triste, puis son visage s'illumina.

— Oui, dit-elle avec un enthousiasme que Kitty trouva un peu forcé. C'était l'écurie My Little Pony avec un poney. De la part de ma grand-mère. J'avais sept ans et je l'ai adorée. J'ai passé des heures et des heures à jouer avec.

— Vraiment ?

Kitty était surprise, peut-être même déçue.

— Oui, acquiesça Eva sans se défaire de son masque joyeux. Pourquoi ?

— Je pensais que ce serait quelque chose de plus… de plus significatif, ou…

Elle la dévisagea, mais Eva ne laissa rien transparaître.

— Non. J'adorais ce poney, affirma-t-elle avec un sourire forcé.

Eva regarda Kitty Logan s'éloigner à vélo en se maudissant. Elle savait très bien qu'elle venait de se faire larguer comme une vieille chaussette. Ce n'était pas la première fois. Gaby ne le lui pardonnerait jamais. Elle avait eu la chance de pouvoir parler de son métier comme elle l'entendait et elle avait tout gâché. Mais elle ne pouvait pas donner à Kitty ce qu'elle voulait : sonder sa tête et son cœur. Eva savait très bien qu'elle faisait cet effet-là aux gens, mais elle ne voulait pas qu'ils s'aventurent par là. Elle n'osait pas s'y rendre elle-même.

Son téléphone sonna. Elle soupira et décrocha.

— Bonjour, maman.

— Eva, tu peux venir me chercher ?

Elle perçut le gémissement dans sa voix, le reniflement, la faiblesse, et son cœur se serra.

— Qu'est-ce qui s'est passé ? demanda-t-elle pleine d'appréhension.

Mais elle le savait déjà.

— C'est mon poignet. Je pensais qu'il était juste foulé, mais il m'a fait mal toute la nuit. Je n'ai pas pu dormir et j'ai finalement décidé d'aller consulter. Ils m'ont dit qu'il était cassé.

—Où es-tu ?

—À l'hôpital.

—Où est papa ?

Un silence.

—Je ne sais pas, finit-elle par répondre à voix basse. Je ne l'ai pas vu de la journée. Bessie m'a accompagnée à l'hôpital, mais elle a dû partir pour aider Clare. Elle vient juste d'avoir un bébé, elle a besoin d'aide avec les garçons, je ne peux pas lui demander de revenir me chercher.

Eva sentit la colère la submerger. Une rage noire et sans issue dont elle ne pouvait rien faire, là, sur les quais de Dublin. Et elle ne la quitterait pas, elle le savait, pendant tout le trajet de retour en train vers Galway, jusqu'à ce qu'elle arrive à la gare, épuisée.

—Je suis à Dublin, expliqua-t-elle. Je ne rentrerai que ce soir.

—Ce n'est pas grave, je peux attendre.

—Pourquoi tu ne prends pas un taxi ?

—Non. Non, merci. Je t'attends.

Eva savait qu'elle dirait ça. Elle ne voudrait jamais que quelqu'un la voie comme ça. Elle resterait chez elle jusqu'à ce qu'elle soit guérie, Eva en était sûre.

—J'en ai pour des heures, maman.

—Je t'attendrai, répondit fermement sa mère. (Eva se demanda où cette volonté avait disparu quand elle en avait eu vraiment besoin.) J'espère juste que je pourrai me débarrasser du plâtre avant l'anniversaire de ton père. Il a décidé de faire une fête.

—Quand ? demanda Eva sentant l'inquiétude l'envahir de nouveau.

—Vendredi prochain.

— Vendredi prochain ? Mais… Je ne pourrai pas être là. Il aurait dû me prévenir plus tôt.

— Oh, il va être très déçu, répondit sa mère sur un ton si déchirant qu'Eva en eut le ventre noué.

— Je n'y peux rien. Je ne peux pas annuler mon travail – tu sais à quel point c'est difficile en ce moment. (Elle leva les yeux vers l'immeuble qu'elle venait juste de quitter.) En plus, je serai à Cork…

Chapitre 10

L'adresse d'Archie Hamilton, le numéro soixante-sept de la liste, sauta aux yeux de Kitty tandis qu'elle rentrait chez elle après avoir passé du temps avec Eva. On était vendredi soir : elle songea que c'était le bon moment pour sonner chez les gens. Ils seraient rentrés du travail et en train de dîner ; elle pourrait les prendre par surprise. À l'exception de Gaby, personne n'avait répondu à ses messages et il fallait qu'elle avance. L'horloge tournait et, alors qu'une autre journée touchait à sa fin, elle n'avait toujours pas cerné l'histoire de Constance. Cette idée l'angoissait bien plus qu'elle ne l'aurait voulu.

Archie Hamilton vivait dans une cité à dix minutes à pied de chez elle. Il y avait un fort sentiment d'appartenance communautaire dans ce quartier. Les voisins étaient très solidaires : si vous étiez du coin, ils étaient de votre côté, dans le cas contraire… Kitty vivait juste en dehors.

Pendant qu'Archie Hamilton déverrouillait ses trois serrures, elle attendit sur le balcon du quatrième étage. Un jeune garçon aux cheveux d'un roux flamboyant avec des taches de rousseur la regardait, assis sur un ballon de basket, et une bande de gamins au rez-de-chaussée se tenait un peu trop près de son vélo, qu'elle avait attaché à la rambarde.

Le dernier verrou céda et la porte s'entrouvrit, dévoilant l'entrebâilleur. Une paire d'yeux chassieux injectés de sang la dévisagea. On aurait dit qu'ils n'avaient pas vu la lumière du jour depuis des années. Kitty recula involontairement.

— Archie Hamilton ? demanda-t-elle.

Les yeux l'examinèrent de haut en bas, puis la porte lui claqua à la figure.

Elle regarda autour d'elle, incertaine. Devait-elle frapper de nouveau ou partir ? Le gamin assis sur le ballon de basket ricana.

— Tu connais Archie ? demanda-t-elle.

— Tu connais Archie ? répéta-t-il sur le même ton.

Il l'avait imitée à la perfection, allant jusqu'à reproduire sa voix aiguë et son très léger accent provincial. Elle eut l'impression que l'accent était un peu exagéré mais, en dehors de ça, c'était assez perturbant. Elle envisagea de partir, mais elle entendit soudain quelqu'un appeler Archie à l'intérieur et elle décida de rester. La porte fut déverrouillée plus rapidement cette fois, la chaîne coulissa et on ouvrit grand. Un homme, pas celui qui avait ouvert la première fois, et qui avait l'air non pas menaçant mais en colère et épuisé, la dévisagea. Il l'examina tout en enfilant sa veste en jean, puis, tout en ayant l'air de ne pas apprécier ce qu'il voyait, sortit de chez lui. Elle fit un bond en arrière. Il claqua la porte et la verrouilla. Puis il empocha la clé et se précipita vers l'escalier.

— Excusez-moi..., demanda poliment Kitty.

— Excusez-moi..., répéta le garçon dans son dos.

L'homme continua à marcher ; elle lui courut après. Il dévala les marches en béton. Elle abandonna toute politesse.

— C'est vous, Archie ?

— Et si c'était moi ?

— Si c'était vous, j'aimerais bien vous parler, dit-elle à bout de souffle alors qu'ils attaquaient la troisième volée de marches.

— De quoi ?

— De… Si vous arrêtez de courir, je pourrais vous le dire.

— Je suis en retard au boulot.

Il accéléra juste au moment où elle avait enfin réussi à parvenir à sa hauteur.

— On peut peut-être prendre rendez-vous pour se voir à un autre moment ? Voici ma carte…

Elle farfouilla dans son sac à main, ce qui la ralentit, et il la distança de nouveau. Elle sortit sa carte de visite et descendit les marches quatre à quatre pour le rattraper.

Il refusa de prendre sa carte.

— Je ne parle pas aux journalistes, assena-t-il en parvenant au rez-de-chaussée et en s'éloignant de la cité.

Kitty jeta un coup d'œil aux gamins agglutinés autour de son vélo et décida de trottiner aux côtés d'Archie.

— Comment savez-vous que je suis journaliste ?

Il la détailla des pieds à la tête comme pour répondre à sa question.

— Vous avez l'air désespérée.

Elle se sentit à moitié insultée par sa remarque : à en juger par le jeu du chat et de la souris auquel ils se prêtaient, il avait raison.

— Vous m'avez laissé un message.

— Oui.

— Ne m'appelez plus jamais.

Ils tournèrent au coin de la rue. Elle s'attendait à ce qu'il continue à marcher, mais au lieu de ça, il s'arrêta net et s'engouffra dans un *fish and chips*. Kitty dut revenir sur ses pas. Elle l'épia par la vitrine : il souleva le comptoir, ôta sa veste et disparut dans l'arrière-boutique. Deux clients attendaient. Kitty jeta un coup d'œil à l'enseigne au-dessus de la porte : *Chez Nico*. Archie Hamilton réapparut. Il portait un tablier et une toque blanche. Son collègue lui transmit les commandes et le laissa seul. Elle poussa la porte.

— Je pourrais porter plainte pour harcèlement, déclara-t-il sans lever les yeux vers elle.

Il ne lui manquait plus que ça…

Les deux clients la dévisagèrent.

— Une portion de frites, commanda-t-elle.

Il cessa de remuer les frites et la regarda. Elle était incapable de dire s'il était impressionné ou s'il avait envie de lui balancer de l'huile bouillante à la figure. La frontière entre les deux était ténue. Il enfonça le panier plein de frites surgelées dans l'huile bouillonnante. Kitty se demanda si elle devait attendre que les clients soient partis, puis elle se ravisa. Pas besoin de super pouvoirs journalistiques pour deviner que c'était sa seule chance de parler à Archie.

— Je laisse ma carte ici, dit-elle en la posant sur le comptoir.

Il y jeta un coup d'œil puis se concentra de nouveau sur son travail. Il prépara un hamburger et des frites, les emballa, encaissa la monnaie, et le client partit.

— Je n'en ai jamais parlé. Ni à l'époque ni maintenant. Rien n'a changé.

Il manquait une pièce du puzzle à Kitty.

— Je ne sais pas pour qui vous me prenez, mais…

— Vous êtes journaliste, pas vrai ?

— Oui.

— Vous êtes tous pareils.

— Je n'aborderai que les sujets dont vous voulez parler.

— J'ai déjà entendu ça.

Il remplit un petit sachet en papier blanc de frites, puis il le glissa dans un plus grand sac et rajouta des frites.

— Écoutez, je vais être honnête avec vous. Je ne sais absolument pas de quoi vous parlez et de quoi vous ne voulez pas parler. Je ne sais pas qui vous êtes. J'ai trouvé votre nom dans une liste qui en contient cent, et on m'a dit qu'il fallait que je vous interroge pour comprendre quelle était l'histoire. Je ne connais aucune des quatre-vingt-dix-neuf autres personnes et je n'ai toujours pas compris ce qui les reliait les unes aux autres. Je vous demande juste de me consacrer une demi-heure, n'importe quand – à toute heure du jour ou de la nuit –, pour qu'on puisse discuter. Ça n'a peut-être aucun rapport avec ce que vous croyez, ou peut-être que si, et si vous ne voulez pas que j'en parle, je ne le ferai pas, mais je peux vous jurer que je suis une journaliste honnête et que je tiendrai parole.

Pour Constance et pour sa santé mentale, Kitty voulait faire les choses correctement.

Il avait l'air amusé, ou tout du moins différent de ce qu'il était jusqu'à présent, c'est-à-dire menaçant et intimidant. Elle lui donnait une bonne cinquantaine d'années, peut-être soixante, mais il était peut-être plus jeune et prématurément vieilli par le stress. Il portait ce dernier en bourrelets. Ses cheveux étaient grisonnants, sa peau rouge, sèche et maladive, il était en surpoids mais avec des bras musclés. Pour Kitty, il était l'incarnation d'une hygiène de vie déplorable : stress, alimentation déséquilibrée, manque de sommeil. Elle se mit soudain à douter de sa propre hygiène de vie. Elle ne parvenait pas à savoir ce qu'il pensait. Il finit par la regarder, et elle fut soulagée que ses paroles aient porté.

— Sel et vinaigre ?

— Oui, s'il vous plaît, répondit-elle dans un soupir.

Il noya les frites sous le vinaigre, replia le haut du sachet dégoulinant et le posa pile sur sa carte de visite.

— Deux soixante-dix.

Elle paya et ne trouva rien d'autre à ajouter. Elle prit les frites et laissa la carte pleine de vinaigre sur le comptoir. Elle avait au moins de quoi dîner. Lorsqu'elle parvint au coin de la rue, elle constata que son vélo s'était volatilisé en même temps que la bande de gamins.

Pétrifiée en bas des marches qui menaient à son appartement, Kitty scrutait les ténèbres, se demandant ce qui pouvait bien l'attendre en haut.

— Kitty ? Kitty Logan ? C'est toi ?

Elle pivota en direction de la voix. Un homme la dévisageait depuis le pressing, tête penchée. Elle l'observa rapidement : costume élégant, coupe de cheveux soignée, chaussures soigneusement cirées, visage allongé, mâchoire virile. Ce qui était nouveau, en revanche, c'était les petites lunettes rondes.

— Richie ? Richie Daly ?

Elle comprit au soulagement qui se lut sur son visage qu'elle ne s'était pas trompée. Elle entra dans la boutique pour le saluer, ce qu'elle évitait de faire en temps normal, puisque les propriétaires étaient à deux doigts de la balancer sur la planche à repasser et de la cuire.

— J'étais sûr que c'était toi ! s'exclama-t-il, les bras ouverts.

Elle répondit à son accolade, puis recula d'un pas pour l'examiner en détail.

— Tu n'as pas changé, et pourtant tu es complètement différent, constata-t-elle, stupéfaite.

— J'espère que c'est une bonne chose, répondit-il avec un sourire jusqu'aux oreilles. Les pantalons en velours déchiré et les Converse, c'était pas top.

— Mais qu'est-ce que tu as fait de tes cheveux ? Disparus !

— Je pourrais te dire la même chose, rétorqua-t-il, et elle porta la main à son carré.

À la fac, elle avait les cheveux longs.

— Non mais tu nous entends parler ? C'est comme si on ne s'était pas vus depuis cinquante ans.

Elle éclata de rire.

— Douze ans, ce n'est pas rien.

— Ça fait douze ans ? Flippant. Qu'est-ce que tu fais ici ?

Il fit un geste en direction de la boutique.

— Euh… j'avais besoin de passer au pressing.

— Oui, bien sûr.

Elle leva les yeux au ciel.

Son propriétaire toussota, interrompant leur conversation, et les fusilla du regard.

— J'habite juste au-dessus, est-ce que ça te dit de monter prendre un café ou autre chose ?

À mi-chemin de sa proposition, elle songea qu'une femme et deux enfants virgule quatre l'attendaient peut-être dans une voiture devant le pressing en se demandant pourquoi papa avait fait la bise à une inconnue.

— Un café ? répéta Richie, consterné. Pas question. Allons prendre un verre.

Ils se rendirent au *Smyths*, un bar sur Fairview Strand. Il était 19 heures un vendredi soir et l'endroit était bondé. Ils parvinrent à dénicher une table avec deux tabourets et ils partagèrent ses frites en évoquant le bon vieux temps.

— Tu fais quoi dans la vie ? demanda Kitty après lui avoir raconté ce qu'elle avait fait depuis l'université, à l'exception de la débâcle Colin Maguire, évidemment.

Elle était persuadée qu'il était au courant, comme le monde entier, et elle lui sut gré d'être assez courtois pour ne pas faire allusion au scandale.

— Moi ? (Il baissa les yeux sur sa bière. C'était sa quatrième. Kitty en était aussi à son quatrième verre de vin et elle se sentait pompette.) J'écris un bouquin.

— Un bouquin ? Waouh, Richie, c'est génial.

— Ça me fait bizarre de t'entendre m'appeler comme ça. Je suis Richard maintenant.

— Normal, c'est un prénom d'auteur respectable. C'est quoi ce bouquin ?
— Un roman.
— Très excitant.
— Voilà, éluda-t-il.
— Ah, allez, dis-m'en plus. C'est une romance ? Un roman historique ? Un Harlequin ?
Il éclata de rire.
— Un Harlequin. Absolument.
Elle prit soudain conscience de leur proximité, de la façon dont ils étaient passés des retrouvailles au flirt et, plus surtout, du fait qu'il avait drôlement bien vieilli.
— C'est un roman policier, expliqua-t-il. (Leurs têtes s'étaient rapprochées et leurs genoux se frôlaient.) J'en ai écrit un quart. C'est quelque chose que je veux faire depuis toujours. Mais, entre le travail et le reste, c'est difficile de trouver le temps. Et puis un jour je me suis dit, ça suffit, Richie, lance-toi. Et voilà, j'écris. Enfin, du moins, j'essaie.
— Bravo. Ça demande du courage de réaliser ses rêves. Qui sait ? Tu pourrais être la prochaine Susan Boyle, le taquina-t-elle.
— Et toi ? *Trente minutes*, c'est ton rêve ?
Elle baissa de nouveau les yeux sur son verre et constata avec surprise qu'il était vide : ne venait-elle pas de le commencer ? Richie fit signe au serveur de leur remettre la même chose.
— Je ne sais pas, répondit-elle. (Elle avait la tête qui tournait et il lui semblait que sa langue pesait une tonne.) Je ne sais plus ce que sont mes rêves.
— Tu n'aimes pas bosser pour la télé ?
— Je…
Elle avait l'impression qu'elle était sur le point d'exploser et de balancer tout ce qu'elle pensait de l'émission. Elle n'en

avait parlé à personne, mais Richie avait l'air de n'être au courant de rien. Son regard était chaleureux et doux, sans aucun jugement de valeur, un peu injecté de sang, et elle eut l'impression d'avoir de nouveau vingt ans et d'être à la fac où elle séchait les cours régulièrement parce que rien ne lui paraissait avoir d'importance. Elle lui faisait confiance.

— Je ne travaille plus pour *Trente minutes*, finit-elle par avouer.

— Ah bon ? répondit-il en terminant sa pinte. Qu'est-ce qu'il s'est passé ?

— Tu ne le sais pas ou tu essaies simplement de m'épargner l'embarras ?

— Comment le saurais-je ? Je devrais ? Je suis désolé, Kitty, mais j'ai le nez dans mon bouquin depuis des mois. Je ne suis au courant de rien. Je viens juste d'apprendre que les mineurs chiliens ont été secourus.

— C'était il y a deux ans, répondit Kitty en riant.

— Exactement, constata-t-il avec un sourire. J'écris très lentement. Mais tu n'es pas obligée de me raconter si tu n'en as pas envie. On est juste là pour passer un bon moment.

— J'ai merdé. J'ai merdé à fond et ça s'est terminé au tribunal. La chaîne a perdu un paquet de fric et j'ai été suspendue, ce qui est un euphémisme pour dire : « On se passera désormais de tes services. » Et le magazine pour lequel je bosse envisage de faire la même chose à cause de la pression des annonceurs qui se posent en défenseurs de la morale, même si on sait qu'ils emploient des enfants pour fabriquer leur merde, pourtant je continue à bosser sur un papier qu'ils ne publieront pas mais auquel je tiens beaucoup… Cela dit, il ne me reste qu'une semaine avant la deadline et je ne sais toujours pas quelle histoire je dois raconter. Pour couronner le tout, quand je rentre chez moi le soir, je trouve de la merde de chien, de la peinture ou du PQ et tout ce que Colin Maguire et sa petite bande peuvent bien imaginer pour me nuire.

Quand elle eut achevé sa tirade, Richie la dévisagea, bouche bée. Kitty fit alors la seule chose qui lui vint à l'esprit et qu'elle avait besoin de faire depuis le début : elle renversa la tête et partit d'un rire hystérique.

Lorsque les lumières redevinrent aveuglantes, que les dernières commandes furent passées et qu'un homme tout de noir vêtu les chassa, Richie glissa la main sur la taille de Kitty, un doigt au-dessus de son jean, l'autre s'immisçant en dessous.

— Allons chez toi, dit-il à mi-voix.

— Non. On peut pas, c'est miné, glousssa-t-elle.

— Cette idée me plaît…

Il la pelota et ils se mirent à rire.

— Allons chez toi, plutôt, dit-elle en l'embrassant.

Il habitait très loin, à Stoneybatter, et tandis que la lueur floue des réverbères défilait par sa vitre ouverte, elle se rappela qu'elle s'était demandé ce qu'il faisait dans un pressing à l'autre bout de la ville.

Si elle avait eu son carnet sur elle, elle aurait noté ce détail pour s'assurer de lui poser la question le moment venu. Plus tard, elle regretta de ne pas l'avoir fait.

Chapitre 11

— Merde, je suis en retard.

— En retard pour quoi ?

— Birdie.

— Tu as rendez-vous avec un oiseau ?

Ils se mirent à rire. Son haleine matinale lui parvint et elle s'éloigna de lui.

— C'est l'histoire sur laquelle je travaille.

— Je croyais que tu ne bossais pas.

— Si, c'est juste que je ne sais pas sur quoi.

Elle s'assit, mais se rallongea aussitôt, en proie à une terrible migraine.

— Tu te sens mieux aujourd'hui ?

— Comment ça ?

— Tu as pleuré à propos d'un vélo volé.

Kitty gémit, repoussa les couvertures et erra dans la chambre à la recherche de ses sous-vêtements.

— Où est ma culotte ?

Il ferma les yeux avant de les rouvrir brusquement.

— Dans la cuisine. (Il se frotta les yeux.) Merde, qu'est-ce que j'ai mal à la tête.

Kitty ramassa sa culotte et le reste de ses vêtements éparpillés dans la cuisine minuscule. Elle jeta un regard par la fenêtre.

— On est où déjà ?

— Stoneybatter, répondit-il d'une voix ensommeillée depuis la chambre.

— Tu connais un mec qui s'appelle Dudley Foster ?

— Non, pourquoi ?

— Il est sur ma liste.

Elle enfila son jean.

— Quelle liste ?

— Mon article.

Il apparut dans l'embrasure de la porte, en caleçon, et le spectacle qu'il offrait à présent n'avait aucun rapport avec le souvenir qu'elle avait de lui la veille. Elle se sentit vaguement dégoûtée. Elle se demanda si elle devait utiliser sa douche, mais elle craignait qu'il ne veuille l'y rejoindre, et il était hors de question qu'elle recouche avec lui. Pas maintenant. Probablement jamais.

— Tu veux que je t'appelle un taxi ?

— Oui, s'il te plaît.

Il disparut dans sa chambre pour passer le coup de fil et Kitty se brossa les cheveux avec une fourchette, effaça le mascara qui avait coulé sous ses yeux et utilisa le déodorant de Richard dans la salle de bains. La deuxième pièce de l'appartement était un bureau : des feuilles étaient disséminées un peu partout. Le roman. Elle entendit l'eau de la douche couler et elle s'apprêtait à lire ce qu'il avait écrit lorsque l'interphone retentit. C'était le chauffeur de taxi qui l'attendait en bas. Elle frappa maladroitement à la porte de la salle de bains, mais Richie ne l'entendit pas. Elle ouvrit la porte et se retrouva face à face avec lui, à poil. C'était une vision difficile à surmonter de bon matin avec une gueule de bois carabinée.

— Le taxi est là, dit-elle très fort.

Il leva les yeux brusquement et du savon lui coula dedans. Elle devina que ça le brûlait à la façon dont il se frotta le visage.

— Je m'en vais, annonça-t-elle en lui tendant une serviette qu'il ne vit pas, trop occupé à se frotter les yeux, ce qui n'était pas très séduisant.

— D'accord, répondit-il, de l'eau plein le visage. Merci pour… la nuit dernière.

— Merci à toi aussi.

Les adieux les plus embarrassants au monde ? Ils figuraient sans problème dans son top cinq. Elle prit une banane sur la table de la cuisine et sortit. Il lui fallut une bonne demi-heure avant que sa gêne se dissipe.

C'était un chaud samedi de mai ensoleillé. Toute personne normalement constituée éviterait de prendre sa voiture un jour pareil, sauf pour aller au parc ou à la plage. Les villages de bord de mer seraient envahis par des hordes en manque de soleil qui feraient la queue pour acheter une glace, et tous les restaurants et les cafés avec une terrasse, si minuscule soit-elle, seraient pris d'assaut. Et au lieu de rejoindre la foule sur le sable, sur la pelouse ou en plein air avec son frappuccino, Kitty se retrouvait dans un taxi puant dans ses vêtements de la veille, et des relents de transpiration se faisaient sentir chaque fois qu'elle levait les bras. Elle les garda donc le long de son corps et essaya de ne pas prêter attention aux commentaires de match de foot qui se déversaient à la radio. Elle luttait pour garder les yeux ouverts, la tête douloureuse, la bouche pâteuse à cause de tout le vin qu'elle avait ingurgité la veille. Horrifiée, elle regardait le compteur tourner à une allure qui ne lui semblait pas légale. Sur un autocollant fixé à la vitre, on pouvait lire que tous les passagers avaient le droit d'effectuer le trajet dans un véhicule propre sans être ennuyés par le chauffeur. Son chauffeur dégageait pourtant une puanteur indescriptible comme s'il ne s'était pas douché depuis une semaine, la voiture était dégueulasse et la radio beuglait tellement fort qu'elle ne s'entendait pas penser. Mais bon, au moins il ne lui parlait pas, c'était déjà ça. Elle nota le numéro de téléphone.

Il était déjà midi quand elle parvint à la maison de retraite Sainte-Margaret, et elle avait promis à Birdie qu'elle serait là à 10 heures pour poursuivre l'interview. Elle avait relu ses notes et dressé une liste de questions à lui poser.

— Je suis désolée, s'excusa Kitty auprès de Molly en arrivant à l'accueil.

— Oh, oh, gloussa l'infirmière en la voyant. Y en a une qui a passé une bonne nuit.

Kitty eut un sourire faussement timide.

— C'est si terrible que ça ?

— Pas si le jeu en valait la chandelle.

Molly lui fit un clin d'œil et contourna le comptoir. Ses cheveux étaient toujours bleus, mais ses ongles étaient corail.

— Birdie va me tuer ?

— Birdie ? Elle ne ferait pas de mal à une mouche, à moins peut-être que la mouche ne soit Frida, la hippie. Elle est dehors en train de donner un cours de mouvement. La dernière fois que j'ai regardé, ils faisaient semblant d'être des feuilles.

— J'imagine mal Birdie faire ça.

— En effet ! Elle n'y est pas. Elle est avec sa famille dehors. Ne me regardez pas comme ça : elle sera ravie de vous voir.

Kitty suivit Molly jusqu'à la pelouse où les familles étaient réunies autour d'un thé et de scones. Des ombrelles les protégeaient du soleil. C'est là que Kitty trouva Birdie, assise au milieu de sa famille. Tout le monde bavardait. Les enfants couraient tout autour – Kitty se demandait qui appartenait à qui – et les ados se tenaient un peu plus loin, rivés à leurs iPhones et à leurs iPods : ils auraient donné cher pour être ailleurs.

Tout en approchant, Kitty remarqua que Birdie se tenait à l'écart. La conversation allait bon train, mais elle n'y participait pas. De temps en temps, quelqu'un lui adressait la parole et elle sortait de sa rêverie pour hocher la tête en souriant, avant de se retirer en elle-même.

— Désolée de vous importuner, lança Molly sur un ton joyeux, mais vous avez de la visite, Birdie.

Ils levèrent tous les yeux vers Kitty, qui se dirigea vers Birdie avec un air contrit.

— Je suis navrée d'être en retard.

— Mais pas du tout.

Elle avait l'air sincèrement ravie de la voir, et Kitty en éprouva de la joie.

Birdie se leva, lui prit la main et la présenta chaleureusement à sa famille.

— Voici mon amie Kitty Logan. Kitty, je vous présente ma fille, Caroline, et sa fille Alice. Elle a aussi un garçon, Edward, qui prépare ses partiels.

Caroline avait l'air très fière, aussi Kitty articula-t-elle silencieusement un « waouh ».

— Voici le fils d'Alice, mon arrière-petit-fils, Levi. Mon fils aîné, Cormac, son fils, Barry et les deux enfants de Barry, Ruan et Thomas. (Les deux garçons ne levèrent pas le nez de leur console.) Sean, sa femme, Kathleen, et leur plus jeune fils, Clive. Leur fille vit en Australie avec son mari. Elle est... quoi déjà, Kathleen ?

— Ingénieur en informatique.

— C'est ça.

Birdie continua à présenter tout le monde. Deux fils supplémentaires, une épouse, une compagne et quelques-uns de leurs enfants, dont certains se montrèrent polis et d'autres totalement indifférents. Kitty fut rapidement perdue, et dès qu'elle fut assise près de Birdie, une place qui l'honora, la fille de cette dernière, Caroline, commença à parler. Sans s'arrêter une seule seconde. Sans reprendre son souffle. Elle dirigeait la conversation, racontant anecdote après anecdote, des histoires qui n'en finissaient pas et auxquelles elle ne laissait participer personne. Un de ses frères faisait un commentaire de temps à autre, et une de ses belles-sœurs apportait une précision, rafraîchissait les mémoires ou rectifiait une erreur, mais toute la conversation, si on pouvait appeler ça comme ça, était un film dirigé, monté et joué par Caroline. Elle était élégante, bien habillée, cultivée, elle s'exprimait de façon sophistiquée et talentueuse, et elle savait un tas de choses dans des domaines très variés. Elle était habituée à prendre la parole, maîtrisait son sujet et savait raconter de manière enlevée, mais sa logorrhée était telle que sa voix commença à agacer Kitty. Birdie gardait le silence, on lui demandait rarement son avis ; elle n'était que la raison de la visite, pas son sujet. Kitty attendait que l'attention se tourne vers la vieille dame ou que l'un des petits-enfants ou des arrière-petits-enfants dise quelque chose. Chaque fois, Caroline enchaînait sur un autre sujet, si bien que Kitty eut envie de bondir par-dessus la table et de l'étrangler. Elle ne savait pas si c'était la faute de la gueule de bois, du soleil torride et des abeilles qui bourdonnaient sans relâche autour d'eux, mais elle ne percevait plus qu'un magma de mots absurdes.

Molly surgit de nouveau aux côtés de Birdie et, sans un mot, lui tendit un verre d'eau et des cachets colorés. Ce n'est qu'à ce moment-là que Caroline cessa de parler pour s'intéresser à sa mère. Tout le monde l'imita, ce qui mit Birdie profondément mal à l'aise. Tous les regards étaient braqués sur la vieille dame.

— Il fait beau, n'est-ce pas ? commenta-t-elle.

Sa remarque avait beau être d'une banalité affligeante, son accent de la côte est de l'Irlande teintait ses propos d'une tonalité impertinente, presque sarcastique, comme s'ils contenaient un sens caché. L'éclat malicieux de ses yeux et son assurance donnaient l'impression qu'elle se croyait supérieure aux autres, ce qu'elle avait évidemment le droit de croire, mais qui lui conférait une certaine arrogance, comme si elle savait qu'on la prenait de haut et qu'elle passait son temps à se battre contre ça.

— Qu'est-ce que vous lui donnez ? demanda Caroline, et Kitty fut agacée que la question ne soit pas adressée directement à Birdie.

La conversation dévia sur le traitement de Birdie et pourquoi elle le prenait, puis Caroline suggéra d'autres médicaments et expliqua à Molly pourquoi elle avait raison. Soit elle était camée, soit elle était médecin. C'était un puits de science mal élevé. Kitty l'avait cataloguée en deux temps trois mouvements.

Caroline détourna son attention de sa mère, qui put enfin prendre ses pilules tranquillement, et elle commença à parler d'un nouveau vaccin et d'une conversation qu'elle avait eue avec un membre de l'Organisation mondiale de la santé. Certains de ses frères étaient médecins aussi apparemment, parce qu'ils avaient l'air de comprendre son jargon, et ils participèrent à la conversation quand elle leur en laissa le loisir.

— Molly, est-ce que je pourrais avoir une tasse du thé spécial de Birdie ? demanda Kitty.

La vieille dame, qui était en train de boire, ricana et de l'eau coula sur sa blouse. Caroline s'interrompit pour la dévisager, surprise. Tout le monde l'imita. Même les ados levèrent le nez de leurs téléphones et deux d'entre eux échangèrent un sourire en voyant leur grand-mère pouffer. Kitty lui tendit une serviette.

— Merci, répondit Birdie sur un ton compassé, les yeux brillant de malice. Je suis désolée de t'avoir interrompue, Caroline. Continue, je te prie.

Caroline considéra un instant sa mère avant de poursuivre ; cette fois elle prit garde de s'adresser à Birdie, pour éviter une nouvelle interruption. C'était le genre de famille à être tout ouïe et à se concentrer sur la personne qui parlait jusqu'à ce qu'elle ait fini. Pas question de mener plusieurs conversations à la fois par petits groupes au risque de voir le narrateur s'interrompre jusqu'à ce que tout le monde l'écoute de nouveau.

Kitty se demandait pourquoi personne n'avait pris la peine de leur demander, à Birdie ou à elle, comment elles se connaissaient et pourquoi Kitty avait pris part à leur réunion de famille. Birdie ne leur avait certainement pas parlé d'elle avant son arrivée – elle aurait dû être là deux heures plus tôt –, mais, si elle l'avait fait, pourquoi n'avaient-ils aucune question à leur poser ? La vie de leur mère ne les intéressait-elle pas du tout ? Kitty était en colère pour la vieille dame ; elle avait l'impression qu'elle se tenait sur une autoroute au milieu des voitures lancées à toute allure en attendant un ralentissement pour traverser en courant.

L'ouverture lui fut fournie lorsque Levi, le fils d'Alice, s'étouffa avec quelque chose, ce qui provoqua la panique de Caroline et d'Alice. La première intervint sans demander la permission à la seconde qui ne protesta pas.

Kitty saisit sa chance.

— Je ne sais pas si vous êtes au courant, mais je suis journaliste pour *Etcetera*, annonça Kitty à la cantonade avant de se tourner vers Birdie, surprise. Vous le leur avez dit ?

— Non.

Birdie avait l'air gênée, voire un peu nerveuse.

— Qu'est-ce qu'elle a dit ? demanda un de ses fils.

— *Etcetera*, répondit une des belles-filles. C'est un magazine.

— Un magazine culturel et de société, c'est ça, intervint une autre.

Kitty acquiesça.

— Il me semble avoir lu dans le *Times* que la rédactrice en chef venait de mourir, non ? s'enquit un des hommes.

— En effet, répondit Kitty. Constance Dubois.

Elle ne s'était toujours pas habituée à dire que Constance était morte, ce n'était pas encore un sujet dont elle pouvait parler entre le thé et les scones, comme si son amie n'était qu'un sujet de conversation au même titre que les patients hypocondriaques et les nouveaux vaccins.

— Oh, oui, c'est elle qui a donné une tribune à cet affreux bonhomme. Celui qui est contre la médecine. Comment s'appelle-t-il déjà ?

— Bernard Carberry, répliqua Kitty, qui sentait son sang s'échauffer dans ses veines.

C'était un homme charmant, très cultivé et respecté, qui n'oubliait jamais de lui envoyer une carte pour Noël.

— C'est ça. L'homme qui prêche contre les méchants médecins généralistes, poursuivit Caroline, avec un petit rire, même s'il était évident qu'elle n'éprouvait que rage et mépris à son égard. Il croit qu'on devrait manger de l'herbe et boire plus d'eau.

— Il pense que les généralistes prescrivent trop d'antibiotiques et de traitements sans aller au fond du problème, alors que les médicaments qu'il préconise sont moins dangereux et renforcent l'immunité.

— Foutaises, lança Caroline. Vous travaillez pour lui à présent ?

— Nous publions dans le même magazine et nos chemins se croisent régulièrement.

Kitty était bien résolue à rester polie.

— Et vous êtes d'accord avec ses théories du complot ?

— Je pense que Constance Dubois était une femme incroyablement progressiste, qui devinait avant tout le monde ce qui était nouveau et intéressant. Elle a compris que les études du docteur Carberry intéresseraient un large public vingt ans avant que le sujet devienne brûlant, et il est devenu mondialement reconnu dans le domaine de l'homéopathie et des médecines douces. Les médecins sont nombreux à partager son point de vue, alors, oui, je pense qu'on ferait bien de lui prêter une oreille attentive.

Kitty s'était exprimée sur un ton ferme et, alors que Caroline ouvrait la bouche pour répondre, elle prit un risque et sauta au milieu des voitures en espérant qu'elles freineraient à temps.

— Mais ce n'est pas pour ça que je suis là. Je n'ai rien à voir avec le docteur Carberry ; la médecine n'est pas mon domaine. Mon mentor et amie, Constance Dubois, a eu encore une fois la grande prévoyance de trouver une autre personne qui présente un grand intérêt, quelqu'un que le pays a besoin de connaître, quelqu'un d'inspirant et qui a une histoire merveilleuse à nous raconter. Votre mère m'aide à rédiger cet article.

Kitty se rendit compte qu'elle ne cherchait pas seulement à botter les fesses de la famille de Birdie ; elle pensait vraiment ce qu'elle venait de dire. Ça n'avait pas d'importance qu'elle ne parvienne pas à trouver le lien entre les gens qu'elle avait rencontrés, leurs histoires l'intéressaient déjà. Ils la regardaient tous en silence. Perplexe, elle jeta un coup d'œil à Birdie avant de reporter son attention sur sa famille. Elle ne comprenait pas ce qu'ils attendaient.

— Le suspense est insoutenable, fit remarquer Caroline. Quel est le sujet de votre article ?

— Mais…

Kitty se tourna vers Birdie, sourcils froncés. Cette dernière avait rosi et baissé les yeux sur sa jupe dont elle triturait l'ourlet. Kitty pensait pourtant avoir été parfaitement claire. La colère la submergea.

— Je suis ici pour la même raison que vous, déclara-t-elle en prenant la main de Birdie. Pour passer du temps avec cette femme merveilleuse.

Et, quand elle vit que personne ne comprenait, elle ajouta :

— J'écris un article sur votre mère.

— C'est très gentil ce que vous avez fait pour Birdie, lui dit Molly lorsqu'elle quitta la maison de retraite en début de soirée.

Elles étaient restées assises au soleil la plus grande partie de la journée. Kitty avait posé de nombreuses questions à Birdie, creusé davantage et osé aborder des sujets plus personnels au fur et à mesure qu'elles faisaient davantage connaissance et que Birdie apprenait à lui faire confiance. Kitty sentait qu'elle avait bien saisi quelle avait été l'enfance de Birdie dans cette petite ville de province dans laquelle son père était le directeur et le seul enseignant de l'école. Sans mère, la vie de Birdie était austère et organisée de façon militaire. Son père s'occupait de sa famille comme il fallait, mais sans jamais exprimer son amour. Pas de câlins avant d'aller se coucher, pas de mots doux. Birdie appartenait à une famille en vue et, en tant que fille du directeur de l'école, elle avait un certain sens du devoir. Elle était partie pour Dublin dès que possible. Elle s'était juré de ne pas épouser un homme dans le genre de son père, et elle y était parvenue. Elle avait épousé un homme traditionnel et bon qui l'avait soutenue, un fonctionnaire, et ils avaient élevé une génération de médecins.

— Comment ça ? demanda Kitty.

— Vous avez très bien compris. Tout se sait, ici.

— Je le pense vraiment. C'est une femme intéressante.
— C'est un euphémisme.

Cette remarque intrigua Kitty. Elle aurait bien aimé en apprendre davantage de la bouche de Molly.

— Vous rentrez en ville ? On partage un taxi ?
— Je vais dans l'autre sens, mais je peux vous déposer à Oldtown si vous voulez.

Kitty était prête à prendre tout ce qu'elle pouvait.

— C'est l'anniversaire de Birdie jeudi, dit-elle. J'ai entendu sa famille l'inviter à dîner.
— Oui, c'est vrai.
— Elle a répondu qu'elle n'irait pas.

Molly haussa les épaules et esquissa un sourire.

— Quoi ?
— Rien.
— Il y a quelque chose que je devrais savoir ?
— Non.

Kitty ne la crut pas.

— Elle va avoir quatre-vingt-cinq ans. *Quatre-vingt-cinq*. Elle devrait faire la fête. Vous pouvez faire quelque chose pour elle ici ?
— En général on fait un gâteau au chocolat et on met des bougies. On l'apporte à la fin du dîner et tout le monde chante. C'est chouette. On n'oublie jamais les anniversaires.
— J'aimerais faire quelque chose pour elle.

Molly la regarda.

— Vous l'appréciez de plus en plus, pas vrai ?

Kitty acquiesça.

— Elle ne sera pas là ce jour-là, expliqua l'infirmière en attrapant son blouson en cuir. Elle part pour la journée.

Un essaim de résidents se déversa par la porte principale en bavardant. D'autres descendaient du bus garé devant l'entrée.

L'autocar de dix-huit places portait le logo de Sainte-Margaret sur le côté.

— Ils ont gagné le match de bowling, expliqua Molly. Ils jouent contre les équipes des maisons de retraite du coin tous les quinze jours. Ils prennent ça très au sérieux. J'adore leur servir de chauffeur, juste pour les écouter parler stratégie, et aussi parce que je voulais être chauffeur de bus quand j'étais gamine, mais on ne me le permet pas souvent. Je vous ramène en ville ?

Kitty accepta et alors que, cramponnée à Molly sur sa moto, elle filait le long de la route pleine d'ornières vers le village d'Oldtown, elle comprit pourquoi on lui interdisait de conduire le bus.

Une fois à Oldtown, Kitty avait une heure à tuer avant l'arrivée de l'autobus qui la ramènerait chez elle. Elle sortit la liste de noms et se mit au travail.

Magdalena Ludwiczak ne parlait pas assez bien anglais pour que Kitty puisse avoir une conversation décente avec elle, aussi la raya-t-elle de la liste. Le numéro cinq, Bartle Faulkner, était en vacances pour quinze jours : elle entendit le bruit de la mer derrière lui. Il ne connaissait pas du tout Constance et oui, il pouvait la rencontrer à son retour dans quinze jours, ce qui serait trop tard pour elle. Eugene Cullen, un vieil homme, lui ordonna en termes très clairs de ne plus jamais le rappeler et elle laissa un message à Patrick Quinn.

Kitty passa au septième nom de la liste.

— Allô ? murmura son interlocutrice.

— Mary-Rose Godfrey ?

— Oui, chuchota-t-elle. Je suis au travail. Je ne suis pas censée décrocher.

À la voix, Kitty ne lui donnait pas plus de seize ans.

— D'accord, murmura Kitty avant de se rendre compte que c'était inutile et de s'éclaircir la voix. Je m'appelle

Kitty Logan. Je suis journaliste pour *Etcetera*. Ma rédactrice en chef a peut-être été en contact avec vous ?

— Non, désolée.

Kitty soupira et alla droit au but.

— On peut se rencontrer ?

— Oui, bien sûr. Quand ?

Kitty se redressa, surprise.

— Ce soir ?

— Oui, cool. Je serai au *Café en Seine* à 20 heures. Ça vous va ?

— Génial !

Kitty n'en revenait pas de la chance qu'elle avait.

Mary-Rose raccrocha avant que Kitty n'ait eu le temps de lui demander quoi que ce soit, notamment à quoi elle ressemblait. Lorsque le bus arriva, Kitty monta dedans avec allégresse. Voir son voisin fouiller dans ses narines et rouler ses crottes de nez entre le pouce et l'index ne suffit pas à entamer sa bonne humeur. Elle regarda son téléphone et envisagea d'envoyer un texto à Richie. Elle sourit en pensant à l'agréable soirée qu'ils avaient passée ensemble, la main devant la bouche pour ne pas avoir l'air folle. Puis elle se souvint de son état le matin, de sa gêne et de la façon dont son corps nu lui avait déplu. Elle décida de ne pas lui écrire. Elle s'empara de ses carnets : elle avait beaucoup de travail. Elle googla Archie Hamilton pour la deuxième fois, maintenant qu'elle en savait un peu plus sur lui.

Lorsqu'elle arriva au *Café en Seine*, elle sut exactement pourquoi il avait refusé de lui parler et pourquoi elle devait absolument le revoir.

Kitty embrassa la liste avant d'entrer dans le pub et remercia Constance encore une fois. Elle commençait à trouver tout ça follement divertissant.

Chapitre 12

Ce qu'on appelait *Café en Seine* sur Dawson Street désignait en fait des dizaines de bars répartis dans un atrium de trois étages décoré par des arbres gigantesques dont les branches s'élevaient jusqu'aux plafonds en verre. Cet immeuble étonnant à la décoration Art nouveau était situé dans une rue passante de Dublin qui regorgeait de restaurants, bars et clubs, la résidence du maire et l'église Sainte-Anne. À deux pas du centre commercial Stephen's Green, c'était un lieu prisé par toutes les tranches d'âge, surtout un samedi soir. Kitty ne savait absolument pas où elle était censée rencontrer Mary-Rose, ni comment elle allait bien pouvoir la retrouver dans un endroit pareil qui contenait autant de bars, de recoins et d'alcôves sombres. On pouvait facilement passer la nuit là sans se rendre compte qu'un ami y était aussi. Elle s'assit sur un tabouret près de la porte du bar principal – ce qui lui donnait l'impression d'être là pour draguer – et surveilla l'entrée, un verre de vin à la main.

Son esprit dériva de nouveau vers ses exploits de la veille. Elle était déçue que Richie ne l'ait pas contactée ; il ne lui avait même pas envoyé un texto. Elle n'était pas certaine d'avoir envie qu'il lui écrive, mais elle savait qu'il aurait dû le faire. Ils avaient échangé leurs numéros. Elle ne se souvenait pas de grand-chose, mais elle était sûre de ça. Ils étaient encore sobres alors, et celui de Richie était bien au chaud dans son portable, preuve que cela s'était réellement passé. Elle songea à l'appeler : il attendait peut-être près de son téléphone en se faisant les mêmes réflexions. C'est alors qu'elle entendit son nom à l'autre bout du bar.

— Êtes-vous Kitty Logan ? entendit-elle un homme demander.

— Êtes-vous Kitty Logan ?

Cette fois, c'était une femme.

Elle se pencha en arrière pour essayer de distinguer qui parlait, mais la foule était trop dense. Elle posa le regard sur le miroir derrière le comptoir pour deviner leur reflet et avoir une chance de les apercevoir avant qu'ils la trouvent.

— Êtes-vous Kitty Logan ?

C'était plus fort cette fois, et elle vit un jeune homme d'une vingtaine d'années poser la question à un homme d'affaires en costume. Ledit homme d'affaires ne fut guère impressionné par la question.

— Vous en êtes sûr ?

Le jeune homme le regardait droit dans les yeux, sérieux comme un pape.

Le groupe qui accompagnait l'homme d'affaires éclata de rire et ce dernier se détendit.

— Pas d'opérations que vos amis ignoreraient ?

— Non, répondit-il en cessant de sourire.

— Bon, Sam, passons, dit une voix féminine, et Kitty vit une main délicate se poser sur le bras du jeune homme.

— Êtes-vous Kitty Logan ? demanda-t-elle à une femme entre deux âges assise avec ses amies.

— Peut-être bien.

— Vous mentez, répliqua Sam. Vous ne vous appeliez pas Kitty Logan hier soir, n'est-ce pas, ma chérie ?

Les femmes hurlèrent de rire, et Kitty comprit qu'ils resteraient avec elles toute la soirée si elle n'intervenait pas.

— Excusez-moi ?

Elle se pencha en avant. Le groupe près d'elle, Mary-Rose, Sam et le groupe de femmes se tournèrent vers elle comme un seul homme.

— Je suis Kitty Logan.

— Non, *je* suis Kitty Logan, lança une voix grave de l'autre côté du bar, suivie par un rire.

— Vous avez un concurrent ! s'exclama Sam.

Et comme s'il s'agissait d'un sketch, les personnes qui assistaient à la scène se mirent à huer.

Kitty éclata de rire et se leva pour aller à la rencontre de son adversaire, qui quitta sa table. Il avait vingt-cinq kilos de trop, une barbe, et il avait adopté l'attitude d'un cow-boy sur le point de dégainer, les épaules en arrière et les doigts nerveux. Kitty ne parvint pas à garder son sérieux.

— J'ai gagné ! s'exclama-t-il en levant les bras en l'air.

Le public applaudit. Les hommes d'affaires leur lancèrent un regard méprisant avant de leur tourner le dos.

— Je *suis* Kitty Logan, affirma l'homme en levant de nouveau les bras au ciel avant de regagner son siège.

Sam le rejoignit pour lui serrer la main et fêter ça avec lui, tandis que Mary-Rose s'approchait de Kitty.

— Bonsoir, dit-elle.

Un sourire illumina son visage. C'était une jeune femme sublime, et même si elle portait un jean skinny, les escarpins les plus vertigineux que Kitty ait jamais vus et un simple débardeur, elle valait bien un million de dollars.

— Je suis Mary-Rose, dit-elle.

— Ravie de vous rencontrer. J'avais peur de ne pas vous retrouver, mais je vois que je me suis inquiétée pour rien.

— Oh, on peut faire confiance à Sam, répondit-elle en levant les yeux au ciel. Il se donne en spectacle partout où il va.

— C'est votre petit ami ?

— Oh, non ! protesta-t-elle avec une grimace. On est juste copains. Depuis l'enfance. Nos mères étaient meilleures amies. Elles le sont toujours.

— Kitty Logan, dit Sam en les rejoignant. Vous venez dîner avec nous ?

Kitty regarda Mary-Rose : elle s'attendait à ce qu'elle fasse signe à Sam de retirer son invitation, mais elle lui rendait son regard avec chaleur, comme Sam. Ils étaient exactement ce dont elle avait besoin en ce moment.

Ils marchèrent pendant cinq minutes pour atteindre un petit restaurant italien sur Frederick Street. Huit personnes les attendaient à l'intérieur, et Sam insista pour présenter Kitty à tous leurs amis, incroyablement jeunes, élégants et séduisants. Dans ses vêtements de la veille, elle avait l'impression d'être la dernière des ploucs à côté d'eux. Elle s'assit en face de Mary-Rose, place parfaite pour l'interviewer, mais elle douta de parvenir à quoi que ce soit en raison du joyeux vacarme de la tablée. Ils étaient bruyants. C'étaient des amis d'enfance qui faisaient des blagues qu'eux seuls comprenaient, mais que Kitty trouvait drôles quand même. Ils se connaissaient bien, se taquinaient sans cesse, et ils étaient tellement bien coiffés et habillés que Kitty avait l'impression d'assister à un épisode de la sitcom la mieux écrite qu'elle ait jamais vue. Et ça, c'était juste pour les garçons.

Kitty n'avait pas d'amis de ce genre. Elle avait grandi dans le comté de Carlow, au sud-est de l'Irlande. Après le lycée, elle avait fréquenté l'Université de Dublin et n'avait plus quitté la ville : elle ne rentrait chez elle que pour les fêtes, les mariages et les enterrements. Elle avait deux frères, un qui était resté à Carlow où il s'était marié, le deuxième était parti faire ses études à Cork, où il vivait toujours, en concubinage avec un homme appelé Alexander qu'elle n'avait jamais vu et ne connaissait que par Facebook. Elle ne se souvenait pas de la dernière fois où ils avaient été tous les trois réunis – probablement pour des funérailles –, ni la dernière fois qu'elle leur avait téléphoné pour parler d'autre chose que de l'argent qu'il fallait donner pour remplacer le chauffe-eau électrique défaillant de leurs parents ou leur chaudière en panne. Son père tenait toujours le même bar sur Tullow Street. Ses parents étaient des gens silencieux et peu sociables qui ne maîtrisaient pas bien l'art de la conversation et qui ne fréquentaient pas grand-monde en dehors de quelques amis proches et de la famille. Lors des fêtes, ils restaient assis dans un coin, se contentant d'écouter sans parler.

Kitty avait grandi avec deux meilleures amies qui se prénommaient toutes les deux Mary : Mary Byrne et Mary Carroll, et que l'on appelait toujours par leurs noms complets pour éviter toute confusion. C'étaient Katherine et les deux Mary ; personne ne l'appelait Kitty à Carlow. C'était un diminutif qu'elle avait fièrement adopté à la fac, trop contente d'avoir un nouveau prénom pour une nouvelle vie. Furieuses qu'elle se soit choisi un nom qui n'était pas de leur invention, les deux Mary avaient toujours refusé de l'utiliser les rares fois où elles étaient venues la voir à Dublin. Ses amis de Carlow et ses amis de Dublin ne s'étaient jamais mélangés. Les deux Mary, ivres, s'étaient unies dans une intervention préméditée pendant une soirée, pour expliquer à Kitty à quel point elle avait changé depuis son départ pour Dublin. Kitty s'était rapidement lassée d'entendre le même discours à chaque visite, et les deux Mary ne vinrent plus la voir qu'une fois par an avant d'y renoncer définitivement. Comme Kitty revenait de moins en moins chez ses parents, leur amitié avait fini par s'étioler. Si elles n'évitaient pas ouvertement de se croiser dans la rue, leurs conversations étaient de plus en plus difficiles puisqu'elles n'avaient rien à se dire. Mary Byrne avait fini par partir au Canada et Mary Carroll avait perdu treize kilos et était vendeuse dans un magasin de vêtements de Carlow que Kitty évitait soigneusement après avoir eu la conversation la plus embarrassante de sa vie et acheté deux robes qu'elle détestait sur les conseils de Mary. Sa politesse lui avait coûté plus de cent euros.

À présent, ses deux meilleurs amis étaient Steve et Sally. À part eux, Kitty n'avait jamais été capable de garder ses amis, non pas parce qu'elle n'était pas fidèle, mais parce qu'elle n'avait rencontré personne avec qui elle ait eu envie d'établir une relation profonde ; il était donc facile de les perdre de vue à mesure que sa vie avançait, qu'elle avait quitté la fac, trouvé de nouveaux boulots et rencontré de nouveaux amis qui duraient autant que ses jobs. Ça – elle regarda Mary-Rose et ses amis – ça, elle ne l'avait jamais eu et ne l'aurait jamais.

— Vous travaillez pour un magazine, finit par dire Mary-Rose en abandonnant la conversation de groupe pour se tourner vers elle.

— Oui. *Etcetera*. Vous connaissez ?

Mary-Rose réfléchit.

— Je crois, finit-elle par dire sur un ton incertain.

— Ma rédactrice en chef était Constance Dubois. Est-ce qu'elle vous a contactée l'année dernière ?

Kitty avait depuis longtemps abandonné tout espoir que quelqu'un réponde positivement à cette question.

— Non, je ne crois pas, répondit Mary-Rose sur le même ton incertain.

— Elle est morte il y a quelques semaines, expliqua Kitty. Mais avant de mourir, elle avait commencé un article. Dans lequel vous figurez.

La même réaction que chez Birdie, Eva et, dans une certaine mesure, Archie. Surprise, perplexité, gêne.

— Avez-vous une idée de pourquoi elle aurait voulu vous parler ou écrire quelque chose sur vous ?

Mary-Rose avait l'air sidérée. Kitty vit ses yeux s'agiter de droite à gauche tandis qu'elle faisait le tour de son cerveau pour trouver une réponse.

— Non, répondit-elle, perplexe. Je suis la personne la plus ennuyeuse au monde.

Kitty se mit à rire.

— J'en doute. Je m'amuse beaucoup depuis tout à l'heure.

— C'est grâce à Sam. Moi ? Franchement, je suis tellement ennuyeuse... Je n'ai jamais rien fait, rien pensé, rien su ou vu d'intéressant.

Kitty rit de plus belle.

— Je vous trouve très intéressante, moi. (Et elle ne mentait pas. C'était un plaisir d'être avec Mary-Rose et d'être invitée dans son monde.) Aimeriez-vous faire partie de mon histoire ? Ça serait intéressant, ça, non ?

De nouveau la même expression que chez les autres : timidité, embarras, flatterie et le sentiment prégnant de ne pas être un bon sujet.

— De quoi elle parle, votre histoire ?

— De gens sur une liste.

— Combien de gens ?

— Cent.

Mary-Rose écarquilla les yeux.

— Elle est longue comment votre histoire ?

Kitty sourit.

— Et la vôtre ?

Mary-Rose écrasait des miettes sur la table tout en répondant timidement aux questions de Kitty.

— Je suis certaine que les autres sont très intéressants et qu'ils mènent des vies palpitantes. Moi, je suis une simple coiffeuse. Je bosse deux jours par semaine dans un salon à Booterstown où j'ai vécu toute ma vie, et les deux autres jours je suis en free-lance. Le reste de la semaine, je suis à la maison avec ma mère.

— Où est-ce que vous travaillez les deux jours où vous êtes free-lance ? Pour la presse ? La télé ?

— Oh, non, pas du tout. Les soirées de Deb et les enterrements de vie de jeune fille sont les trucs les plus excitants que je fais. En fait, je travaille surtout à l'hôpital.

— À l'hôpital ?

— Oui, ils m'appellent chaque fois qu'ils ont besoin de moi. Il n'y a pas de salons de coiffure dans les hôpitaux, et souvent les gens hospitalisés se sentent mieux une fois coiffés. Je les maquille aussi parfois, mais pas très souvent. Ça leur rend leur dignité, au moins pour un moment. Ça a été le cas pour ma mère.

— Elle a été hospitalisée ?

— Elle a eu un AVC. Elle était jeune, elle avait quarante-deux ans. Elle en a quarante-quatre à présent et elle a besoin de soins à temps complet, mais quand elle se fait coiffer elle se sent mieux. Pas mieux *mieux*, mais mieux à l'intérieur. Je fais aussi des manucures sur demande. Je n'ai pas le diplôme, mais j'ai des vernis de toutes les couleurs. Pour être honnête, je pense que la plupart des malades sont surtout contents d'avoir de la compagnie et de pouvoir bavarder.

— C'est génial de faire ça. Je n'y avais jamais pensé.

— Je ne fais pas ça à titre bénévole. Ces services sont payants, précisa-t-elle, gênée.

— Comment va votre mère ?

— Pas bien. Elle a perdu l'usage de la partie gauche de son corps. Il faut l'aider pour tout et elle doit réapprendre à parler.

— Ça a dû être très difficile pour vous.

Mary-Rose eut un sourire triste.

— Pas autant que pour elle.

— Qui s'occupe d'elle ?

— On a une aide à domicile quelques heures par jour et le reste du temps… c'est moi.

— Vous avez des frères et sœurs ?

— Non.

— Un père ?

— Non.

— Ça fait beaucoup de responsabilités.

— C'est comme ça. J'adore ma mère. Je ferais n'importe quoi pour elle.

Et juste au moment où Kitty s'apprêtait à dire à Mary-Rose que sa vie était tout sauf ennuyeuse, elle devint encore plus intéressante.

Sam fit tinter sa cuillère contre son verre, attirant l'attention de leur tablée et de quelques autres. Les amis de Mary-Rose et de Sam échangèrent des sourires radieux : ils savaient ce qui allait suivre ;

— Oh, non.

Mary-Rose se recroquevilla sur sa chaise, rougissante ;

— Qu'est-ce qui se passe ? demanda Kitty.

— Vous allez voir.

Sam se leva et frappa sur son verre jusqu'à ce qu'il ait obtenu l'attention de tout le restaurant. Incertains de la conduite à tenir, le directeur et les serveurs le considérèrent avec circonspection.

— Je suis vraiment désolé d'interrompre votre dîner, dit Sam courtoisement, impassible. Je vous promets de ne pas être long, mais je veux absolument faire quelque chose. Il y a quelqu'un d'important dans cette pièce à qui je tiens à dire quelque chose.

Il s'éclaircit la voix et un murmure d'excitation se répandit dans la salle. Il n'ennuyait plus personne ; la salle tout entière était suspendue à ses lèvres.

Sam regarda ses amis un à un, s'arrêtant un instant sur Kitty, qui sentit son cœur battre plus vite, puis il fixa Mary-Rose, qui avait rougi jusqu'à la racine des cheveux. Il lui sourit avec amour.

— Josephine Quinn, dit-il à mi-voix.

Kitty regarda autour d'elle, perdue.

Avait-elle été trompée ? Était-elle assise en face de la mauvaise personne ? Pourquoi Mary-Rose était-elle soudain devenue Josephine ?

— Oui, souffla-t-elle.

— Toi et moi sommes amis depuis longtemps et tu m'as soutenu tous les jours de ma vie, à chaque seconde. Je n'ai jamais eu besoin de t'appeler parce que tu étais toujours là, tu me suivais comme mon ombre, sans me lâcher d'une semelle.

Un de ses amis ricana et sa copine lui donna une tape sur le bras.

— Tu as toujours été là pour moi quand j'en avais besoin depuis… depuis l'opération, ajouta-t-il d'une voix brisée par l'émotion, les yeux pleins de larmes. Depuis qu'on m'a enlevé le…

— Oui, oui, je sais de quoi tu parles, l'interrompit vivement Mary-Rose.

— Bon.

Il prit une profonde inspiration et fit le tour de la table pour la rejoindre.

Quelques femmes dans l'assistance glapirent d'excitation, et Mary-Rose enfouit le visage dans une serviette. L'amie assise à ses côtés lui baissa le bras, l'obligeant à se découvrir. Les chefs sortirent de la cuisine pour venir assister au spectacle. Le silence s'abattit sur la salle. Sam s'agenouilla et une femme poussa un cri hystérique. Les clients et les serveurs se mirent à rire, puis le silence retomba. Sam prit la main de Mary-Rose dans la sienne et elle fut forcée de lui faire face. Elle secoua la tête comme si elle n'en croyait pas ses yeux.

— Josephine Quinn, articula clairement Sam afin que tout le monde l'entende. Je t'ai aimée dès l'instant où je t'ai rencontrée et je t'aimerai jusqu'au jour de ma mort, et peut-être même après.

Une femme tamponna de sa serviette les larmes qui perlaient dans ses yeux. Une autre se retenait de pleurer sous l'effet de l'émotion.

— Me ferais-tu l'honneur de devenir ma femme ?

Même si tout le monde avait compris ce qui se passait, un murmure d'excitation parcourut l'assemblée, vite réprimé. Tous les regards se tournèrent vers Mary-Rose, attendant sa réponse.

Elle regarda Sam, lui adressa un sourire radieux et dit :

— Oui.

C'était ce que tout le monde attendait. Un tonnerre d'applaudissements retentit. Le patron du restaurant ne tarda pas à les rejoindre à leur table pour les féliciter, puis leur offrit une tournée générale. Un client tendit une flûte de champagne aux futurs époux, et un ami de Sam lui céda sa place pour lui permettre de s'asseoir à côté de sa fiancée. Le jeune homme passa le bras autour des épaules de Mary-Rose et l'attira à lui. Elle se couvrit le visage.

— Je vais te tuer, dit-elle, si bas que seule Kitty l'entendit.

— Contente-toi de sourire, rétorqua Sam, visiblement au comble du bonheur.

Elle finit par lever la tête et remercier de la main les clients qui les félicitaient.

— Les gars, je ne voudrais pas vous faire redescendre de votre nuage, intervint Kitty, mais je suis larguée. Je croyais que vous vous appeliez Mary-Rose Godfrey.

Sam éclata de rire ;

— Oh, Kitty, je suis désolée, répondit cette dernière. (Elle se pencha vers la journaliste et baissa la voix.) Je m'appelle vraiment Mary-Rose. Ne lui prêtez pas attention, il fait ça tout le temps.

— Ça quoi ?

— Me demander en mariage ! C'est super bizarre. Et ce n'est pas vrai. (Elle devint sérieuse.) Vous aviez compris que c'était une blague ?

Kitty était bouche bée.

Sam hurla de rire.

— Mais c'était tellement beau ! s'exclama Kitty, déçue.

— Tu vois ? s'exclama Sam en regardant Mary-Rose. Les autres trouvent ça émouvant.

— Alors fais-le à quelqu'un d'autre, pour changer.

— C'est plus drôle avec toi, chérie, déclara-t-il en la serrant plus étroitement contre lui, ce qui la fit grimacer. Ma petite choupette n'apprécie pas vraiment.

Kitty les considéra tour à tour.

— Donc, vous demandez des gens en mariage au hasard quand vous sortez ?

— Non, pas des gens. Uniquement Mary-Rose. Je sais qu'elle adore ça.

— Je déteste ça.

— Elle a parfois du mal à reconnaître ce qui lui fait vraiment plaisir.

Kitty éclata de rire.

— Et vous faites ça en public.

— Au restaurant, dans les bars et les cafés. Vous devriez essayer. On vous paie toujours à boire, du coup. Une fois, on nous a même offert le dîner. Une autre fois, on a eu droit à une bouteille de champagne, tu te souviens ?

Mary-Rose acquiesça.

— Vous faites ça pour boire et manger à l'œil, alors ?

— Et pour ensoleiller la vie de Mary-Rose. Allons, ne me lance pas ce regard noir, ma chérie, on vient tout juste de se fiancer. Les gens nous regardent. Ah, voilà nos verres. Si tu ne te dérides pas, je t'embrasse.

Mary-Rose plaqua un sourire sur son visage avec une telle rapidité que Kitty éclata de rire.

Les verres de champagne furent posés devant eux, accompagnés d'un dessert gracieusement offert par la maison. Sur le bord de l'assiette, on avait écrit « Félicitations » en lettres chocolatées.

— La dernière fois, cela nous avait valu un repas gratuit…, commenta Sam d'une voix très basse afin que le directeur ne l'entende pas.

Il tendit une cuillère à Mary-Rose.

— Vous lui avez déjà fait une demande ici ? s'enquit Kitty.

— Oh, non, je choisis des lieux toujours différents, expliqua Sam. Un criminel ne revient jamais sur les lieux du crime.

— Si, au contraire, objecta Mary-Rose. On dit qu'il y revient toujours.

Sam fronça les sourcils. Ils étaient presque joue contre joue et avaient l'air parfaitement à l'aise ensemble, et pourtant rien de tout ça n'était vrai. Kitty en doutait. Il y en avait bien un des deux qui ressentait quelque chose. Elle songea à Steve et elle, et à la façon dont les gens persistaient à dire qu'il y avait entre eux plus que de l'amitié malgré leurs dénégations permanentes. Maintenant qu'il sortait avec Katja, plus personne ne dirait rien. Elle déglutit, soudain submergée par une tristesse déroutante.

— Mais c'est idiot, répliqua Sam. Pourquoi revenir sur le lieu du crime ?

— Ben, c'est ça le problème. Les criminels sont idiots. Ils reviennent parce qu'ils ont fait des erreurs ou par fierté. Ils deviennent arrogants. Comme toi : tu finiras par revenir et recommencer.

— Jamais de la vie.

— Dans un an, je suis prête à parier que tu prendras le risque.

Ils continuèrent à débattre, et Kitty reporta son attention sur les gens autour d'elle. L'atmosphère avait indéniablement changé depuis la demande en mariage de Sam. Tout le monde était retourné à sa conversation avec plus d'enthousiasme. Une énergie positive avait envahi toute la salle : le niveau sonore avait augmenté, les rires étaient plus nombreux, les gens plus joyeux, et qu'ils croient ou pas en l'amour, ils avaient envie de faire la fête au nom du jeune couple et de profiter de l'éclat de ceux qui le faisaient. Sam avait fait bien plus qu'obtenir un verre ou un repas gratuits, ou mettre son amie mal à l'aise, il avait répandu de la bonne humeur, il avait tissé un lien entre tous les clients du restaurant ce soir-là. Il avait fait quelque chose d'unique.

Lorsque Mary-Rose rentra chez elle, elle fut comme d'habitude accueillie par le bruit de la télévision. Elle posa son sac et sa veste sur les marches de l'escalier et monta dans la chambre de sa mère. Cette dernière était assise dans son lit, soutenue par des oreillers, et elle regardait une émission de téléachat. Elle manifestait une obsession récente pour les couteaux de cuisine, enfin, plutôt pour la rapidité avec laquelle les cuisiniers les manipulaient. Mary-Rose y voyait le signe que sa mère regrettait son agilité passée et souffrait de ne plus pouvoir cuisiner comme elle en avait eu l'habitude, mais ce n'était peut-être qu'une simple fascination pour la dextérité des professionnels. Mary-Rose n'aimait pas réfléchir à tout ça, même si elle le faisait quand même et passait le plus clair de son temps à faire la liste de tout ce que sa mère ne pouvait plus faire.

Elle déposa un tendre baiser sur sa joue.

— Tu as besoin d'aller aux toilettes ?

Sa mère acquiesça. Mary-Rose lui prit les bras, les leva et les passa autour de son cou, repoussa les couvertures, attrapa les jambes de sa mère et la souleva. Elle était lourde ; sa fille était toujours surprise de voir qu'elle était plus lourde qu'elle n'en avait l'air. Elle se dirigea lentement vers la salle de bains attenante à la chambre et posa sa mère sur le sol. Cette dernière se tint à la rampe de sécurité pendant que Mary-Rose baissait sa culotte et la faisait asseoir sur la cuvette. Elle lui tourna ensuite le dos, comme sa mère le désirait, et laissa son esprit vagabonder.

Les paroles tronquées de sa mère la tirèrent de sa rêverie. Personne d'autre en dehors de l'aide à domicile et de sa meilleure amie, la mère de Sam, n'aurait compris ce qu'elle venait de dire – elle s'exprimait comme une enfant –, mais Mary-Rose sourit avant d'éclater de rire.

— Oui, maman, il m'a de nouveau demandée en mariage.

Sa mère répondit quelque chose et Mary-Rose secoua la tête.

— Non. Ne sois pas bête. C'est juste pour rire.

Mais pour une raison inexplicable, cette nuit-là entre toutes les nuits où Sam avait fait la même chose, la remarque de sa mère la fit réfléchir. Une idée surprenante germa au fond d'elle, et pour la première fois elle ne la trouva pas repoussante.

Chapitre 13

Trois choses se produisirent ce dimanche-là, qui devint le pire jour de la vie de Kitty.

D'abord, alors que Kitty était rentrée chez elle, s'était douchée et profondément endormie, elle fut réveillée à 2 heures du matin par ce qui eut tout l'air d'être une attaque aérienne sur son appartement. Elle découvrit plus tard qu'un rouleau contenant cinq mille pétards avait été allumé et lancé devant sa porte, provoquant le pire vacarme que Kitty ait jamais entendu. Lorsqu'elle finit par sortir de sa cachette pour ouvrir la porte, le sol et les murs étaient noirs de suie et son propriétaire, Zhi Cheng Wong, contemplait les dégâts depuis l'escalier.

Il lui lança un regard meurtrier, et ce n'est qu'à ce moment-là qu'elle se rendit compte qu'elle pouvait être tenue pour en partie responsable de ce qui venait de se produire.

— Je suis désolée, dit-elle, à demi cachée derrière sa porte, tout en tirant sur son tee-shirt par pudeur. Je suis vraiment désolée.

— Vous devez arrêter ça.

— Je suis désolée. Vous avez raison. Je suis désolée. Je vais le faire. Vous ne saurez même pas que ça a eu lieu. Je vais tout nettoyer et repeindre. Promis.

Il tourna les talons avant même qu'elle n'ait fini sa phrase et redescendit travailler. Kitty se demanda s'il lui arrivait de dormir.

Habillée de pied en cap et toujours tremblante, elle but trois tasses de tisane, assise à la table de sa cuisine, sursautant au moindre bruit. Il était 3 heures du matin, il faisait toujours nuit noire et elle était terrifiée. Elle appela Sally, dont le téléphone était éteint, puis Steve.

— Est-ce que je peux venir dormir chez toi ? demanda-t-elle, la voix toujours tremblante.

— Qu'est-ce qui se passe ? demanda-t-il, aussitôt bien réveillé.

— Je vais bien, répondit-elle en essayant d'être forte. C'est encore une blague stupide. Des pétards. Devant ma porte. Le palier est saccagé et Zhi veut me tuer, mais ça va. C'est pas grave. En fait, je devrais probablement rester chez moi. Ce n'est pas comme s'ils allaient revenir, mais…

— Oh, merde, tu es blessée ?

— Non, ça va, franchement, ça va. Juste secouée.

— Tu devrais appeler la police.

— Non, je ne peux pas.

— Pourquoi ?

— Je ne peux pas, c'est tout.

— D'accord. Putain. D'accord. Il n'y a pas de lits disponibles ici. Tout le monde est là.

— Et le canapé ?

— Ils ne sont pas comme mes précédents colocataires, Kitty, ils seraient furieux s'ils te trouvaient dans le salon. Ils ont des putains de règles.

— Oh. Et le canapé dans ta chambre ?

— Non. Euh. Hum. Je peux pas.

— Stevie, c'est qui au téléphone ? demanda une voix ensommeillée.

— Oh, bien sûr, je suis désolée. Katja est là. Que je suis bête. Tout va bien, Steve, je suis désolée de t'avoir dérangé, je n'aurais pas dû appeler, je…

— Kitty, ferme-la une seconde et laisse-moi réfléchir, l'interrompit-il sèchement.

Elle se tut.

— Bon. Viens chez moi. Tu peux dormir dans ma chambre. On passera la nuit chez Katja.

Elle entendit Katja dire quelque chose, puis Steve éloigna le combiné et une conversation inaudible se déroula entre eux.

— Oui, on va faire ça, reprit Steve. Viens ici.

— Non, voyons, Steve. Je ne veux pas te foutre à la porte de chez toi.

— Tu as une meilleure idée ?

Non. Elle n'avait pas eu une seule idée depuis six mois : elle était à sec. Elle ne pouvait pas appeler Bob. Il serait suffisamment bouleversé par ce qui lui arrivait, il n'avait pas en plus besoin de la voir débarquer. Sally ne décrochait pas et Kitty ne voulait pas se pointer chez elle à 3 heures du matin alors que son mari et son fils de dix-huit mois dormaient. La famille de Kitty était à plusieurs heures de route, et elle n'était jamais rentrée chez ses parents en pleurant. Elle envisagea d'appeler Richie pour passer la nuit avec lui, mais renonça rapidement à l'idée. Steve était sa seule option.

— D'accord, murmura-t-elle.

Ce n'était pas comme ça qu'elle avait envisagé la rencontre : Kitty les yeux rouges, crevée, Katja épuisée d'avoir été réveillée en pleine nuit puis mise à la porte par la copine débile de son compagnon. Néanmoins elle eut encore assez d'énergie et de politesse pour dissimuler son exaspération et la gratifier d'un regard compatissant. Ils chuchotaient en bas des marches. Ce n'était pas vraiment une conversation, juste une passation de lit.

— Ça va ? demanda Steve.

— Oui. Je suis vraiment désolée de t'infliger ça.

— Ce n'est rien. Je ne sais pas à quelle heure je reviendrai demain…

— Je partirai tôt, ils ne sauront même pas que j'ai dormi là. Je suis vraiment navrée.

— Si tu vois Lisa et Dave, ne leur dis rien. Ça ne les regarde pas. Dis-leur que je leur parlerai plus tard.

— Je ne verrai personne, je serai partie avant qu'ils se lèvent. Je suis tellement désolée…

— Ça va, ça va, dit Steve en ouvrant la porte.

C'était bien différent de ses précédentes colocations, dans lesquelles aller et venir à 3 heures du matin et héberger des potes était la norme. Il grandissait, apparemment. Quel mauvais timing pour ses crises.

— J'ai été ravie de faire ta connaissance, dit Katja avec un sourire triste avant de refermer la porte derrière elle.

Kitty tira la langue à la porte close.

Ensuite arriva la deuxième chose regrettable. À 4 heures du matin, Kitty se retrouva dans le lit défait de Steve, même si quelqu'un avait de toute évidence fait l'effort de tirer les draps. Malgré la fenêtre ouverte, la pièce sentait le sexe. Kitty évita le lit et s'assit sur le canapé. Elle s'enroula dans une couverture, puis regarda le soleil se lever et écouta les oiseaux chanter. Elle dut s'endormir un moment puisqu'elle se réveilla avec un torticolis. Il était 7 heures du matin et elle était assoiffée. On était dimanche ; dehors tout était calme. Pas de circulation, pas de portières qui claquent, pas de facteur, pas de livraisons. La maison était aussi silencieuse que quatre heures plus tôt. Elle replia la couverture et la remit à l'endroit exact où elle l'avait trouvée, elle se rafraîchit dans la salle de bains attenante et descendit l'escalier sur la pointe des pieds. Elle gagna la cuisine sans un bruit et poussa la porte. Assise à la table se tenait une femme, Lisa, qui, s'attendant à voir débarquer Steve, marqua un temps d'arrêt.

— Qui êtes-vous ? demanda-t-elle.

Un homme en survêtement dont le sweat était taché de sueur pivota en ôtant ses écouteurs. Dave.

— Euh… salut, dit Kitty en songeant qu'elle aurait mieux fait de partir sans passer par la cuisine.

— Vous êtes Kate, dit Dave. On l'a rencontrée à Noël, Lisa. C'est l'amie de Steve.

— Oh, répondit Lisa, qui avait l'air de ne pas s'en souvenir. Vous avez dormi là ?

— Euh… (Kitty avait peur de dire ce qu'il ne fallait pas puisque Steve lui avait ordonné de se taire et qu'il était très secret.) Steve m'a chargée de vous informer qu'il vous parlerait plus tard. Ça vous ennuie si je prends un verre d'eau ? Je m'en irai tout de suite après.

— Pas de problème, répondit Dave.

— Steve va bien ?

— Oui.

Kitty ouvrit les placards les uns après les autres. Elle ne voulait pas les embêter plus que nécessaire. Elle aurait mieux fait d'acheter une bouteille d'eau en partant.

— Il a dit qu'il s'expliquerait plus tard.

Tout ça avait l'air beaucoup plus mystérieux que ça ne l'était en réalité.

— Il est en haut ?

— Non.

Dave ouvrit le placard derrière elle et lui tendit un verre.

— Merci.

Elle se dirigea vers l'évier, gênée par leurs regards.

— Vous êtes certaine qu'il va bien ? Je l'ai entendu se coucher hier soir. Il a dû partir au beau milieu de la nuit.

— Il va bien.

— Vous savez de quoi il veut nous parler ?

Kitty était perplexe. Ils avaient tendance à faire une montagne de pas grand-chose. Elle ne savait pas si elle devait s'en tenir là ou s'expliquer. Elle décida de vider son verre et ils finirent par détourner les yeux. Dave beurra un toast et Lisa s'empara de son journal : Kitty faillit avoir une crise cardiaque en voyant la une, et ce fut la troisième chose horrible de la journée. Elle s'étouffa en buvant et se mit à tousser, à cracher et à se frapper la poitrine.

— Ça va ? demanda Dave.

Des larmes roulaient sur les joues de Kitty.

— J'ai avalé de travers, couina-t-elle avant de se remettre à tousser violemment.

Il la dévisagea. Il se demandait manifestement s'il devait lui venir en aide. Il choisit de ne pas le faire. La crise cessa et ses quintes de toux devinrent sporadiques.

— Je peux voir ça ? demanda-t-elle en tendant le doigt vers le tabloïd.

Lisa le referma et le lui tendit. Elle s'en empara et regarda sa propre photo : regard fixé vers l'objectif, maquillage et coiffure parfaites, éclairage professionnel. C'était la photo officielle pour la télé. En dessous était écrit : « Mon année en enfer, une interview exclusive de la star de *Trente minutes*, Katherine Logan pour Richard Daly du *Sunday World.* »

— Quoi ? s'écria-t-elle en ouvrant le journal pour lire l'article.

À l'intérieur, sur une double page, s'étalait une photo de Colin Maguire et de sa femme à la sortie du tribunal, une autre de Donal, Paul et Kitty quittant les lieux avec leur armada d'avocats, comme les Soprano, les grands méchants coupables. Mais le cliché qui prenait le plus de place était un portrait d'elle le visage froncé et tiré comme si elle était aveuglée par le soleil. Elle avait été photographiée les yeux à moitié fermés, comme si elle était sous méthadone, et ne ressemblait pas du tout à ce qu'elle espérait être et encore moins à ce qu'elle ressentait, elle qui était contrite, désolée et pleine de mépris envers elle-même. Ailleurs sur la page il y avait une autre photo de Kitty, à l'apparence douce et innocente, honnête et sérieuse. Cette fille ne savait rien. Cette fille ne savait rien non plus deux nuits plus tôt. Son vieil ami de fac l'avait piégée. Ses yeux voyaient les mots sans parvenir à les déchiffrer. Ses yeux sautaient sans cesse des sous-titres remplis d'adjectifs racoleurs comme « choquée » ou « ulcérée » à la photo du journaliste qui avait décroché le scoop et qui arborait son air de faux jeton, exactement tel qu'elle s'en souvenait, en plus de son corps nu répugnant de la veille. Richard Daly.

Colin Maguire et ses hordes de supporters étaient certainement derrière les attaques dont Katherine faisait l'objet. Katherine, que ses amis appellent Kitty, était victime d'une campagne de harcèlement, et avait été mise au placard par la chaîne de télévision pour laquelle elle travaillait au moment où elle avait le plus besoin de soutien.

Sous une jolie photo d'elle, les mots « Bouc émissaire ».

La rédaction d'*Etcetera* l'avait suspendue. Même si tout ça n'avait rien à voir avec lui, les annonceurs terrifiés, sous la pression de ceux qui soutenaient Colin Maguire, avaient retiré leur soutien face à un journalisme aussi bâclé, abandonnant le magazine en ces temps incertains.

Malgré tout, Logan insistait : elle travaillait sur « le projet le plus palpitant de sa vie », mais refusait d'en dévoiler davantage, laissant son entourage spéculer sur l'existence même de cette histoire.

En dessous de l'article, un sondage demandait aux gens s'ils pensaient que Kitty Logan méritait ce qui lui arrivait. Soixante-douze pour cent d'entre eux répondaient par l'affirmative, dix-huit pour cent par la négative et dix pour cent n'en avait rien à faire.

Kitty plissa les yeux et détailla le visage de Richie ; elle le trouvait laid. Elle ressentit une telle violence qu'elle en fut effrayée.

— Tu écris un livre, mon cul ! s'exclama-t-elle, avant de se souvenir qu'elle avait de la compagnie.

Elle leva les yeux. Le couple la dévisageait, vaguement dégoûté par ses paroles et sa présence. Elle balança le journal sur la table et quitta la maison.

— Eh, c'est elle, non ? entendit-elle Lisa demander avant de fermer la porte derrière elle.

C'est alors qu'une bonne chose se produisit, la première ce jour-là, l'unique – mais parfois il n'en faut pas plus.

Archie Hamilton lui téléphona.

CHAPITRE 14

Ils se retrouvèrent au *Brick Alley* de Temple Bar, le seul café d'Essex Street qui n'était pas un pub, ne diffusait pas une chaîne de sports et n'avait ni trèfle ni leprechaun sur son enseigne pour appâter le touriste. C'était un endroit tranquille avec des serveurs agréables, et quand Kitty pénétra dans le café, elle vit Archie assis tout seul au fond. C'était le premier client de la journée et il avait du coup réussi à se trouver une table. Plus tard, les clients seraient invités à s'asseoir à la grande table en bois commune. Il leva la tête quand elle entra, sembla légèrement amusé, puis baissa de nouveau les yeux sur son journal. Il avait l'air encore plus épuisé que lors de leur précédente rencontre, comme s'il n'avait pas dormi de la nuit, mais après deux nuits très courtes, Kitty redoutait d'imaginer à quoi elle ressemblait. Après avoir tenté en vain de joindre Richie seize fois, elle avait sauté sur son téléphone dès qu'il avait sonné et avait eu la chance que ce soit Archie.

Elle se jucha à côté de lui sur un tabouret face à un comptoir en bois fixé le long du mur. Au-dessus de lui était accroché un tableau noir avec le menu du jour, et encore au-dessus un panneau proclamait : « Chaque table a une histoire à raconter. » En tout cas, il y en avait une à la leur. Elle espérait juste qu'Archie ne se ferait pas prier pour déballer la sienne.

— Bonjour, le salua Kitty.

Archie était assis de travers, un coude sur la table, afin d'avoir une vue dégagée sur la salle. Peut-être qu'il ne voulait pas tourner le dos à la salle parce qu'il avait fait de la prison. Dans le cas de Kitty, c'était juste parce qu'elle était fouineuse.

— J'ai commandé un petit déjeuner, annonça-t-il, le nez dans son journal. Vous en voulez un ?

Elle voyait bien qu'il lisait le tabloïd qui contenait l'article sur elle. Il l'avait lu et c'était pour ça qu'il l'avait contactée. Comme il n'avait pas l'air du genre à se réjouir du malheur des autres, elle attendit qu'il lui révèle les raisons de son coup de fil.

— Non, merci. Je n'ai pas faim.

— Vous devriez manger, dit-il, toujours sans lever les yeux vers elle.

— Non.

Elle avait la nausée à cause de ce qu'elle avait lu : on lui avait menti, on l'avait humiliée, et le fait qu'elle ait couché avec Richie rendait la trahison plus amère encore. Elle se sentait sale, manipulée, elle avait l'impression qu'elle ne pourrait plus jamais faire confiance à personne, et la dernière chose au monde dont elle avait envie, c'était de manger.

— Vous devez garder vos forces. Ou ces connards auront votre peau.

Elle soupira.

— Trop tard.

Elle entendit sa voix trembler. Lui aussi. Il leva les yeux de son journal. Elle fut soulagée que sa commande arrive à cet instant précis, même si l'odeur qui s'éleva de l'assiette lui donna envie de vomir. Il avait commandé des tomates, des œufs, du bacon, des saucisses, des champignons, du boudin blanc et du boudin noir, et suffisamment de toasts pour refaire un toit. La serveuse posa l'assiette devant lui. Il abandonna enfin son journal et reporta son attention sur sa nourriture.

— Vous voulez passer commande ?

— Je ne veux rien manger, merci.

— Thé, café ?

— De l'eau plate, s'il vous plaît.

— Et une assiette de fruits, ajouta Archie en coupant sa saucisse. Elle prendra des fruits. Ça se digère bien.

— Merci, dit Kitty, touchée par sa prévenance. Je suppose que vous êtes un expert.

Il hocha la tête à la manière d'un cheval qui essaie de se débarrasser d'une mouche.

— De quoi vous vouliez me parler ?

Il ne répondit pas, se contentant d'enfourner d'énormes bouchées qui lui gonflaient les joues et qu'il mâchait à peine avant de les avaler. Puis il parla comme si elle n'avait pas posé la question.

— Vous le connaissiez ?

Elle sut aussitôt de qui il parlait.

— Un vieil ami de fac.

— Ah. Toujours la même rengaine.

— On vous a fait la même chose ?

— Toute la famille. Et mes amis. Ils savent comment piéger les gens. Des gens naïfs. Qui ne savent pas comment ils fonctionnent. Qui croient ce qu'ils lisent. Des gens normaux.

— Je ne suis pas normale.

— Vous êtes différente. Vous êtes des leurs. Du coup, vous n'avez rien vu venir.

— Je ne suis pas des leurs ! protesta-t-elle, dégoûtée. Je ne l'ai jamais été et je ne le serai jamais. J'ai seulement commis une erreur ; lui, il m'a délibérément piégée.

Elle était folle de rage. Elle brûlait d'envie de planter là Archie et de rejoindre Richie chez lui pour avoir une petite conversation entre quatre yeux, mais elle avait peur de ce qu'elle pourrait lui faire. Elle n'allait pas aggraver son cas avec une accusation pour coups et blessures.

— Vous êtes en colère, constata Archie.

Elle agitait le pied de haut en bas ; elle avait envie d'envoyer son poing dans un mur.

— Bien sûr que je suis en colère.

— C'est pour ça que je vous ai téléphoné.

— Vous aimez parler aux gens en colère ? demanda-t-elle sèchement.

Il sourit.

— Je voulais parler avec l'un d'eux qui ne serait jamais des leurs. Ce mec, votre vieux copain de fac, il m'a rendu service.

— Je suis bien contente qu'il ait fait le bonheur d'un de nous deux. Ça veut dire que vous me faites confiance maintenant ?

Il ne répondit pas et continua à manger. Un serveur apporta les fruits et la bouteille d'eau. Même si Kitty avait encore la nausée, elle se mit à picorer et commença à se sentir mieux.

La porte du café s'ouvrit et la troisième cliente de la matinée entra. Cette femme à l'allure de souris avait un visage menu encadré d'un carré châtain terne. Elle avait l'air douce, maigre et fragile, une rafale de vent aurait pu la renverser. Elle regarda autour d'elle avec espoir, comme si elle s'attendait à rencontrer quelqu'un, puis son visage se décomposa et elle s'installa à la grande table commune. Archie leva le nez de son petit déjeuner, l'examina et la regarda traverser la salle pour aller s'asseoir. À partir de là, il ne la quitta plus des yeux.

— Vous la connaissez ? demanda Kitty.

— Non, répliqua-t-il sèchement en se concentrant sur son thé. Qu'est-ce que vous savez de moi ?

— Beaucoup plus que vendredi dernier.

— Je vous écoute.

— Il y a dix ans, votre fille de seize ans a disparu. La dernière fois qu'on l'a vue, c'est sur la bande d'une caméra de vidéosurveillance d'un magasin de vêtements du centre commercial de Donaghmede. La police a lancé un avis de recherche, votre famille et vous avez commencé les recherches et une grande campagne a été lancée pour la retrouver. Un mois plus tard, son corps a été découvert dans un champ. Elle avait été étranglée. Quatre ans après, vous avez agressé et roué de coups un jeune homme de vingt ans que l'on pensait être son petit ami à l'époque. Vous avez été condamné à quatre ans de prison.

Il y eut un silence.

Il mâchonna la couenne de son bacon et recracha les restes.

— C'était il y a onze ans, une semaine avant son seizième anniversaire. (Il marqua une pause le temps de se ressaisir et, quand il reprit la parole, sa voix était égale.) La dernière personne à l'avoir vue est un témoin dans le parking du centre commercial de Donaghmede qui certifie avoir dit à ce garçon, Brian « Bingo » O'Connell, de la laisser tranquille. Ce n'était pas son petit ami, mais un ami de son petit ami. Il nourrissait une véritable fascination pour elle et il la suivait partout. J'ai raconté ça à la police le jour de sa disparition. Je le leur ai dit un nombre incalculable de fois, mais ils m'ont répondu qu'ils n'avaient rien contre lui. Si son corps n'avait pas été retrouvé par hasard par un fermier, ils n'auraient jamais rien trouvé. Ils n'ont pas cessé de frapper aux mauvaises portes.

— La vôtre, devina Kitty.

— Ils étaient sans arrêt sur mon dos. La seule personne sur laquelle ils ont vraiment enquêté, c'est moi, et c'était moi qui avais la seule info sur le dernier endroit où on l'avait vue.

— C'est peut-être pour ça.

— Mon pote Brick, c'est lui qui l'a vue dans le parking. Ils étaient tellement obsédés par l'idée de me coffrer qu'ils n'ont pas cru un mot de ce que je leur ai raconté.

— Ce n'est pas comme ça qu'ils font d'habitude ? La famille d'abord ?

— Non, pas comme ça. Brick n'était pas un témoin fiable. Il avait eu des ennuis.

Kitty supposa qu'on ne décroche pas le surnom de « Brick » sans raison.

Ils gardèrent le silence. Archie observa de nouveau la femme. Elle enroulait un mouchoir en papier autour de son doigt, le serrant jusqu'à ce que la peau boursoufle, puis elle le desserrait et recommençait. Le café se remplissait et le cuisinier était très occupé à préparer les petits déjeuners. La nourriture grésillait et l'odeur de friture emplissait la salle. L'estomac de Kitty faisait des siennes. Elle attrapa un grain de raisin.

— Pourquoi ont-ils arrêté d'enquêter sur vous ?

— Ils ont trouvé le corps.

Il garda le silence.

— Elle a été violée, vous savez, dit-il tout à trac.

Kitty eut du mal à avaler son grain de raisin.

— Non, je ne le savais pas.

— J'ai voulu que ça ne soit pas rendu public. Par respect pour sa dignité. Son corps était trop décomposé, ils n'ont pas trouvé assez de preuves.

— Et vous êtes certain que c'était ce type ? Brian O'Connell ?

— Bingo, répondit-il avec assurance. Aussi sûr que je suis en vie et que je respire. Il m'arrivait de le croiser et il avait ce regard… Le regard de celui qui sait qu'il s'en est tiré et qui n'en revient pas de sa bonne fortune.

Kitty secoua la tête.

— Je ne vous blâme pas pour ce que vous lui avez fait.

— Si c'était à refaire, je n'hésiterais pas, répondit Archie. Le seul truc positif dans tout ça, c'est que je ne l'ai pas tué. Je peux donc recommencer si l'envie m'en prend.

— Vous ne le feriez pas.

Il laissa tomber les fanfaronnades.

— Je suis allé assez loin pour voir la peur dans ses yeux et ça m'a suffi. Je n'oublierai jamais ce regard. Il est gravé là à jamais, dit-il en se tapotant la tempe. Je l'ai fait pour Rebecca.

Kitty songea à la tranquille vie de père de famille qu'il avait menée jusque-là, une vie déchirée par la tragédie dont il avait subi les conséquences deux fois.

— Vous ne vivez plus avec votre femme ?

Il secoua la tête.

— Elle a déménagé à Manchester. Elle vit avec un homme bon. Elle a trouvé une façon de continuer à vivre. Elle le mérite. Ce n'est pas bien de vivre avec autant de colère. C'est mauvais pour la santé. Ça détruit tout. Ça a détruit notre mariage, mes amitiés. Inutile de dire qu'on n'a pas voulu me reprendre à mon ancien job. Avoir un casier ne fait pas de vous un candidat idéal pour trouver du boulot.

J'en sais quelque chose, songea Kitty.

— Donc vous travaillez au *fish and chips*.

— Et je suis videur dans une boîte au coin de la rue. C'est pour ça que je viens prendre mon petit déjeuner ici tous les matins. (Il jeta de nouveau un coup d'œil à la femme.) Il faut bien joindre les deux bouts. Je travaille le plus possible. J'essaie de reconstruire ma vie.

— Vous auriez un job à me proposer ? demanda Kitty.

Il lui adressa un regard amusé.

— Non. Vous ne cherchez pas du travail. Vous en avez déjà.

— Je n'en suis pas si sûre.

Elle songea à Pete et à la merde qui allait lui tomber dessus après l'article de Richie.

— Vous avez intérêt à être sûre, dit-il en se levant. Parce que vous avez une histoire à écrire. *La mienne.*

Sur ce, il quitta le restaurant, le journal roulé sous le bras, laissant Kitty réfléchir à ses propos et payer l'addition.

Archie laissa Kitty Logan au café et suivit la femme qui était assise à l'intérieur. Comme tous les matins, elle avait pris un thé et un scone aux raisins avec du beurre et de la confiture, était restée vingt minutes puis était partie. Elle était réglée comme une horloge ; elle était là tous les matins depuis neuf mois qu'Archie venait là prendre son petit déjeuner. Elle ne faisait jamais attention à lui alors qu'ils étaient toujours les deux premiers clients. Elle entrait en cherchant des yeux quelqu'un d'autre, ne voyait personne, s'asseyait, attendait le fantôme d'un autre et partait. Au début, il ne venait que les week-ends après ses nuits au club, mais il avait commencé à venir aussi en semaine pour vérifier qu'elle était là. Elle l'était. Elle entrait à 8 heures pile, toujours la même expression sur le visage.

Il la suivit le long de Wellington Quay, de l'autre côté du Halfpenny bridge jusqu'à Bachelor's Walk et la regarda entrer dans l'église du Saint-Sacrement. Il envisagea de la suivre puis changea d'avis, non parce que c'était déplacé, mais parce qu'il ne pouvait se résoudre à entrer là. Pas dans une église. Pas avec tout ce qu'il était.

Il tourna les talons et rentra chez lui.

Chapitre 15

La sœur de Colin Maguire, Deirdre, posa devant lui une tasse de thé accompagnée d'un muffin à la myrtille, son préféré. Tout pour lui remonter le moral, même s'il était évident qu'il prenait du poids. Elle voulait juste le rendre heureux. Son pauvre petit frère en avait assez bavé comme ça, et à présent que sa femme et ses enfants avaient déménagé « pour faire un break », il avait besoin d'elle plus que jamais. Depuis le jour où tout avait commencé, il n'avait jamais manifesté aucune colère. Elle attendait que ça arrive, qu'il explose. Elle ne voulait pas être là le jour où ça arriverait, mais elle savait qu'il le faudrait. Il n'avait personne d'autre. Beaucoup de ceux qui le soutenaient levaient le pouce quand ils le croisaient dans la rue ou lui donnaient une tape dans le dos, mais ce n'était pas un vrai soutien.

— Merci, Dee, dit-il gentiment sans quitter la télévision des yeux.

— Avec plaisir. Tu es sûr que tu ne veux pas venir déjeuner avec nous ? C'est une chouette rôtisserie. Neil dit qu'ils retransmettent le match de foot sur grand écran. Il y aura les enfants et tu sais qu'ils t'adorent.

— Non. Mais merci, dit-il avec un faible sourire. Je le regarderai ici.

Deirdre se leva, s'étira et se posta devant la fenêtre.

— Elle est encore là.

Colin n'avait pas besoin de lui demander de qui elle parlait. Il jeta un coup d'œil par la fenêtre en direction du parc.

— Tu le savais déjà ? demanda sa sœur.

— Oui.

— Pourquoi tu ne m'as rien dit ?

— Parce que je ne suis pas d'humeur à te poursuivre pendant que tu traverses le square une poêle à la main.

— Une poêle ? Je trouverai beaucoup mieux, crois-moi, répliqua-t-elle, les mains sur les hanches, fulminante. Ça fait combien de fois ? Deux ? Trois ?

— Quatre, il me semble.

— Mais qu'est-ce qu'elle fait, bordel ?

Elle se rapprocha de la fenêtre pour mieux voir.

— Ne fais pas ça, Dee, elle va te voir.

— Mais je veux qu'elle me voie. Je ne sais pas ce qu'elle mijote, mais je te jure que je n'ai qu'une envie : lui éclater la tête.

— Dee, arrête.

Il parlait si gentiment qu'elle abandonna immédiatement son attitude belliqueuse. Il était comme leur père : incapable d'éprouver la moindre colère. Trop tendre, trop gentil, trop attentif aux problèmes des autres. C'était ce qui lui avait valu toutes ces emmerdes. Il aurait dû laisser partir cette stupide élève ce jour-là au lieu de chercher à la consoler. Elle avait tout interprété de travers, avait pris sa gentillesse pour autre chose, et il avait payé très cher l'embarras qui en avait découlé pour elle.

Elle soupira.

— Je ne sais pas comment tu fais, Colin. Si j'étais toi, je voudrais lui faire pis que pendre. Bon, je vais être en retard si je ne m'en vais pas tout de suite. Si tu changes d'avis pour le déjeuner, dis-le-moi. On y sera vers 14 heures, d'accord ?

Elle déposa un baiser sur le sommet de son crâne et s'en fut. Colin vérifia que sa sœur était bien partie : il avait peur qu'elle n'agresse la journaliste. Une fois la maison rendue au silence auquel il s'était habitué depuis que Simone avait dit qu'elle avait besoin de temps pour réfléchir à leur avenir, il sortit le journal de sa cachette sous les coussins du canapé et le posa sur la table basse devant lui. Il contempla le visage souriant de Katherine Logan à la une, puis celui qu'elle avait en quittant le tribunal avant de relire l'article.

Quand il regarda de nouveau par la fenêtre, elle avait disparu.

Chapitre 16

La porte de la rédaction était ouverte lorsque Kitty arriva, ce qui confirma son angoisse et son sentiment que tout était joué d'avance. Elle lui disait : « Allez, entre si tu l'oses, tu n'as plus le choix. » Les bureaux étaient déserts – on était dimanche – et Pete pouvait lui faire n'importe quoi : personne ne l'entendrait crier. Elle plaçait tous ses espoirs en Bob pour la secourir, mais l'article avait certainement dû lui faire péter un plomb à lui aussi, puisque *Etcetera* perdait des annonceurs et était confronté à des problèmes financiers. Voilà qui ne présageait rien de bon.

Lorsqu'elle pénétra dans le bureau de Constance, Pete était là, comme d'habitude, le téléphone vissé à l'oreille. Il portait sa tenue décontractée du week-end. Kitty n'y était pas habituée. Elle le trouva plus jeune et plus séduisant comme ça que dans sa panoplie habituelle, celle de l'égocentrique stressé qui patrouillait en costume dans les bureaux. Il leva les yeux en entendant Kitty approcher et son visage s'assombrit.

— Gary, je te rappelle. (Il raccrocha brusquement.) C'était Gary. Un avocat. J'ai passé la matinée au téléphone avec lui pour essayer de décider ce qu'on va faire.

— Comment ça, un avocat ?

— Tu as lu le journal ce matin ? demanda-t-il, sarcastique. Ah, mais j'oubliais, tu n'en avais pas besoin, tu savais déjà ce qu'il y avait dans l'article. Tu vois, il y a quelques lignes dedans sur les annonceurs d'*Etcetera* qui menacent de se retirer si tu n'es pas virée.

— Oui, mais…

— Et les annonceurs qui n'avaient jamais eu l'intention de se retirer sont en train de flipper et de se demander si eux aussi devraient retirer leurs billes, puisque payer pour avoir une pub dans ce magazine est mauvais pour leur image, acheva-t-il en criant.

Kitty écarquilla les yeux et sursauta. Elle ne l'avait jamais vu comme ça auparavant. Plaintif, stressé et de mauvaise humeur, oui, mais jamais comme ça.

— Tu crois que j'ai fait ça délibérément ? (Sa voix se brisa.) Bon sang, Pete, si j'avais voulu raconter ma version de l'histoire, je m'y serais mieux prise, non ? Je rentrais chez moi après avoir passé la journée à bosser sur mon article et je suis tombée sur un vieux pote de fac qui apparemment ne savait rien de ce qui s'était passé. On est allés prendre un verre, et en l'espace d'une nuit – oui, une nuit, Pete, parce que ça ne lui a pas suffi de m'utiliser pour son article, il m'a humiliée et traitée comme une pute – je lui ai raconté ce qui s'était passé, évidemment, puisque j'étais très contrariée. J'étais très stressée et j'avais décidé d'en parler à quelqu'un, quelqu'un de totalement extérieur, un homme qui a prétendu être en train d'écrire un roman, bon sang, et qui avait l'air d'avoir de la peine pour moi. Et ce matin, en me réveillant, j'ai découvert cette merde. Alors en plus d'être épuisée parce que j'ai dormi sur le canapé d'un copain, je me sens humiliée, mortifiée et affligée, d'accord ? Et vraiment désolée.

Elle ne se rendit compte qu'elle pleurait que lorsque Pete lui tendit un mouchoir. Elle sentit alors qu'elle avait les joues humides et le nez qui coulait.

— D'accord, dit-il gentiment. Dans ce cas, c'est une version totalement différente de l'histoire. Je suis désolé d'avoir imaginé autre chose.

Kitty se contenta d'acquiescer en s'essuyant les yeux.

— C'est vrai, cette histoire de dégradations de ton appartement et d'intimidations ?

— Cette nuit, c'étaient des pétards. Cinq mille apparemment. D'où le canapé chez un ami.

— Ça aurait pu être dangereux, commenta-t-il, l'air inquiet.

— Je n'ai rien.

— Tu as appelé la police ?

Elle secoua la tête.

— Pourquoi ?

Elle haussa les épaules, mais elle savait très bien pourquoi elle ne l'avait pas fait.

— Ce n'est pas facile, en ce moment, n'est-ce pas ?

Sa compassion lui fit de nouveau monter les larmes aux yeux.

— J'ai fait une connerie, Pete, une connerie terrible et pas du tout professionnelle, et j'ai ruiné la réputation d'un homme, probablement sa vie aussi, et je mérite d'être punie, mais – ses larmes redoublèrent, et elle avait du mal à articuler – j'en ai assez. Je veux juste écrire des articles sympas sur des gens bien, je veux recommencer à faire ce que j'aime et qui rend mon monde normal. Et je voudrais que les gens me croient de nouveau digne de confiance. Je veux que tu me regardes et que tu m'écoutes sans douter. Je doute suffisamment de moi comme ça, Pete.

Il la regardait, plein de compassion.

— Serait-il déplacé de te proposer de te serrer dans mes bras ?

— Serait-il déplacé d'accepter ?

Quand elle y repensa plus tard, elle songea que ce n'était pas très professionnel, mais parfois, quand des gens sont impliqués, les affaires doivent cesser d'être les affaires et l'humain primer sur le reste. Kitty devait néanmoins admettre une chose : ils avaient fait durer cette étreinte un petit peu trop longtemps.

Les rideaux de Bob étaient toujours tirés quand elle quitta le bureau. Elle songea à sonner pour lui donner sa version des faits, mais elle y renonça. Ses insomnies lui avaient prouvé une chose : il avait besoin de dormir.

— Je le lui raconterai, entendit-elle Pete dire dans son dos tout en fermant la porte.

— Merci.

Il regarda autour de lui.

— Pas de vélo aujourd'hui ?

— On me l'a volé.

Il lui adressa un sourire incrédule.

— Bon sang, Kitty. Les mêmes gens ?

— Non, non, rien à voir. Je suis une femme populaire, tout le monde me veut du bien.

— Je vois ça, dit-il en secouant la tête.

Il la dévisageait comme s'il ne la connaissait pas et que c'était la première fois qu'il la voyait. Comme s'il découvrait qu'elle était intéressante. Et, à sa grande surprise, cela plaisait à Kitty. Elle appréciait son regard. Il descendit les marches et ils se mirent à marcher côte à côte.

— Je te dépose ?

— Non, merci, je vais marcher.

— Jusqu'à Fairview ?

— Non, je vais juste en ville.

Ils atteignirent sa voiture. Il ouvrit la portière du côté passager et tendit le bras comme un gentleman démodé.

Kitty se mit à rire.

— J'avais oublié qu'on ne pouvait rien te refuser.

Elle trouva étrangement intime d'être assise dans sa voiture.

— Je te conduis où ?

— BusÁras, s'il te plaît.

C'était la gare routière. Des autocars partaient de là pour tout le pays.

— Tu comptes fuir ?

— Ce n'est pas une mauvaise idée. Non, je pars juste pour la journée. Je dois rencontrer une autre personne sur la liste de Constance, une femme qui vit à Straffan. Elle s'appelle Ambrose Nolan et elle dirige un musée des papillons et un parc naturel.

— Un musée des papillons ? Je n'en ai jamais entendu parler.

— Ça sera intéressant à lire.

— Quel est le lien entre cette femme et les autres que tu as rencontrés ?

— Je pensais que j'avais jusqu'à vendredi pour te le dire, répondit-elle sur un ton faussement moqueur.

— On envoie ça en impression dans une semaine, répliqua-t-il. J'espérais connaître le sujet de l'article d'ici là.

Moi aussi, songea Kitty.

— Tu sais, Oísin O'Ceallaigh et Olivia Wallace ont accepté d'écrire leurs histoires pour l'hommage à Constance.

— C'est vrai ? s'étonna Kitty. Je n'arrive pas à croire que tu aies réussi à les convaincre. Ils ont demandé beaucoup d'argent ?

— Ils le font gratuitement. Par amitié pour Constance.

Kitty hocha la tête. Constance avait énormément de respect pour les écrivains : elle était heureuse de voir qu'ils le lui rendaient bien.

— C'est vraiment un gros scoop d'avoir obtenu ces histoires, Kitty, dit Pete. Personne n'a vu ou entendu Oísin depuis dix ans. Olivia n'a rien écrit depuis cinq ans et a refusé tous les contrats imaginables.

— Je sais, je suis d'accord.

Kitty se demandait pourquoi il éprouvait le besoin d'en souligner l'importance. Il s'agissait de célébrités de la scène littéraire : c'était évidemment énorme pour *Etcetera* d'avoir l'opportunité de publier leurs histoires inédites.

— Ils font ça uniquement en hommage à Constance et ils tiennent à ce que leurs histoires soient publiées avec sa dernière histoire. Tu comprends ?

Kitty déglutit et acquiesça.

— Alors, il faut continuer à réfléchir, Lois Lane, conclut-il, espiègle.

— Aucune pression, je vois, dit-elle en souriant pour essayer de dissimuler sa nervosité.

— Bienvenue dans mon monde.

Il lui lança un regard tellement vulnérable qu'elle eut envie de lui prendre la main. Au lieu de ça, elle s'éclaircit la voix, détourna les yeux et descendit de la voiture.

Au guichet, ils refusèrent de lui vendre un ticket : le bus était en train de partir.

— Et merde, fulmina-t-elle. (Son téléphone vibra dans sa poche.) Quoi encore ?

Elle regarda l'écran. Steve. Elle l'avait viré de son lit au beau milieu de la nuit et avait certainement poussé ses colocataires à penser qu'il avait une maladie incurable. Elle ne pouvait pas ignorer son appel.

— Je suis désolée, je me suis contentée de transmettre le message, mais ils ont tout surinterprété. Je suis désolée, j'ai juste fait ce que tu m'as dit.

Il y eut un silence.

— De quoi tu parles ?

— De tes colocs. Je les ai vus ce matin.

— Je m'en fous, je ne suis pas encore rentré. Est-ce que tu savais qu'il était journaliste ?

Il parlait vite, comme animé par un sentiment d'urgence.

Elle soupira et s'assit.

— Steve, je sais que tu penses beaucoup de mal de moi et de mon sens moral, mais…

— Est-ce que tu savais qu'il était journaliste ?

On aurait dit qu'il courait : il était à bout de souffle.

— T'es où ?

— Réponds à ma question, Kitty.

— Non. Il m'a dit qu'il écrivait un livre. Un roman. Il ne m'a jamais dit qu'il était journaliste. Je me sens tellement bête.

— Qu'est-ce qui s'est passé ?

— Tu fais ton jogging ou quoi ? Tu as l'air…

— Qu'est-ce qui s'est passé ?

— D'accord, d'accord ! Il s'est pointé au pressing et a fait comme si c'était la coïncidence du siècle, alors qu'il habite à l'autre bout de la ville. J'aurais dû me douter de quelque chose. Puis on est allés boire un verre, on s'est raconté nos vies, il ne savait rien de *Trente minutes*, il n'a même pas fait semblant d'être intéressé, ce qui aurait dû me mettre la puce à l'oreille, mais j'avais bu, alors j'ai déballé ma vie… Et puis… enfin voilà, aucune importance. C'est tout. On est partis.

— Non, ce n'est pas tout. Et après ?

— Non, c'est très gênant, Steve. Je…

— Dis-moi ! s'exclama-t-il en hurlant presque.

— Je suis allée chez lui. (Elle se sentait mal.) Oh, merde, je me sens comme… une merde. Je devrais faire quoi d'après toi ?

Il y eut un silence. Puis, juste au moment où elle pensait qu'il avait raccroché, il dit :

— Comment ça, tu es allée chez lui ?

— Bon sang, comment je peux dire ça ? J'ai passé la nuit avec lui, OK ?

— OK, répondit-il à voix basse.

Et il lui raccrocha au nez.

Kitty contempla l'écran, abasourdie. C'était la première fois de sa vie que Steve lui raccrochait au nez. Il devait vraiment être dégoûté par ce qu'elle avait fait.

Le portable de Kitty se remit à sonner, et, présumant que Steve la rappelait parce qu'ils avaient été coupés, elle répondit tout de suite. Ce n'était pas lui.

— Kitty, ça va ? demanda Sally.

— Non.

— Tu es où ?

— BusÁras.

— Pourquoi ?

— Je voulais aller à Kildare, mais j'ai raté le bus.

— Je vais te déposer.

— Tu ne sais même pas quand je compte rentrer.

— Quand ?

— Jamais.

— Parfait. Je serai là dans vingt minutes.

Kitty avait rencontré Sally cinq ans plus tôt à un cours sur la télévision. Sally était météorologue, elle avait décroché une licence avec mention en physique et, à l'époque, elle travaillait pour l'Institut national de météorologie. Elle se préparait à prendre son envol et à présenter la météo en gaélique. En plus d'écrire pour *Etcetera*, Kitty s'apprêtait à passer à la télévision après avoir présenté quelques émissions qui avaient bien marché sur une chaîne régionale. Elle avait décidé de passer à des histoires plus importantes pour une chaîne plus réputée et elle affûtait son talent de présentatrice, ce qui impliquait de parler plus lentement et de cesser d'avoir l'air angoissée

– constipée, disait Steve – lorsqu'elle se concentrait ou qu'elle cherchait ses mots.

Sally arriva, la capote de son cabriolet abaissée, ses longs cheveux blonds attachés en arrière. Kitty sortit rapidement de sa cachette près de la machine de friandises, tête basse, ses cheveux formant un rideau devant son visage.

— Tout le monde lit le journal, dit-elle après avoir embrassé son amie. Je suis peut-être juste parano, remarque. Je suis certaine que mon histoire ne les intéresse pas du tout, ils sont plus fascinés par le tremblement de terre, hein ? Dis-moi qu'ils sont fascinés par le tremblement de terre.

— Il y a eu un tremblement de terre ? demanda Sally sans la moindre trace d'ironie.

Kitty soupira.

— C'est pas ton job de savoir ça ?

— Je ne travaille pas le week-end.

— Je vois ça. (Kitty jeta un coup d'œil aux nuages gris devant elles.) Tu devrais remonter la capote ; on dirait qu'il va pleuvoir.

Sally éclata de rire comme si elle savait quelque chose que Kitty ignorait.

— Il ne pleuvra pas aujourd'hui.

— Je croyais que tu ne travaillais pas le week-end.

— Je fais attention, c'est tout, répondit-elle en haussant les épaules.

Elles se mirent à rire en chœur.

— On va où ?

— À Straffan dans un élevage de papillons.

— Pourquoi ?

— Je vais interviewer la propriétaire. Enfin, elle ne le sait pas encore.

— Sois prudente. Tu essaies de te venger ?

Le sourire de Kitty s'effaça rapidement.

— Au moins, je ne coucherai pas avec elle pour rédiger mon article.

Sally s'étouffa.

— Tu as couché avec lui ?

Kitty enfouit son visage dans ses mains et se recroquevilla sur son siège.

— Je suis méprisable.

— Pas vraiment, mais tu aurais pu demander de l'argent pour coucher avec un mec comme lui. À moins que tu n'aies été en manque de cul ?

Kitty éclata de rire.

— Pour être tout à fait honnête, je crois que je suis autant en manque d'argent que de cul.

Sally lui lança un regard compatissant et Kitty lui raconta ce qui s'était passé ce soir-là.

— Est-ce que tes parents t'ont appelée ? demanda-t-elle après avoir exprimé sa colère.

— Oui. Pour me dire une nouvelle fois à quel point je leur faisais honte. J'ai laissé ma mère vider son sac. On dirait que ça lui fait du bien de s'en prendre à moi, mais bon, ce n'est pas nouveau.

Elle sentit une goutte de pluie et leva les yeux vers le ciel.

— Tu as senti ça ?

— Quoi ?

— Une goutte.

— Il ne pleuvra pas aujourd'hui, affirma Sally.

Dix minutes plus tard, elles s'arrêtèrent sur le bas-côté pour remonter la capote.

— Voilà qui est inhabituel, commenta Sally en contemplant le ciel, et Kitty dissimula un sourire.

Une heure et quart plus tard, elles avaient rattrapé leur retard de conversation et atteint le musée des papillons de Straffan. Il était situé juste en bordure du village : une charmante maison à côté du musée et des champs tout autour. Ouvert sept jours sur sept durant l'été, il était composé d'une serre, avec un pont enjambant une mare, le tout envahi de papillons.

Kitty demanda à la jeune fille de l'accueil si elle pouvait voir Ambrose Nolan. On la dirigea vers un homme à nœud papillon nommé Eugene, qui lui expliqua qu'Ambrose ne faisait pas de visites guidées. En apprenant que Kitty était journaliste, il leur fit faire, à Sally et elle, une visite du musée, bondé en ce dimanche raisonnablement ensoleillé. Eugene était si jovial et enthousiaste que Kitty n'eut pas le cœur d'interrompre son babil sur les papillons qu'il semblait aimer et connaître si bien. Son savoir était incommensurable et elle n'aurait pas été surprise d'apprendre qu'il connaissait tous les papillons par leur prénom.

— La plupart des papillons tropicaux se reproduisent ici : vous pouvez donc observer leur cycle de vie complet, expliqua-t-il lorsqu'ils pénétrèrent dans la serre. C'est là qu'ils pondent leurs œufs, puis les chenilles mangent des plantes, deviennent des chrysalides bien camouflées, et si vous avez de la chance, vous pourrez assister à la naissance d'un papillon qui commence une nouvelle vie ailée et prend son envol pour la première fois.

Sarcastique, Sally écarquilla les yeux à l'intention de Kitty.

Kitty l'ignora et chercha des yeux la propriétaire des lieux.

— Vous avez dit qu'Ambrose ne faisait pas de visites guidées, mais est-ce qu'elle travaille ici ?

— Oh, oui, elle travaille là depuis… depuis son enfance. Ses parents ont fondé ce musée et, dès qu'elle a été assez âgée, elle leur est venue en aide. C'est grâce à elle que l'endroit s'est développé. Elle a agrandi le musée, qui au départ se réduisait à l'actuel emplacement de la boutique, elle a fait construire le café et l'aire de pique-nique, ce qui était une excellente idée, et il y a cinq ans elle a eu l'idée de la serre. Sans elle, rien de tout ça n'existerait, affirma-t-il fièrement.

— Elle est là aujourd'hui ? tenta de nouveau Kitty.

— Elle est là tous les jours, répondit Eugene en riant. Elle habite à côté mais ne reçoit jamais personne. Permettez-moi de vous faire visiter plus en détail le musée. Les papillons sous verre proviennent du surplus de notre élevage : ils n'ont pas été attrapés dans la nature, expliqua-t-il avec sérieux tandis qu'il les conduisait vers la galerie.

Sally lança à Kitty un regard ennuyé, mais cette dernière lui donna un coup de coude et elles le suivirent, tandis que la journaliste cherchait un moyen d'atteindre la maison d'Ambrose.

Dans la galerie étaient exposés des papillons épinglés dans des cadres en bois avec une marie-louise. En dessous étaient fixées des plaques en laiton.

— Ce sont des spécimens parfaits, expliqua Eugene, et quelques visiteurs s'approchèrent pour l'écouter. On n'y a apporté aucune modification. On peut les conserver cinquante ans, à condition de ne pas les exposer à la lumière directe du soleil. La plupart de ces papillons ont plus de cent ans et sont aussi beaux que le jour de leur naissance.

Il les regarda avec un émerveillement évident.

— Fascinant, dit Kitty, les yeux rivés au mur. Elle cherchait un moyen de détourner la conversation. Pourrais-je parler à Ambrose ?

— Elle ne travaille pas au musée aujourd'hui.

— Elle est chez elle ?

— Oh, par un temps pareil, ça m'étonnerait, gloussa Eugene. Elle travaille à l'élaboration d'un jardin de préservation des papillons. Elle s'investit totalement dans la protection de nos espèces et s'assure que ce que nous faisons n'endommage pas leur environnement.

Kitty regarda en direction de l'aire de pique-nique et aperçut un panneau : « Propriété privée. Personnel autorisé » fixé sur un portail qui permettait de sortir des lieux.

— Ça a l'air d'être une femme géniale, constata Sally.

— Oh oui, absolument, répondit Eugene en rougissant. Elle a consacré sa vie aux papillons. Madame Logan, reprit-il en baissant la voix pour ne pas être entendu des autres visiteurs, Ambrose est très… discrète, vous comprenez. Si vous voulez lui demander quelque chose, je me ferais un plaisir de lui transmettre vos questions. Seulement… elle est discrète, répéta-t-il. Ce magnifique papillon, reprit-il à voix haute, est un Grand Nacré de la famille des Nymphalidae, aussi connu sous le nom de l'Aglaé. C'est un grand papillon orange aux battements d'ailes puissants, que l'on voit souvent en haut des falaises, sur les sols calcaires ou les dunes de sable. Il est facilement visible, mais difficile à attraper. C'est une espèce qui vit dans les prairies et qui éclôt sur les violettes. Chez les deux sexes, l'orangé vif est moucheté de vert-de-gris sur les ailes postérieures.

De plus en plus de monde s'agglutinait autour d'Eugene. Kitty en profita pour s'éloigner prudemment. Elle se dirigea vers l'aire de pique-nique, et lorsque Eugene lui lança un regard méfiant, elle pointa le doigt sur les toilettes. Il hocha la tête et poursuivit ses explications. Dès qu'il détourna les yeux, Kitty courut vers le portail marqué « Propriété privée ». Elle le poussa et déboucha dans un pays merveilleux, une longue pelouse aux couleurs éclatantes, des papillons voletant de-ci de-là et effleurant son nez tandis qu'elle avançait. Au bout du jardin, elle aperçut une silhouette courbée.

— Excusez-moi ! cria-t-elle.

La silhouette se redressa, pivota puis lui tourna le dos. Elle abaissa ses longs cheveux flamboyants qui lui tombaient au creux des reins.

— Stop ! dit-elle d'un ton si autoritaire que Kitty obéit immédiatement.

— Je suis désolée, dit Kitty. Je m'appelle…

— Vous n'avez pas le droit d'être ici ! cria la femme.

— Oui, je sais, je suis désolée, je…

— C'est une propriété privée. Sortez de là tout de suite !

Sous le ton autoritaire, Kitty crut déceler une note de panique. Tout dans son attitude reflétait la peur.

Kitty recula avant de changer d'avis. Elle n'aurait pas droit à une seconde chance.

— Je m'appelle Kitty Logan ! cria-t-elle. Je travaille pour le magazine *Etcetera*. Je voudrais discuter avec vous de votre incroyable installation. Je suis désolée de vous avoir fait peur. Je voudrais juste vous parler.

— C'est Eugene qui gère les journalistes, hurla-t-elle. Dehors ! S'il vous plaît, ajouta-t-elle plus gentiment.

Kitty rebroussa chemin mais, une fois parvenue au portail, elle décida d'essayer de nouveau.

— Il y a juste une chose que je voudrais savoir. Est-ce que Constance Dubois vous a contactée au cours des douze derniers mois ?

Elle s'attendait à se faire de nouveau hurler dessus ou à recevoir une fourche en pleine figure mais, au lieu de ça, le silence plana.

— Constance, dit soudain Ambrose, et le cœur de Kitty se mit à battre plus vite. Constance Dubois.

Ambrose ne s'était toujours pas retournée.

— Oui. Vous la connaissez ?

— Elle m'a appelée. Une fois. Elle m'a posé des questions sur une chenille.

— Ah bon ? demanda Kitty, sidérée.

Est-ce que cette liste avait un rapport avec son entretien d'embauche ? Une chenille Oleander ?

— Ça vous dit quelque chose ?

— Oui, répondit Kitty dans un souffle tout en essayant de comprendre ce que cela signifiait pour son article.

Ambrose finit par se tourner, mais Kitty ne distinguait rien d'autre que sa chevelure désordonnée.

— Attendez-moi là, ordonna-t-elle en tendant sa fourche vers la porte ouverte de sa maison.

Kitty la regarda, surprise.

— Merci.

Elle pénétra à l'intérieur et se retrouva dans une cuisine. C'était une maison modeste, un charmant cottage à l'intérieur modernisé mais pas trop. La cuisinière en fonte occupait toute la place et dégageait encore la chaleur de la cuisson du petit déjeuner. Elle s'installa à la table et regarda Ambrose achever sa tâche et se diriger vers la maison, tête baissée, le visage dissimulé par ses cheveux. Elle entra à son tour dans la cuisine et proposa une tasse de thé à Kitty sans croiser son regard.

Elle songea à Sally, qui subissait les leçons d'Eugene sur les papillons d'Irlande et elle accepta malgré sa culpabilité. Ambrose lui parlait le dos tourné, et quand elle finit par s'asseoir à son tour, elle ne prit pas place en face de Kitty mais au bout de la grande table rectangulaire de huit couverts, et de travers. Il fallut un certain temps et un début de conversation laborieux à Kitty pour parvenir à croiser le regard d'Ambrose. C'est alors qu'elle remarqua quelque chose d'inhabituel. Ambrose avait les yeux de deux couleurs différentes, l'un d'un vert saisissant, l'autre d'un brun profond. Et il n'y avait pas que ça : lorsque son épaisse chevelure stratégiquement placée bougea d'un centimètre, Kitty aperçut la décoloration qui se répandait à partir du milieu de son front, sur son nez, ses lèvres, la moitié de son menton et disparaissait sous le col de sa blouse. La brûlure, s'il s'agissait bien de ça, ressemblait à une flamme léchant inégalement le côté droit de son visage. Mais elle disparut aussi vite qu'elle était apparue, de nouveau cachée sous l'épais voile de cheveux roux, et seul l'œil vert la contempla de l'autre côté de la table.

Chapitre 17

Si l'on avait dit à Kitty qu'Ambrose n'avait jamais parlé à un être humain avant elle, elle l'aurait cru sans problème. Elle n'était pas mal élevée, mais elle ne savait pas comment prendre part à une conversation. Elle ne la regarda pas dans les yeux, sauf une fois accidentellement, ce qui permit à Kitty d'entrevoir son visage défiguré et ses yeux vairons. Peut-être Kitty avait-elle laissé voir sa réaction : en tout cas, Ambrose évita son regard. Elle se plaça de façon à ne jamais lui faire face. Kitty avait une vue directe sur son profil droit. Au moins avait-elle glissé ses cheveux derrière son oreille, dévoilant une peau pâle. C'était la personne la plus étrange que Kitty ait jamais rencontrée, pas seulement physiquement.

Sa conversation était aussi déroutante que son comportement. Ambrose s'exprimait à voix basse mais, comme si elle en avait conscience, elle parlait plus fort sur certains mots avant d'oublier et les mots suivants n'étaient que murmures. Kitty devait tendre l'oreille pour suivre.

— Elle m'a appelée. C'était l'année dernière. Je m'en souviens. Parce que c'était… inhabituel. (Elle hurla le dernier mot et, comme si elle s'était effrayée toute seule, poursuivit en chuchotant.) Elle voulait venir me voir. M'interviewer. Oui, c'était ça. J'ai refusé. Expliqué que je ne… donne pas d'interviews.

— Est-ce qu'elle vous a dit quel était le sujet de l'entretien ?

— Eugene. Je lui ai conseillé de parler du musée avec Eugene. Il s'occupe du public. Pas moi. Elle a répondu que ça n'avait rien à voir avec le musée. Elle ne connaissait rien aux papillons.

— Ça avait un rapport avec vous personnellement ?

— C'est ce qu'elle a dit. J'ai répondu que je ne voulais pas. La liste. Elle a affirmé qu'elle me gardait sur la liste quand même. Je ne sais pas ce que ça signifie.

— La liste des gens qu'elle voulait interviewer, expliqua Kitty. Elle a laissé une liste avec les noms de cent personnes qu'elle voulait interroger pour écrire un article.

— Elle m'a rappelée. Quelques jours plus tard. Elle avait une question sur une chenille.

— L'Oleander, dit Kitty en souriant.

— Elle riait. Elle riait. Elle trouvait que c'était drôle. Gentiment. Elle était gentille, raconta Ambrose avec douceur, et ses yeux croisèrent ceux de Kitty pendant une fraction de seconde avant de se détourner, comme si elle savait que Constance était morte. Elle m'a demandé si elle pouvait venir. Me parler. Visiter le musée. Je lui ai dit que oui. Qu'elle pouvait visiter le musée. Mais pas me voir. Mais le musée n'est ouvert que l'été. Au printemps. Elle m'a téléphoné au printemps. Elle n'est jamais venue.

Kitty n'avait pas besoin de cacher ses larmes. Ambrose ne la regardait pas.

— Elle est tombée malade, expliqua-t-elle d'une voix tremblante. (Elle toussota.) On lui a diagnostiqué un cancer du sein l'année dernière et elle est morte il y a deux semaines.

— Mon père est mort d'un cancer.

Ce n'étaient pas les condoléances habituelles, mais la remarque était pleine d'empathie.

— Vous êtes venue chercher sa commande ?

Kitty cessa aussitôt de pleurer.

— Quelle commande ?

— Oh. Je croyais que vous étiez là pour ça. Je l'ai gardée pour elle. En vitrine. Je l'ai mis en vitrine et personne ne l'a acheté. Un spécimen encadré. Un papillon de nuit Oleander. Elle m'a dit que c'était un cadeau.

Ambrose se leva brusquement et quitta la pièce ; ses longs cheveux et ses vêtements amples et mous lui donnaient l'air d'un papillon. Kitty attendit et sécha ses larmes en souriant.

— J'ai dirigé ce musée avec mon père, expliqua Ambrose une fois que Kitty lui eut expliqué pourquoi elle était là.

Ambrose, comme la plupart des gens, avait manifesté une certaine réticence à lui parler, mais lorsque Kitty avait suggéré avec honnêteté que ça ne pourrait que faire du bien au musée tout en étant une aventure personnelle, et promis qu'elle ne prendrait aucune photo d'elle, elle accepta de se confier. Kitty prenait des notes, tout en essayant de recomposer le puzzle.

Hypothèse : les gens qui pensent qu'ils ne sont pas intéressants du tout.

Ou : les gens qui pensent ne pas être intéressants vivent les histoires les plus fascinantes.

Kitty recevait bien les textos menaçants de Sally, toujours coincée avec Eugene et un groupe de touristes beaucoup trop curieux, mais elle ne pouvait pas laisser passer sa chance. Elle ne comprenait toujours pas pourquoi Constance avait choisi Ambrose, même si elle savait que ça n'avait pas de rapport avec son musée, et elle était bien décidée à découvrir ce que Constance avait déniché. L'histoire de cette femme intéressait Kitty autant sur un plan professionnel que personnel.

— Mes parents l'ont fondé ensemble, mais maman est morte et papa a continué tout seul.

Ambrose semblait avoir une quarantaine d'années, mais c'était assez difficile à affirmer avec certitude. Elle s'exprimait comme une enfant, dont elle avait la timidité, mais elle se courbait parfois comme une vieille dame.

— De quoi est morte votre mère ? demanda doucement Kitty.

Elle s'attendait à ce qu'elle lui réponde qu'elle était décédée dans un incendie ou quelque chose qui expliquerait son apparence. Elle ne savait pas comment aborder le sujet. Elle était fascinée, et en même temps c'était la seule question qu'elle ne serait certainement jamais capable de poser.

— En couches. Des complications. Elle a accouché ici. Dans la maison. Elle ne serait probablement pas morte si elle avait été à l'hôpital, mais elle ne voulait pas. Donc. C'était écrit.

— Je suis désolée, dit Kitty en avalant une gorgée de thé. Eugene semble vous être d'une grande aide et c'est un puits de science.

Ambrose leva les yeux et sourit. Pas à Kitty, mais à la porte ouverte sur le jardin, bruissant de vie et de papillons. Elle sembla s'illuminer avant de s'éteindre de nouveau.

— Eugene adore les papillons. Je ne pensais pas trouver un jour quelqu'un qui les aime autant que papa. Je ne pourrais pas faire ça. Sans lui.

— Il dit la même chose de vous. Que sans vous, rien de tout cela n'existerait. (Ambrose eut un sourire timide.) Vous l'avez trouvé comment ?

— Sa maman était ma préceptrice. Il l'accompagnait quand elle venait me donner des cours. Il s'ennuyait toujours à mourir. Parfois il suivait les cours, mais la plupart du temps il se promenait dans le musée. C'est pour ça qu'il en sait autant. Ça fait trente ans qu'il regarde des papillons encadrés.

— Vous étiez scolarisée à la maison ? demanda Kitty.

— Oui. (Ambrose garda le silence, mais Kitty attendit : elle sentait qu'elle était sur le point d'ajouter quelque chose et commençait à maîtriser sa façon hachée de tenir une conversation.) Les enfants peuvent se montrer très cruels. Ce n'est pas ce qu'on dit ? J'étais, pour tout dire, peu conventionnelle.

C'était un euphémisme.

— Papa pensait qu'il valait mieux que je reste ici.

— Et cela vous convenait ?

— Oh, oui, répondit-elle avec assurance. Cet endroit, c'est toute ma vie.

— Cela vous ennuie de me dire quel âge vous avez ?

Ambrose parut contrariée. Ses épaules se voûtèrent et son visage disparut derrière encore plus de cheveux. Kitty devina un conflit intérieur.

— C'est important ?

Kitty réfléchit. Parfois, l'âge n'avait aucune importance, mais pas dans ce cas.

— Si cela ne vous ennuie pas.

— Quarante-quatre ans.

Le téléphone de Kitty vibrait sans interruption : quatre, cinq, six appels manqués d'affilée. Dès qu'il s'arrêtait, il reprenait de plus belle. Sally était folle de rage et Kitty ne voulait pas perdre son moyen de transport.

— Excusez-moi, cela vous ennuierait-il que j'utilise vos toilettes ?

Kitty pensait qu'elle serait autant ennuyée qu'à l'idée de donner son âge, mais Ambrose sembla soulagée de ne plus être bombardée de questions. L'un des passe-temps favoris de Kitty était de fureter chez les gens. Elle examina toutes les pièces qu'elle traversa, puis, au lieu d'aller directement aux toilettes, elle tourna à gauche. À en croire les autres pièces qu'elle avait vues, celle-là était la chambre d'Ambrose. Elle fut stupéfaite. Le mur qui faisait face au lit était entièrement couvert de pages de magazines représentant des mannequins, des actrices et des chanteuses. Certaines photos montraient des détails – uniquement leurs cheveux, leurs yeux, leurs nez, leurs lèvres –, d'autres des visages entiers. D'autres encore étaient des collages de plusieurs femmes. De la même manière que son musée était recouvert de papillons encadrés, sa chambre était un musée célébrant la beauté. L'effet était cependant un peu dérangeant, et Kitty sentit un frisson lui parcourir le dos. Elle quitta rapidement la pièce.

Lorsque Kitty Logan finit par partir, Ambrose était épuisée. Elle ne fréquentait personne à part Eugene et elle se sentait vidée, fatiguée d'avoir essayé de dissimuler son visage, ses émotions, d'avoir déployé des efforts surhumains pour avoir l'air normale et saine d'esprit, toutes ces choses qu'elle était sans problème dans le confort de sa maison mais qui lui paraissaient un défi dès lors qu'elle entrait en contact avec des inconnus. Le cercle de ses intimes se réduisait à trois personnes : Eugene, Harriet, la femme de ménage, et Sara, la jeune femme qui travaillait au musée. Elle ne s'adressait à eux que lorsque c'était absolument nécessaire et elle n'était vraiment elle-même qu'avec Eugene, parce qu'il était lui et qu'il s'en fichait. Il la connaissait depuis toujours. Elle se cachait derrière ses cheveux pour tout le monde sauf lui : avec lui, elle s'attachait les cheveux, et elle le regardait droit dans les yeux.

Elle gagna sa chambre pour aller chercher le magazine qu'elle avait lu le matin même. Malgré les papillons et l'ouverture du musée, l'été n'était pas sa saison préférée. L'été était la saison où tout le monde se découvrait, les magazines étaient pleins de photos de célébrités et de jolies femmes en bikini à la plage, le musée était rempli de jolies femmes qui se coiffaient sans embarras. Ambrose aimait l'hiver, qui lui permettait de disparaître sous plusieurs couches de vêtements. Elle n'avait pas beaucoup voyagé, mais si elle l'avait pu, elle serait partie en vacances dans un endroit froid. Néanmoins, elle ne pouvait pas abandonner le musée et les papillons à cette époque de l'année.

Elle découpa avec soin la photo d'une midinette qu'elle ne connaissait pas. On la voyait en bikini sur une plage, après qu'elle avait perdu tous ses kilos de grossesse alors que son bébé n'avait que six semaines. Ambrose punaisa la photo sur le mur en prenant bien garde qu'elle n'empiète sur aucune autre, puis elle s'assit sur le lit et la contempla pendant un quart d'heure. Elle observa ses yeux, son nez, ses lèvres, son long cou, la cambrure de son dos, ses fesses musclées, ses cuisses fermes et bronzées et ses ongles de pieds vernis légèrement ensablés. Elle se perdit dans sa contemplation : pendant un instant, Ambrose devint cette femme, elle était sur la plage, elle sortait de l'eau, elle sentait les regards posés sur elle et la chaleur sur son corps, elle sentait l'eau de mer ruisseler sur sa peau, et elle savait qu'elle était belle, elle se sentait légère, heureuse et détendue, et elle se dirigea vers son transat pour y boire un cocktail. Ambrose vivait intensément la scène dans son imagination.

Kitty Logan lui avait demandé d'où lui venait sa fascination pour les papillons. Ambrose n'avait pas menti, mais elle n'avait pas non plus été tout à fait honnête. Pourquoi est-ce qu'elle aimait les papillons ? Parce qu'ils étaient beaux. Et pas elle.

C'était pour la même raison qu'elle aimait *La Belle et la Bête* quand elle était enfant et bien qu'elle ait déjà eu vingt-trois ans à la sortie du dessin animé de Disney, elle était allée le voir à plusieurs reprises au cinéma et, une fois qu'il fut sorti en vidéo, elle le regarda tous les jours : elle en connaissait la moindre réplique, le moindre regard, le moindre geste de chacun des personnages. Sa fascination enfantine pour le dessin animé avait rendu son père perplexe ; il avait mal compris pourquoi elle l'aimait autant. Ce n'était pas à cause de l'histoire d'amour, ce n'était pas parce qu'elle voulait voir la Bête redevenir belle, elle le regardait parce qu'elle savait, comme la Bête, ce que c'était que de reconnaître la beauté, d'être fasciné par elle et de se sentir tellement plus vivant en sa présence qu'on a envie de l'enfermer et de la garder sous clé pour la contempler et la célébrer tous les jours.

— Qui est-ce qui t'envoie des textos ? demanda Sally alors qu'elles rentraient de Kildare.

C'étaient les premiers mots qu'elle prononçait depuis un moment et Kitty devina qu'elle était en passe d'être pardonnée.

— Pourquoi ? s'étonna Kitty.

— Parce que tu as un sourire idiot depuis que tu as commencé cette textosation.

— Textosation ? Ce n'est pas un mot, désolée.

— Ne détourne pas la conversation. C'est qui ?

— Personne, juste Pete.

Elle avait essayé de prendre un ton nonchalant.

Sally écarquilla les yeux.

— Pete, le prince des ténèbres de la rédaction que tu méprises ?

— Je n'ai jamais dit que je le méprisais.

— Oh. Pu-tain.

— Quoi ?

— Oh, non. Tu sais ce qui est en train de se passer, n'est-ce pas ? plaisanta Sally.

— Tais-toi. Non, il ne se passe rien. Arrête, d'accord ?

Kitty essaya de mettre la main sur la bouche de Sally pour l'empêcher de parler. Sally pouffa, la voiture fit une embardée et Kitty ôta immédiatement la main.

— D'accord, je ne le dirai pas, mais tu sais que tu le sais, chantonna Sally.

— Il prend juste de mes nouvelles, rétorqua Kitty en éteignant son portable et en le rangeant dans son sac à main, ce qu'elle regretta aussitôt parce qu'elle aurait bien voulu voir s'il avait répondu à son dernier texto, spirituel et bien tourné.

Elles laissèrent le silence s'installer et roulèrent vers le ciel strié de rouge qui s'assombrissait.

— Ciel rouge le soir laisse bon espoir, constata Kitty.

— Oh, ne sois pas bête. Ce dicton est ridicule. Il est censé pleuvoir à torrent demain.

Le silence plana de nouveau, et l'esprit de Kitty vagabonda de Pete à son article. Elle pensa à tous les gens qu'elle avait rencontrés jusqu'à présent : Birdie Murphy, Eva Wu, Mary-Rose Godfrey, Archie Hamilton et Ambrose Nolan. Elle essaya de trouver un lien entre eux, en vain. Elle tordit leurs vies dans tous les sens, compara tous les détails qu'elle avait appris sur eux, et même si elle parvenait à leur trouver des points communs, il n'y avait pas vraiment de lien, ni d'histoire, mais chacune était puissante à sa manière. Elle devait repartir de zéro et écouter leurs histoires – peut-être que sa volonté de trouver un lien à tout prix la desservait. Elle tendit le bras vers son sac à main. Sally la taquina à propos de son téléphone, mais Kitty avait déjà oublié Pete. Elle sortit son carnet et son stylo ; Sally se rendit compte qu'elle était concentrée et la laissa tranquille.

Elle pensa à Ambrose et aux papillons encadrés sur les murs.

Nom numéro deux : Ambrose Nolan

Titre de son histoire : Kalologie – L'étude de la beauté

Chapitre 18

Kitty dormit chez Sally cette nuit-là.

Lorsqu'elles arrivèrent chez Kitty, elles découvrirent que le scandale du jour lui avait valu une nouvelle récompense : du fumier avait été étalé sur chacune des marches de l'escalier jusqu'à sa porte, sur laquelle on avait écrit en lettres de merde : « Sale pute vendue ». Même si ce n'était pas nouveau, Kitty avait du mal à s'y habituer et à prendre ça avec détachement. Elle envisagea de prendre une photo des dégâts et de l'envoyer à Richie avec un petit mot de remerciement, mais elle se ravisa : il était capable de la publier. Le seul point positif de cette affaire, c'était que les agressions restaient derrière sa porte : personne n'était jamais entré chez elle pour s'en prendre à elle physiquement.

Kitty prit des affaires de rechange – assez pour une semaine –, puis fit demi-tour pour s'enfuir.

Zhi, le propriétaire, lui barra le passage.

— Je suis désolée, Zhi, je suis super pressée. Est-ce que…

Elle fit un pas sur la droite pour le dépasser, mais il l'en empêcha. Elle se déplaça vers la gauche, et il fit de même. Elle abandonna en soupirant.

— Je ferai nettoyer ça dès que possible.

— Ça pas suffire. La semaine dernière de la peinture, du PQ et de la merde, hier des pétards, ce soir encore de la merde. Pas bon pour mes affaires.

— Je sais, je sais. Je pense vraiment que ça va se calmer. Ils vont finir par se lasser.

Il ne semblait pas très convaincu.

— À la fin du mois, nouveau locataire. Vous, dehors. Vous trouvez un autre appartement.

— Non, non, non ! l'interrompit Kitty en joignant les mains, suppliante. Je vous en prie, ne dites pas ça, s'il vous plaît. Ce n'est qu'un mauvais moment à passer. J'ai été une bonne locataire, pas vrai ?

Il haussa les sourcils.

— Je ne dirai rien à propos du perchlo.

Il s'assombrit.

— Vous menacez moi ?

— Non ! J'ai dit que je ne dirai rien. Je ne dirai rien.

— Alors pourquoi vous parler de ça ? Fin du mois, vous, dehors.

Sur ce, il descendit l'escalier quatre à quatre.

Alors que Kitty se demandait dans quelle mesure sa vie pouvait devenir encore plus merdique et où elle allait bien pouvoir trouver un appartement avec un salaire bien inférieur, Zhi réapparut, un vêtement sous plastique sur cintre à la main.

— Et votre ami, dit-il du bas de l'escalier. Lui pas payer pour sa veste. Il avait dit passer ce matin. Vous payer. Dix euros.

— Non, non, ce n'est pas mon ami. Je refuse de payer.

— Lui votre ami. J'ai vu tout bisou bisou. Vous payer. Dix euros. Vous payer.

— Pas question. Ce n'est pas à moi.

Il fit demi-tour.

— D'accord, passons un marché. Je paie pour sa veste et vous me laissez rester dans l'appartement.

Il réfléchit un instant.

— Vous payez et je verrai.

Kitty essaya de réprimer un sourire.

— Parfait. (Elle fourragea dans son sac à main et lui tendit un billet. Il lui donna la veste en échange.) Je peux rester, alors ?

— Non, aboya-t-il. J'ai dit que je verrais et j'ai vu : c'est non.

Sur ce, il s'éloigna comme une furie, laissant Kitty bouche bée.

Après avoir quitté la maison responsable de Sally à Rathgar, dans la banlieue de Dublin, avec ses meubles responsables, son mari responsable qui possédait une voiture et un job responsables et qui lui parla pendant le petit déjeuner responsable de son voyage de golf responsable la semaine précédente, Kitty laissa la nounou responsable avec l'enfant de dix-huit mois et rejoignit la ville avec Sally. À 7 h 30, il faisait déjà bon et une brise tiède soufflait. Pourtant, Sally portait un pull épais, avait un imperméable plié sur le bras et tenait le plus grand parapluie que Sally ait jamais vu.

— Tu comptes faire un don à un sans-abri ? demanda Kitty.

— C'est le parapluie de golf de Douglas.

— Je vois ça. Est-ce que tu le loues quand on a besoin d'un chapiteau ?

Sally ne releva pas.

— Il fait bon aujourd'hui.

Kitty ôta son cardigan. Sally leva les yeux vers le ciel bleu.

— Il paraît qu'on doit s'attendre à une pluie torrentielle.

— On ne dirait pas, hein ?

Sally sourit d'un air entendu comme si elle seule détenait les secrets de la météo.

— Qu'est-ce que tu fais aujourd'hui ?

— Je petit-déjeune avec un ancien détenu, je brunche avec une *personal shopper*, je passe l'après-midi avec une coiffeuse en hôpital, la soirée en maison de retraite et la nuit avec du fumier et un seau d'eau de Javel.

— Au moins, tu ne t'ennuies pas.

— Loin de là ! Et je dois aussi trouver un appart.

— Tu sais que tu peux rester chez nous autant que tu veux.

— Je sais et je te remercie, mais je dois me débrouiller toute seule.

Kitty tentait de dissimuler son inquiétude. Elle n'avait pas les moyens de louer un appartement ; elle allait devoir recommencer à vivre en colocation. Juste au moment où elle avait l'impression d'avancer dans la vie, avec un plus gros salaire et un loyer partagé avec Glen, voilà qu'elle se retrouvait avec peu d'argent. Elle ignorait si son job au magazine était en danger, mais elle le supposait, même si Pete s'était montré étonnamment gentil et encourageant ces derniers jours. Elle savait qu'*Etcetera* subissait des pressions de la part des annonceurs pour ne plus publier ses articles. Or, si elle n'était plus publiée, elle n'était plus payée, c'était aussi simple que ça, et elle doutait que les journaux fassent la queue pour l'embaucher comme pigiste.

Les joues de Sally étaient rouges et elle était un peu essoufflée. Elle remonta ses manches. Kitty réprima un sourire. Avant de se séparer, Sally plongea la main dans sa poche et en sortit une carte de visite qu'elle tendit à Kitty.

— Daniel Meara. Ce nom m'est familier, constata Kitty.

— Il travaille à l'Université d'Ashford. (C'était là que Sally et Kitty s'étaient rencontrées cinq ans plus tôt.) Il m'a contactée récemment pour me demander si je voulais donner des cours du soir. Je lui ai dit que non, mais que je lui enverrais des gens aussi compétents.

Kitty regarda la carte et déglutit. Cela ressemblait à une aumône et elle n'aimait pas ça, mais elle savait que Sally, sous ses airs désinvoltes, lui donnait discrètement un coup de main.

— Je n'ai jamais enseigné, fit remarquer Kitty, les yeux toujours rivés sur la carte.

— Aucune importance, tu as de l'expérience, tu as fait de la télé. C'est ce qu'ils veulent : quelqu'un qui peut leur expliquer ce qui se passe derrière le décor. Le reste, on s'en fout. Laisse-les juger eux-mêmes de tes talents d'enseignante. C'est bien payé.

Kitty hocha la tête.

— Appelle-le, tu n'as rien à perdre et tu aviseras ensuite. Peut-être que ça ne débouchera sur rien, mais ça vaut le coup d'essayer.

Kitty acquiesça de nouveau puis finit par lever le nez de la carte de visite.

— Tu es sûre que tu ne veux pas de ce job ?

— Je suis déjà débordée, répondit Sally en souriant. Je bosse toute la journée et je suis parfois d'astreinte le week-end. Je ne vois déjà pas assez Finn. Sans parler de Douglas. Fonce.

— Merci.

Kitty embrassa son amie.

— Ne te fais pas de souci, dit Sally en lui rendant son étreinte, on a tous nos mauvais moments. Tu te souviens quand on s'est rencontrées ?

Sally venait d'apprendre que Douglas avait eu une liaison et elle essayait de recoller les morceaux de son mariage et de se frayer un chemin à la télévision : chaque jour était un combat.

— On en passe tous par là. C'est ton tour, et c'est normal.

Sally l'embrassa sur le front et elles se séparèrent.

Kitty se dirigea vers le *Brick Alley* à Temple Bar, tout excitée à l'idée de découvrir la suite de l'histoire d'Archie. Il était assis au même endroit, de telle sorte qu'il avait une vue dégagée sur la salle et sur la porte.

— Je suppose que vous voulez que je vous invite de nouveau, dit Kitty.

Il sourit.

— Des fruits et de l'eau ? demanda la même serveuse que la fois précédente.

— Oui, merci, répondit Kitty, surprise qu'elle se souvienne de ce qu'elle avait mangé.

— C'est une espèce en voie de disparition, constata Archie en mâchonnant la couenne de son bacon. Y a pas assez d'endroits comme ça où on vous connaît bien et où on vous fout la paix. C'est une combinaison gagnante.

La porte s'ouvrit et la femme discrète de la dernière fois entra.

— On se croirait dans *Un jour sans fin*, fit remarquer Kitty.

La femme regarda autour d'elle, pleine d'espoir, puis s'assit, déçue.

— Comme d'habitude ? demanda la serveuse, et la cliente hocha vaguement la tête en retour.

— Pourquoi vous n'allez pas directement lui parler ? demanda Kitty.

— Quoi ?

Archie sortit de sa rêverie et repoussa son assiette, embarrassé d'avoir été pris sur le fait.

— La femme, expliqua Kitty en souriant. Vous ne la quittez pas des yeux.

— Qu'est-ce que vous racontez ? s'étonna-t-il en rougissant. *Jamais.* Je vous rappelle que ça ne fait que deux fois que vous venez ici.

— Comme vous voulez.

Elle sourit et attendit un instant avant de passer à des sujets moins frivoles.

— J'ai mon matériel aujourd'hui, annonça-t-elle en sortant un carnet et un enregistreur.

Elle redouta qu'il ne fasse machine arrière en voyant le regard qu'il jeta à l'appareil. Elle s'en voulut aussitôt. La plupart des gens n'aiment pas qu'on les enregistre. Si la caméra est un aimant à connards, l'enregistreur intimide. Personne n'aime le son de sa propre voix – enfin, presque –, et l'enregistreur fait prendre conscience qu'on est écouté. La conversation devient une interview.

— Je ne les utiliserai pas si cela vous dérange.

Il agita la main avec désinvolture, comme si ça n'avait pas d'importance.

— On parlait de la mort de votre fille...

— De son assassinat, rectifia-t-il.

— Oui. De son assassinat. De la façon dont la police s'est focalisée sur vous pendant l'enquête, ce qui vous a donné l'impression que le meurtrier ne serait jamais arrêté.

Il répondit par un hochement de tête.

— J'aimerais qu'on discute de ça. De ce que vous avez ressenti, de votre frustration à l'idée que l'information vitale que vous déteniez n'avait pas été prise en compte.

Il lui lança un regard amusé.

— Vous pensez que ça intéresse les gens, ça ?

— Bien sûr, Archie. Vous avez vécu un cauchemar. Les gens seraient fascinés de découvrir ce que ça fait, et je pense que ça les aiderait à reconsidérer leur opinion vous concernant. Au lieu de voir en vous un ancien détenu, ils comprendraient qui vous êtes vraiment : un père qui a protégé sa fille.

Il la dévisagea et tout en lui s'adoucit : le regard, l'expression, l'attitude.

— Merci.

Elle attendit.

— Mais ce n'est pas ça, l'histoire.

— Pardon ?

— Le meurtre de ma fille – oui, c'est une partie qui a beaucoup à voir avec ce qui s'est passé, et c'était mon histoire à l'époque – mais ce n'est plus le cas à présent.

Kitty baissa les yeux sur ses notes. Elle avait bossé jusqu'à 3 heures du matin, dans la chambre d'amis responsable de Sally.

— Alors c'est quoi l'histoire ?

Il détourna le regard.

— Je n'ai jamais cru en Dieu. Pas même à l'école, lorsque le prêtre essayait de nous inculquer la peur et la culpabilité. Je pensais qu'il avait la foi parce qu'il était fou. Qu'il avait des hallucinations. Je me disais que si on doit forcer les autres à croire avec autant d'obstination, c'est que ça ne vaut pas le coup, que ce n'est pas naturel. Vous comprenez mon raisonnement ?

Kitty acquiesça.

— Je faisais ma prière tous les soirs, c'était aussi machinal que de me brosser les dents. Je croyais en Dieu autant que dans les bactéries. C'était un truc utilisé par les adultes pour faire peur aux mômes, une habitude, un truc à faire. Je ne croyais pas en Dieu à six ans quand on a enterré ma mère, ni à sept quand j'ai fait ma première communion, ni à douze quand j'ai fait ma confirmation. Je ne croyais pas en Lui quand j'étais dans Sa maison et que je Lui ai promis d'être fidèle à mon épouse, mais, poursuivit-il en posant son regard plein de larmes sur Kitty, je L'ai remercié le jour où ma fille est née.

Il garda le silence.

— Pourquoi j'ai fait ça ? Pourquoi remercier quelqu'un en qui je ne crois pas ? C'est pourtant ce que j'ai fait. Sans réfléchir. Comme si c'était naturel. (Il réfléchit un instant.)

Puis les nuits sans sommeil ont commencé et je L'ai de nouveau oublié. De temps en temps, quand elle tombait malade, qu'elle avait de la fièvre, qu'elle se cognait la tête et qu'il fallait l'amener à l'hôpital pour la faire recoudre, je me souvenais de Son existence. Mais dès qu'elle arrêtait de pleurer et qu'elle retrouvait ce sourire radieux qui illuminait mon univers, je L'oubliais de nouveau. Ce n'est qu'une semaine après sa disparition, quand on a démarré la campagne de recherches, que je me suis souvenu de Son existence. J'ai commencé à prier. Tous les matins, en me réveillant, je priais pour que ce jour qui débutait soit celui de son retour. Puis c'est devenu plus fréquent. Je priais tout le temps. Ensuite, je me suis mis à aller à l'église. Tous les jours. Je pensais aussi souvent à Lui qu'à elle. J'ai investi tout mon temps et toute mon énergie pour faire des pactes et des promesses : si Tu la ramènes, je ferai ça ; si Tu nous aides à la retrouver en vie, je ferai ci ; si Tu nous aides à la retrouver tout court, je serai une bonne personne. Je L'ai supplié. Un adulte, agenouillé, suppliant. Je croyais en Lui pour de vrai, plus que jamais je ne l'avais fait de toute ma vie. Mais quand on a retrouvé son corps martyrisé, j'ai non seulement cessé de croire en Lui, mais j'ai cru si fortement en sa *non*-existence que j'étais désolé, voire agacé, par ceux qui croyaient. Je ne pouvais pas passer une seule minute en leur compagnie, pas même une seconde, et croyez-moi, ils sont tous sortis du bois quand on a trouvé Rebecca, pour nous *aider*. Leur croyance, leur naïveté, leur crédulité face à de telles balivernes m'ont fait enrager. J'ai pensé que leur croyance était un prétexte, une façon de se dédouaner, une incapacité à accomplir quoi que ce soit par eux-mêmes, un manque de responsabilité, une forme de négligence. L'idée d'un sauveur, de quelqu'un pour les guider me paraissait dangereuse. Ils étaient faibles. Pourquoi étaient-ils incapables d'accepter que leur vie n'appartenait qu'à eux ? Je voulais ne rien avoir à faire avec eux. Vous comprenez ?

— Oui. Vous ne croyez pas en Dieu.

Elle lui sourit faiblement.

— Non. *Je n'y croyais pas.* Puis je me suis mis à croire et Il m'a laissé tomber et j'ai passé sept ans à Le haïr, à haïr l'idée même de Son existence. Mais c'est comme Le remercier, pas vrai ? Comment haïr quelqu'un si on ne croit pas qu'il existe ?

Kitty l'écoutait avec une attention tellement soutenue qu'elle ne s'était pas rendu compte que son plat était arrivé. Elle but une gorgée d'eau en essayant d'évaluer où ils en étaient et où Archie voulait en venir.

Il la regardait.

— Vous n'allez pas me croire.

— Si.

— Je vous assure que non.

— Laissez-moi en juger.

Il baissa les yeux sur son thé qui devait être froid à présent : une fine pellicule s'était formée à sa surface. Il garda le silence pendant un long moment.

— Est-ce que votre famille sait ce que vous pensez que je ne vais pas croire ?

Elle voulait le ramener à la discussion.

Il secoua la tête.

— Personne n'est au courant.

— Ce sera donc un scoop.

— Ah, la journaliste est de retour.

Kitty se mit à rire.

— Vous êtes en contact avec votre famille ?

— Non, répondit-il à voix basse. Enfin, ils sont en contact avec moi, mais… j'ai un frère dans le comté de Mayo. Frank. Il a cinquante ans et il se marie. Incroyable, non ?

— Il n'y a pas d'âge limite pour s'aimer.

Kitty avait essayé de ne pas paraître sarcastique, mais c'était raté.

— Vous ne croyez pas à l'amour ?

— Cette semaine, je ne crois plus en rien.

— Mais vous prétendez que vous allez me croire ?

— Vous vous êtes montré très franc depuis le début. Et mon avenir dépend de vous.

Il sourit.

— Que pensez-vous de Dieu ?

— Je n'y crois pas, répondit-elle avec franchise.

Il accepta sa réponse.

— Vous voulez savoir ce que je pense de l'amour ? Je pense qu'il peut nous changer du tout au tout. On devient des idiots énamourés.

— Je doute que vous ayez jamais été comme ça, le taquina-t-elle.

— Si. Quand j'ai rencontré ma femme. Elle était magnifique. J'étais un idiot à l'époque. L'amour adoucit les gens, j'en suis certain. Mais chez moi l'amour a fait naître une rage qui me brûlait la peau, a remplacé mon sang et fait surgir ce qu'il y a de pire en moi. C'est pour ça qu'il vaut mieux que les gens que j'aime soient loin de moi. À Mayo, à Manchester. Peu importe.

Kitty le poussa à s'expliquer.

— L'amour que je porte aux gens prend des formes négatives, expliqua-t-il. Il est sombre, menaçant, bien loin de la guimauve et des mots tendres que les gens se murmurent à l'oreille. L'amour donne de l'élan aux gens. Moi, il me tire vers le bas. Je suis un démon prêt à défendre, à protéger, à faire n'importe quoi pour ceux que j'aime.

— C'est compréhensible vu ce que vous avez traversé.

— Vraiment ?

Il lui lança un regard surpris.

— Oui.

— Ces sept dernières années, j'ai eu l'impression d'être un monstre incapable d'aimer comme il faut. J'en ai conscience, et pourtant…

Il se perdit dans ses pensées. Elle devinait qu'il remettait en place ses remparts, la tension montait de nouveau, le mec dur était de retour.

Elle devait parler avant de le perdre définitivement.

— Archie, dites-moi de quoi il s'agit.

Il observa le tableau noir pendant un long moment, puis il se tourna pour regarder la femme assise plus loin. Il soupira, empêtré dans ses contradictions.

— J'écoute.

— Parfois… J'entends les prières des gens.

Kitty haussa les sourcils et attendit qu'il se mette à rire, qu'il prétende qu'il plaisantait, mais son expression demeura impassible. En quelques secondes, elle étudia les probabilités de gagner ou de perdre cette histoire. La femme se leva et quitta le café. Archie la suivit des yeux. Puis il reporta son attention sur Kitty. Il s'attendait certainement à ce qu'elle parte à son tour. Elle décida de miser.

— Qu'est-ce qu'elle dit ?

Pour la deuxième fois, il parut surpris que sa question n'ait pas été négative et qu'elle soit allée droit au but.

— « S'il vous plaît », répondit-il. Elle reste assise vingt minutes et elle dit : « S'il vous plaît » encore et encore.

Une fois assise dans le bus, Kitty se massa les tempes. Un homme qui entend les prières des autres ? Qu'est-ce qu'elle était censée penser d'un truc pareil ? Elle pouvait laisser tomber tout de suite, rayer Archie de la liste et passer au suivant. Quelqu'un de normal. Avec un timing aussi serré et Pete sur le dos, c'était vraisemblablement ce qu'elle devait faire, sauf que ce n'était pas sa liste, mais celle de Constance. Kitty se souvint de son ancienne elle, qui mourait d'envie de rencontrer des gens comme Archie et d'entendre de tels récits. Elle réfléchit à ce que Constance lui avait enseigné et comprit que c'était exactement le genre d'histoire qu'elle trouvait importante et que la Kitty de vingt-trois ans fraîchement sortie de l'université aurait évoqué dans un entretien d'embauche, ce qui n'aurait pas manqué d'intriguer Constance. Son amie était fascinée par tout ce qui était inhabituel et peu conventionnel. Son cœur se mit à battre plus vite en pensant aux possibilités. Peut-être qu'Archie avait entendu les prières de Mary-Rose, Birdie, Eva ou Ambrose, peut-être qu'il était le lien entre tous les noms de la liste. Il fallait qu'elle en apprenne davantage.

Elle contempla ce qu'elle venait d'écrire sur son carnet.

Nom numéro soixante-sept : Archie Hamilton
Titre de l'histoire : Homme de prière - De celui qui est hanté à ceux qui le sont, aux sanctifiés

Chapitre 19

À moins d'une semaine de la deadline et sans piste supplémentaire, Kitty était envahie par une panique grandissante. Elle appela Archie pour savoir si les noms de la liste lui disaient quelque chose. Il aboya « non » après la lecture de chacun et lui répéta à de nombreuses reprises qu'il ne connaissait pas les noms des gens dont il entendait les prières. Elle allait lire le huitième quand il lui raccrocha au nez. Si elle faisait preuve de pragmatisme – si tant est que ce soit possible quand on croyait cette histoire de prières –, même s'il avait entendu celles des gens de la liste, comment Constance aurait-elle pu le savoir ? Impossible. Cette histoire de prières ne pouvait pas être le lien entre eux.

Kitty devait absolument en rencontrer davantage. Il lui fallait plus d'indices. Elle s'assit sur une marche de Temple Bar Square et appela le numéro quatre.

— Monsieur Vysotski, Kitty Logan à l'appareil. Je suis journaliste pour le magazine *Etcetera* et je vous appelle au sujet de…

— Vous avez reçu le communiqué de presse ? hurla un homme à l'accent étranger.

— Pardon ?

— Le communiqué de presse. On l'a envoyé vendredi dernier. Je suis tellement content que vous l'ayez reçu. Vous venez à la conférence de presse ?

Il était si impatient et si excité, il parlait si vite qu'elle ne put s'empêcher de sourire.

—Oui, monsieur Vysotski, mais…

—Appelez-moi Jedrek!

—Jedrek. Où a lieu cette conférence de presse?

—C'est écrit sur le communiqué! Aujourd'hui à midi! À l'Erin's Isle GAA Club. Vous serez là, hein?

—Promis. Je serai là.

—Juré? Il y aura du thé et des biscuits. Mme Vysotski est une excellente pâtissière.

—À tout à l'heure, Jedrek.

Kitty raccrocha, excitée par cet ajout à sa liste de personnages originaux. Elle était face à un dilemme. Elle avait rendez-vous pour bruncher avec Eva Wu au Four Seasons où Eva devait rencontrer la famille de George Webb pour la première fois lors d'un déjeuner de préparation au mariage. Eva ou Jedrek…? Eva ou Jedrek…? Elle prit rapidement une décision et laissa tomber Eva pour la deuxième fois. Puis elle sortit de son sac la carte de visite que Sally lui avait donnée le matin même. Elle composa le numéro et patienta.

—Allô. J'appelle au sujet du poste d'enseignant pour le cours de présentation de la télévision. Mon amie Sally Collins m'a donné votre numéro…

Kitty arriva à l'Erin's Isle GAA à midi et quart, quinze minutes après le début de la conférence de presse. Traverser Finglas, le quartier où vivait Colin Maguire, l'avait angoissée; elle avait gardé la tête baissée tout le long du trajet en bus tout en le guettant sans arrêt. Elle poussa doucement la porte, espérant se faufiler à l'intérieur sans se faire remarquer ni perturber la conférence. Mais ça ne se passa pas comme ça. Derrière la porte, dans une grande salle, se tenaient deux hommes assis derrière une longue table. Face à eux des rangées de sièges avaient été alignées. Au premier rang était assise une seule personne, et un photographe, appareil photo autour du cou, mangeait un biscuit, debout près du buffet.

Quatre paires d'yeux étaient rivées sur elle.

— Désolée pour mon retard, s'excusa-t-elle en gagnant une chaise. Je suis Kitty Logan, du magazine *Etcetera*. J'ai eu Jedrek au téléphone.

— Ah, oui ! Mademoiselle Logan.

Un homme rondouillard se leva immédiatement et elle reconnut la voix et l'enthousiasme de son interlocuteur. Il avait une cinquantaine d'années et un ventre aussi rond qu'une femme enceinte de six mois. Il contourna la table, la main tendue. Son crâne était entièrement chauve, mais sa bouche était encadrée par un bouc sombre.

— Soyez la bienvenue, mademoiselle Logan. J'étais certain que vous viendriez, dit-il avec l'entrain d'un gros bouddha joyeux.

Il tendit un index vers son visage comme pour lui dire : « Je vous ai eue. » Kitty ne put s'empêcher de rire.

— Alenka, dit-il à une femme qui se tenait derrière le buffet. Une tasse de thé ou de café pour notre journaliste.

— Un café, s'il vous plaît.

— Asseyez-vous, asseyez-vous !

Il l'attrapa quasiment par les épaules pour la faire asseoir. Kitty avait envie de pouffer. Elle regarda la journaliste assise à côté d'elle.

— Vous êtes Katherine Logan ? demanda celle-ci, intriguée.

— Oui. (Kitty s'éclaircit la voix.) Et vous… ?

— Sheila Reilly du *Northside People*, la présenta Jedrek. Et son photographe, Tom, ajouta-t-il avec un grand geste de la main.

Ce dernier, qui était en train d'engloutir un sandwich, rougit lorsque tous les regards se tournèrent vers lui. Il marmonna quelque chose et fit un salut de la main.

— Mademoiselle Reilly, vous connaissez la nouvelle arrivée ? Elle est célèbre ? demanda Jedrek, les yeux brillants d'excitation.

— Euh… (Sheila jeta un coup d'œil incertain à Kitty. Cette dernière le soutint, tête haute.) Oui…

Elle marmonna quelque chose et reporta son attention sur Jedrek.

— Excellent ! commenta Jedrek en se frappant dans les mains. Mademoiselle Logan, je vous présente l'homme qui est à côté de moi. Achar Singh.

Un sikh du même âge que Jedrek, coiffé d'un turban orange vif, la salua d'un signe de tête en souriant.

Une Polonaise aimable servit une tasse de café et un biscuit à Kitty.

— Ma femme, Alenka, annonça Jedrek. La meilleure cuisinière de Pologne.

La table croulait sous les victuailles et, à en croire le nombre de chaises, ils avaient de grandes espérances quant à la participation. Mais même s'il n'y avait que trois personnes, ils étaient de bonne humeur. Kitty trempa son biscuit dans son café et leva le nez : tout le monde la dévisageait. Elle ferma la bouche et le bout humide du biscuit tomba dans sa tasse, éclaboussant son menton. Elle s'essuya.

— Désolée. On attend du monde avant de commencer ?

— Ça a déjà commencé, répondit l'autre journaliste. Et fini. Je dois retourner au bureau. Si vous voulez bien m'excuser…

Les deux hommes lui serrèrent la main et elle leur souhaita bonne chance.

— À plus tard, Tom, dit-elle à son photographe, qui leva son verre en signe d'au revoir.

— L'article paraîtra quand ? cria Jedrek.

— Oh. Hum. Il faut d'abord que j'en parle à mon rédac' chef. Je vous tiens au courant, répondit-elle rapidement avant de refermer la porte derrière elle.

Les deux hommes échangèrent un regard abattu avant de reporter leur attention sur Kitty.

— Bon. (Elle posa son café sur la chaise à côté de la sienne et sortit son carnet et son stylo.) Je n'ai pas reçu le communiqué de presse, je suis ici pour tout à fait autre chose, mais je suis intriguée. Qu'est-ce qui se passe ? Vous pouvez m'expliquer ?

Jedrek, le porte-parole, ne fut que trop heureux de s'exécuter.

— Je viens de Pologne et mon ami Achar est indien. Nous sommes tous les deux venus en Irlande pour trouver une vie meilleure et nous n'avons pas été déçus. Hélas, nous avons été licenciés lorsque l'entreprise pour laquelle nous travaillions, SR Technics, a quitté Dublin. Nous faisons partie des mille employés licenciés en un mois. C'est très difficile pour nous de retrouver du travail.

— Vous faisiez quel genre de métier ?

— SR Technics est une compagnie de maintenance aérienne qui fournit des pièces détachées pour les aubes des turbines des avions de ligne. L'usine se trouvait à l'aéroport de Dublin. L'entreprise a perdu de gros contrats et, vu le coût élevé de l'emploi en Irlande, elle a décidé de délocaliser. Mais notre avenir est à Dublin. Nos enfants et nos familles sont heureux ici, nos enfants vont à l'école, notre vie est ici. Le fils d'Achar est la star de son équipe de hockey gaélique sur gazon, le hurling, et c'est pour ça que nous avons le droit d'utiliser cette salle de temps en temps.

Achar semblait très fier. Le gardien du club qui attendait près de la porte, un trousseau de clés à la main, avait l'air de s'ennuyer ferme.

— Félicitations, dit Kitty.

— Merci.

— Donc… vous avez quelque chose à dire sur votre situation… ?

Elle était intéressée et émue par leur témoignage, mais une petite voix dans sa tête criait : « Pas encore une histoire de récession, s'il vous plaît, pas encore une histoire de récession. »

Ils échangèrent un regard.

— Si vous voulez…, commença Jedrek, incertain. Si vous pensez que ça pourrait nous aider… mais en fait on est là que pour l'enregistrement.

— L'enregistrement ? Vous faites de la musique ?

— Non, répondit Jedrek en se penchant sur la table, le regard brillant. On voudrait être enregistrés dans le Guinness des records comme les deux hommes les plus rapides sur cent mètres en pédalo, et on cherche des gens prêts à nous soutenir et nous encourager. Ce pays a besoin d'une histoire positive. On s'entraîne tous les jours – enfin, le plus possible, parce qu'Achar est très occupé avec son taxi – depuis neuf mois. Le club de voile local nous a donné un pédalo et on voudrait vraiment réussir. On a vendu des gâteaux, fait des vide-greniers et plein d'autres choses, mais on n'a réussi à réunir que quatre cent vingt et un euros et neuf centimes, ce qui n'est pas suffisant. Du coup, on va le faire tout seuls, mais on a besoin du soutien des gens.

— Vous aviez besoin de l'argent pour quoi faire ?

— Faire venir un juge coûte entre quatre et cinq mille euros par jour, en fonction de l'endroit où on se trouve. Le juge devrait venir de Londres. Du coup, on a décidé de s'en passer.

— Mais ce n'est pas obligatoire ?

— Non. On peut gagner le record et lui envoyer des preuves, mais il se réserve le droit de ne pas le valider.

— Mais on sait qu'un juge sera en Irlande jeudi, intervint Achar qui prenait la parole pour la première fois. Un ami à Cork nous a dit qu'il y en a un qui vient enregistrer un record.

— Achar, on en a déjà parlé, dit Jedrek. On ne peut pas aborder un juge pour un deuxième essai. Ça ne fonctionne pas comme ça.

— On peut au moins essayer, Jedrek.

Ils se regardèrent.

— On en discutera plus tard, affirma Jedrek sur un ton sans appel. Bon. Est-ce que vous allez écrire notre histoire, mademoiselle Logan ?

Kitty jeta un coup d'œil à Tom, le photographe. Il engouffra une tartelette à la cerise et examina la table en quête d'autre chose à manger. Elle n'était même pas sûre qu'il ait écouté un seul mot de leur conversation.

— Laissez-moi résumer. Vous êtes tous les deux des ingénieurs aéronautiques au chômage, et comme vous n'arrivez pas à retrouver du travail, vous voulez battre le record du cent mètres masculin en pédalo ?

— Oui, c'est ça, répondit Jedrek d'un air sombre.

Kitty se mit à rire.

— Je savais qu'elle ne nous prendrait pas au sérieux.

Achar se leva, furieux.

— Non ! Attendez ! Je suis désolée d'avoir ri. Vous m'avez mal comprise. Je ris parce que je suis heureuse, excitée, *soulagée*, expliqua-t-elle avec un grand sourire. Je serais ravie de raconter votre histoire.

— Vraiment ? demanda Achar, surpris.

— Et je pense que vous devriez essayer de battre votre record cette semaine, à Cork.

— Je te l'avais dit ! s'exclama Achar en se tournant vers Jedrek, qui ne semblait guère convaincu. Qu'est-ce qui ne va pas, Jedrek ? C'est exactement ce qu'on espérait.

Jedrek lança un regard méfiant à Kitty.

— Mademoiselle Logan a dit qu'elle n'avait pas reçu notre communiqué de presse et qu'elle était là pour autre chose. Avant que j'accepte qu'elle écrive notre histoire, je voudrais savoir ce qu'elle fait là.

Jedrek observait la journaliste depuis son siège sur le pédalo. C'était l'une des deux qui avaient daigné se montrer alors qu'ils avaient envoyé un communiqué de presse à tous les journaux, toutes les radios et toutes les télés irlandaises. Elle se tenait sur la rive de l'estuaire de Malahide, entourée de cygnes qui lui réclamaient du pain. Elle les chassait de la main tout en continuant sa conversation téléphonique.

— Qu'est-ce que tu en penses ? demanda Achar. Elle a l'air de s'intéresser à nous.

— Oui, répondit Jedrek, distrait.

Elle était en train de se disputer avec quelqu'un – son rédacteur en chef, apparemment –, et Jedrek trouvait que c'était mauvais signe, mais il ne voulait pas inquiéter son ami. Elle affirmait qu'elle révélerait quelque chose vendredi et pas avant. Jedrek appréciait qu'elle se batte pour eux – il était temps que les choses avancent en leur faveur –, mais il était évident qu'ils n'étaient pas son seul combat.

Achar lança un regard inquiet à son ami.

— Elle veut qu'on batte le record d'ici la fin de la semaine. On est prêts à faire ça en trois jours ?

— Achar, on est plus que prêts. Ça fait combien de temps qu'on s'entraîne, mon ami ?

— Neuf mois.

— Et combien de fois par semaine on s'est entraînés ?

— Cinq fois.

— Exactement. Est-ce qu'on a laissé le vent, la pluie, la neige ou la grêle nous détourner de notre but ?

— Non, Jedrek.

— Pas même la maladie. Je me souviens qu'on s'est entraînés alors qu'on avait la grippe. On y a investi tout notre temps libre. Nos familles, nos amis, les gars du pub et du club, le club de voile, tout le monde nous soutient. On est prêts, Achar.

— Oui, Jedrek.

Achar se redressa et carra les épaules ; il semblait avoir gagné plusieurs centimètres.

Achar était facile à ragaillardir, et Jedrek était très fort pour ça. Il avait exercé ce talent pendant le long hiver rigoureux quand leur motivation avait été entamée et que leur pédalo avait été réduit en pièces par une bande d'ados. C'était Jedrek qui s'était occupé de trouver des fonds pour le faire réparer. Cela les avait retardés de trois semaines, mais ils y étaient parvenus.

Jedrek savait que bien des gens trouvaient leur but risible, voire absurde, mais il était plus important que ce qu'il paraissait. Cela faisait trois ans qu'il ne travaillait plus. C'était un ouvrier qualifié qui avait toujours subvenu aux besoins de sa femme et de leurs trois enfants. Il avait aimé son métier et ses collègues et apprécié son rôle de soutien de famille. Il sentait que c'était ce qu'il devait faire et qu'il y parvenait bien. Lorsque ce devoir lui fut arraché, il perdit son enthousiasme. Il ne sut plus qui il était. Il se sentit inutile vis-à-vis de sa famille. Il était une source de déception puisqu'il ne parvenait pas à retrouver du travail. Il devait chercher un job dans une autre branche, puisque la sienne était bouchée, mais il mit du temps à l'admettre. Il avait fait une dépression ; il en était conscient à présent, même si à l'époque la moindre évocation de la maladie le faisait entrer dans une colère noire. Il était devenu difficile à vivre, changeant et irritable ; il cherchait toujours la bagarre, ayant l'impression que le monde entier était contre lui, et prenait tout très mal. Pendant ce temps, il se chercha un rôle, un rôle autoritaire, n'importe lequel, au sein de sa famille.

Une connaissance lui avait innocemment suggéré, sans malice aucune, de retourner chez lui s'il n'y avait plus rien pour lui ici. Mais ce que cet homme ne comprenait pas, c'est que c'était ici le foyer de Jedrek. Il vivait en Irlande depuis quatorze ans, ses trois enfants y étaient nés, avaient un passeport et l'accent irlandais. Ils allaient à l'école, avaient des amis – toute leur vie était à Dublin. La Pologne n'était pas leur foyer. Toute sa famille était dispersée aux quatre coins du monde : son frère était à Paris, sa sœur à New York. Ses parents étaient morts, il n'y avait donc plus d'attaches en dehors de ses souvenirs et de ceux d'Alenka, qu'ils essayaient désespérément de partager et de recréer avec leurs enfants tous les étés lorsqu'ils se rendaient en Pologne. Mais leur aîné, âgé de treize ans, en avait assez de ce pèlerinage dans un pays qu'il considérait comme étranger et ennuyeux. Bien évidemment, depuis trois ans, ils n'avaient plus les moyens de s'y rendre : les vacances en famille et le retour aux sources de Jedrek avaient tourné court.

Lors de son premier Noël au chômage, il trouva un emploi saisonnier de magasinier de nuit dans un supermarché. Mortifié, il ne l'avait dit à personne, mais avait éprouvé un léger soulagement en découvrant que son collègue était un architecte réputé qui avait ravalé sa fierté et décidé que seul comptait l'argent qu'il gagnait pour subvenir aux besoins de sa famille. Cela avait amélioré sa situation, mais voir sa femme obligée de faire le ménage chez les riches l'avait empli d'une culpabilité si profonde que leur couple en avait souffert. Sa femme était très patiente, même s'ils avaient eu leurs mauvais jours. On aurait dit que lorsque l'un des deux avait le moral, l'autre était déprimé, une relation en dents de scie qui ne survivait que si l'un des deux avait la tête hors de l'eau.

Après cet emploi au supermarché, Jedrek en avait trouvé quatre autres ici et là – chauffeur, déménageur –, mais rien de solide, rien qui lui permette d'utiliser ses talents et son savoir ou de mettre sa famille à l'abri du besoin. Mais neuf mois plus tôt, quelque chose avait changé. Neuf mois plus tôt, quand il avait retrouvé Achar au club de foot de l'Erin's Isle GAA, sa flamme, éteinte depuis longtemps, avait été ravivée.

Achar était son collègue chez SR Technics et, quand ils renouèrent, l'amitié entre les deux familles ramena de la joie dans les deux foyers. Leurs enfants avaient le même âge et aimaient jouer ensemble, leurs épouses s'entendaient bien, les sorties étaient plus agréables et Jedrek put compter sur le soutien d'un homme qui traversait exactement la même chose que lui. Il avait été incapable d'en parler à quiconque avant, mais Achar, lui, comprenait.

C'est lors d'une excursion au club de voile de Malahide, alors que Jedrek et Achar faisaient une course en pédalo contre leurs fils respectifs, qu'ils attirèrent l'attention des autres familles présentes ce jour-là. À la surprise générale, les pères de famille en surpoids gagnèrent la course. D'autres pères les défièrent et ils remportèrent toutes les courses, contre tout le monde. Ils eurent l'impression d'avoir accompli quelque chose, ils étaient bons, ils avaient empli leurs familles de fierté. Ils avaient un talent et ils entendaient qu'il soit reconnu. Ils avaient du temps, ils avaient la rage, ils avaient besoin que la société les reconnaisse. Cette tentative de record était beaucoup plus importante qu'il n'y paraissait au premier abord.

Kitty raccrocha enfin. Elle avait l'air épuisée et Jedrek savait reconnaître une personne sous pression.

— Prête ? cria-t-il.

— Désolée de vous avoir retenus, répondit-elle, chronomètre en main. Je suis prête.

— À trois, annonça Jedrek, et Achar et lui se préparèrent. Un, deux… trois.

Leurs jambes s'activèrent avec frénésie. Lorsqu'ils atteignirent la balise cent mètres plus loin, ils se retournèrent : Kitty sautait sur la pelouse, les pouces levés en signe de victoire.

Jedrek et Achar éclatèrent de rire et se frappèrent dans la main.

Kitty était assise dans le bus ; l'adrénaline courait tellement vite dans ses veines qu'elle avait envie de se lever et de danser. Au lieu de ça, elle sortit son carnet et écrivit :

Nom numéro quatre : Jedrek Vysotski
Titre de l'histoire : Guinness des records

Chapitre 20

Devant la porte de la chambre du Mater Hospital, Kitty entendait le bruit d'un sèche-cheveux : lorsqu'elle entra, elle trouva Mary-Rose au travail, penchée sur une chevelure. Quand elle aperçut Kitty, elle éteignit son instrument.

— Ah, parfait, mon assistante est arrivée.

La femme sous les cheveux lui jeta un coup d'œil entre deux mèches. Elle avait de grands yeux marron qui mangeaient son visage ratatiné. Kitty sentit le malaise l'envahir, mais elle sourit et la salua de la main avant de se reprocher d'avoir souri et de ne pas avoir parlé. Elle était comme ces gens qui ne savent jamais quoi dire aux enfants : face à des malades, elle se retrouvait à court de mots, aucun sujet de conversation ne lui venait, tout ce que son esprit s'obstinait à répéter en boucle c'était : « Ils sont malades, ils sont malades… »

— Diane est une belle mariée aujourd'hui, expliqua Mary-Rose.

Félicitations ? Était-elle censée dire ça ? Était-ce approprié ? Elle se mariait, mais elle allait mourir – comment pouvait-on être félicitée pour ça ? Finalement, Kitty se contenta de hocher la tête en disant :

— Ah.

— Je ne suis pas encore belle, déclara Diane. Avec un peu de chance, je le serai quand Mary-Rose en aura fini avec moi.

Kitty n'avait toujours rien dit.

— Rendez-moi service, vous voulez bien tenir ces épingles à chignon ? demanda la jeune fille en lui tendant une boîte.

Ravie d'avoir quelque chose à faire, Kitty obéit et se plaça derrière Diane afin de ne pas être obligée de la regarder. Elle accomplit son travail à la perfection, tendant une épingle alors que Mary-Rose en avait encore une dans la bouche et qu'elle était en train d'en enfoncer une deuxième fermement sur la tête de Diane.

Mary-Rose commença à bavarder de manière décontractée, sans aucune gêne, comme si c'était un jour comme les autres.

— Vous avez une demoiselle d'honneur ? demanda-t-elle, l'épingle toujours entre les dents.

— Ma fille, Serena. Elle ne va pas tarder à arriver. Elle est chez la coiffeuse, elle aussi. Elle a seize ans et elle est surexcitée.

— Je veux bien le croire. Sa mère se marie ! Même moi, je suis excitée.

Excitée ? Tout ce que voyait Kitty, c'était le malheur de perdre sa mère à seize ans.

— Je sais, je suis tout excitée moi aussi, dit Diane en riant. Je me demande juste pourquoi son père et moi avons attendu si longtemps !

— Vous allez faire un discours ? s'enquit Mary-Rose, et Kitty se demanda où elle trouvait de telles questions.

Elle était journaliste, elle était supposée pouvoir demander n'importe quoi mais son esprit était sec, ce qui n'était pas nouveau.

Mary-Rose releva des mèches, les déplaça, les tordit, les épingla, les manipula afin de les rendre plus soyeuses, plus épaisses, plus belles. La façon dont elle arrangeait chacune d'entre elles avant de passer à la suivante était fascinante.

— Je parlerai si je le peux. Serena a préparé un discours.

— C'est une fille courageuse.

— Très. (Il y eut un silence et Kitty se sentit embarrassée, mais Diane se mit soudain à rire.) Elle m'a aidée à choisir un cercueil, c'est dingue, non ?

Mary-Rose gloussa.

— J'espère que vous en avez choisi un beau.

Kitty faillit s'évanouir.

— Apparemment, la mode est aux cercueils personnalisables selon les goûts du défunt – avec les blasons des clubs de foot, ce genre de choses.

— Qu'est-ce que vous avez choisi ?

— Elle voulait que je prenne le thème du coucher de soleil – la mer, les palmiers, la plage. Je faisais du surf, vous savez.

— Ça a l'air beau.

— Trop pour partir en fumée, plaisanta Diane. Je vais être incinérée.

— Eh bien, ils pourraient toujours vous incinérer sans le cercueil, répliqua Mary-Rose, et les deux femmes explosèrent de rire.

Kitty n'en croyait pas ses oreilles ; elle les regardait, abasourdie. Comment pouvaient-elles plaisanter de la mort comme ça ?

— Oh, arrêtez, dit Diane en s'essuyant les yeux. Mon maquillage va couler.

— Ce n'est pas grave, je le referai. Une cliente m'a dit un jour qu'elle avait choisi un cercueil en chêne sombre parce que ça faisait ressortir la couleur de ses yeux.

Sur ce, elles rirent de plus belle.

La porte s'ouvrit et un membre du personnel annonça avec enthousiasme que la demoiselle d'honneur était arrivée.

— Oh, ma chérie. (Diane cessa immédiatement de rire en voyant sa fille, qui portait une jolie robe toute simple pour l'occasion.) Tu es magnifique.

—Arrête, maman, répondit Serena, gênée. On a dit qu'on ne pleurerait pas, tu te rappelles?

Elle s'approcha de sa mère pour la serrer dans ses bras, et Mary-Rose arrêta immédiatement de travailler et recula. Kitty l'imita. Lorsqu'elles se séparèrent, en larmes, Mary-Rose choisit le bon moment pour recommencer à coiffer Diane. Elle travaillait en silence et avec rapidité, presque invisible.

—J'ai fini, dit-elle en attrapant une épingle. C'est la dernière.

Elle entortilla une mèche autour de son index et l'épingla avec dextérité.

—Waouh, s'exclama Kitty, sortant enfin de sa réserve.

—Je veux voir, fit Diane, impatiente.

—Tenez ce miroir, ordonna Mary-Rose à Kitty.

Elle se plaça face à Diane avec un autre miroir, afin que cette dernière puisse voir l'intégralité de sa coiffure.

Diane garda le silence, mais son expression en disait long. Elle leva lentement les mains vers ses cheveux sans les toucher, et les laissa planer tendrement au-dessus de son visage. Ce dernier, qui avait l'air perdu sous la tignasse blonde, était maintenant chez lui.

—C'est superbe, murmura-t-elle.

—Maman…, la prévint Serena.

—Je ne vais pas…, dit-elle en refoulant ses larmes. On dirait juste que…

—Que? demanda Mary-Rose, nerveuse.

—Qu'ils sont de nouveau comme avant.

Et Kitty comprit enfin.

Elles observèrent une transformation sur les traits de Diane. Difficile de savoir à quoi elle pensait; qui diable pouvait l'imaginer en un moment pareil? Personne. Sauf Mary-Rose apparemment.

— Mais ce n'est pas vous, dit la jeune fille, à la grande surprise de Kitty.

Diane leva vers elle un regard d'abord étonné, puis embarrassé.

— Pas de problème, on peut tout défaire.

— Mais votre travail…

— Ce n'est pas l'important. C'est votre jour. Vous voulez que j'enlève tout ?

Diane regarda sa fille.

— Je te trouve magnifique, maman, mais c'est toi qui décides.

Diane réfléchit.

— J'ai l'impression que ce sont mes anciens cheveux sur… mon nouveau visage, et c'est bizarre.

— Aucun problème.

Sur ces mots, Mary-Rose ôta la perruque, révélant un crâne lisse.

Diane déglutit.

La différence de couleur entre son visage maquillé et sa tête chauve était criante.

— Je vais me contenter d'utiliser ma brosse magique, prévint Mary-Rose sur un ton enjoué, mais je vous préviens, ça chatouille.

Diane sourit et Serena se mit à rire.

— Je peux aider ?

Kitty fit un pas en arrière et regarda Mary-Rose et Serena brosser le crâne de Diane.

— Notre travail ici est terminé, dit Mary-Rose sur un ton satisfait tandis que la porte se refermait sur Serena, qui poussait sa mère en fauteuil roulant vers la salle de conférences de l'hôpital.

Les infirmières leur avaient emboîté le pas, ravies qu'un événement aussi positif ait lieu dans le service.

— Il lui reste combien de temps ?

— Je n'ai pas demandé, mais je pense quelques mois.

Mary-Rose commença à ranger ses affaires.

— Comment vous supportez tout ça ?

Kitty s'assit, épuisée.

— Ce n'est pas facile, je suppose, mais ce n'est pas si terrible… Je ne croyais pas au mariage. Mes parents se sont séparés quand j'étais jeune. Ça s'est mal passé. Je n'avais pas un exemple génial sous les yeux, mais j'ai plein d'amies qui se marient et je les coiffe. Toutes les mariées sont nerveuses pour des raisons différentes, qu'elles soient malades ou en bonne santé. Il faut juste deviner si elles ont envie de bavarder ou non. Certaines ne veulent pas. La grande différence, c'est que mes amies paniquent à l'idée de s'engager « pour la vie », alors que Diane s'inquiète parce qu'elle sait que ce ne sera pas possible. Quand je me marierai, je veux être comme elle et espérer contre toute attente que cela durera toujours.

Mary-Rose amenait sa mère prendre le thé à Dublin une fois par semaine. Elle insistait pour le faire malgré sa santé défaillante, et cette semaine-là elle avait choisi Powerscourt Townhouse, un centre commercial dans un immeuble georgien situé sur Grafton Street. Ça avait été jadis le lieu de réception de Richard Wingfield, troisième vicomte de Powerscount, et de sa femme, lady Amelia, et c'était un endroit très populaire pour sortir. Le patio avait été couvert et un grand restaurant occupait une partie du rez-de-chaussée, surplombé par des coursives de part et d'autre. Un piano jouait en sourdine derrière elles. Comme si Kitty n'avait pas eu sa dose de moments gênants avec des malades, voilà qu'elle prenait le thé avec Mary-Rose et une femme dont elle ne comprenait pas un traître mot parce que la moitié de son visage était paralysée. Comme elle l'avait déjà fait à l'hôpital, Mary-Rose jouait le rôle d'intermédiaire.

Tandis que Kitty expliquait à la mère de la jeune femme ce qu'elle faisait avec sa fille, une voix masculine interrompit toutes les conversations.

— Oh, non, gémit Mary-Rose en levant les yeux vers l'escalier principal.

Sam était là, micro en main.

— Mesdames et messieurs, votre attention, s'il vous plaît… (Il tapota le micro. Le silence se fit.) Je ne prendrai pas trop de votre temps, je sais bien que vous êtes tous en train de faire une pause agréable, mais j'ai quelque chose à dire à quelqu'un de spécial.

Un pépiement d'excitation parcourut la foule.

— Margaret Posslewaite, tu es là ?

Mary-Rose gémit de plus belle.

— Maggie, tu es là ? insista-t-il.

La mère de Mary-Rose lui donna un coup de coude et elle leva la main tandis que, de l'autre, elle se couvrait le visage.

— La voilà ! s'exclama-t-il. Maggie. Je veux te demander quelque chose devant tous ces gens.

Et voilà, certains soupirèrent, d'autres crièrent d'excitation, d'autres encore applaudirent, certains levèrent cyniquement les yeux au ciel. Sam fit un geste en direction du pianiste, qui entama « Moon River ».

— Tu te souviens, Maggie ? C'est sur cette chanson qu'on a dansé à notre premier rendez-vous.

La foule fit entendre un « ooooh » ému.

Sam descendit lentement l'escalier en chantant.

— Oh, bon sang, dit Mary-Rose.

Sa mère se mit à rire.

— Dès notre première danse à notre premier rendez-vous, j'ai su que je voulais passer ma vie avec toi. Tu m'as ensorcelé avec ton merengue et ton cha-cha-cha quand on s'est rencontrés au cours de danse de la YMCA.

Mary-Rose enfouit le visage dans ses mains pour réprimer un fou rire.

— Mais c'est la salsa (il fit un petit mouvement du bassin et la foule l'acclama) qui m'a fait comprendre que je voulais passer le restant de mes jours à tes côtés.

Les gens crièrent.

— Margaret… (Il s'approcha, vola une rose sur la table voisine et s'agenouilla sous un tonnerre d'applaudissements.) Ma meilleure amie. Veux-tu m'épouser ?

Seule Kitty devinait combien Mary-Rose devait prendre sur elle pour garder un visage impassible et contenir son fou rire.

— Oui, dit-elle, mais la foule était trop occupée à applaudir pour l'entendre.

Quelqu'un demanda le silence qui se fit dans le centre commercial.

Sam et Mary-Rose étaient presque nez à nez.

— Je n'ai pas entendu, dit Sam dans le micro avant de le lui mettre sous le nez.

Elle lui lança un regard d'avertissement auquel il répondit par un sourire dégoulinant.

— Oui, dit-elle dans le micro, et tout le centre commercial hurla de joie.

Ils tombèrent dans les bras l'un de l'autre, et le directeur du restaurant fit son apparition, menus en main, pour leur annoncer que la maison leur offrait à boire.

— C'était une réussite, pouffa Mary-Rose, rayonnante. D'accord, tu m'as eue. C'était peut-être l'une de tes meilleures prestations.

Il haussa les épaules en riant.

— Il fallait bien impressionner la belle-mère. Bonjour, Judy.

Il déposa un baiser sur le front de la mère de Mary-Rose. Judy dit quelque chose que Kitty ne comprit pas et Sam, qui avait parfaitement saisi, éclata de rire.

Une jeune femme, que Kitty avait prise pour une serveuse, les rejoignit.

— Je peux me joindre à vous à présent ? demanda-t-elle avec un grand sourire. C'est bon ?

— Bien sûr, dit Sam. Les filles, je vous présente Aoife. J'espère que ça ne vous ennuie pas qu'elle se joigne à nous.

Mary-Rose dissimula très vite sa perplexité.

— Oui, je veux dire non… Enfin, ça ne me dérange pas.

— Aoife, voici Kitty, une amie de Mary-Rose. D'ailleurs j'ai des tas de choses à vous raconter, lui dit-il avec un clin d'œil et Kitty se mit à rire. Aoife, voici ma meilleure amie et future épouse, Margaret Posslewaite, aussi connue sous le nom de Mary-Rose.

— Félicitations, dit Aoife en se penchant pour l'embrasser.

Mary-Rose sembla embarrassée.

— Aoife et moi nous sommes rencontrés il y a quelques semaines au travail. Je me suis dit que c'était le moment idéal pour que vous vous rencontriez, expliqua Sam, un peu gêné.

— Ah, oui, bien sûr, répondit Mary-Rose, qui essayait toujours de se ressaisir.

— J'ai beaucoup entendu parler de vous, fit Aoife avec enthousiasme, désireuse de faire bonne impression.

— Eh bien, je…

Mary-Rose ne savait que dire.

— Ne t'inquiète pas, je ne lui ai pas parlé de nos bains, intervint Sam, et Aoife se mit à rire.

— Qu'est-ce que vous n'avez pas fait ensemble ? demanda-t-elle.

Sa question était innocente, mais elle avait un sens caché pour Mary-Rose, qui fut immédiatement gênée, ce qui n'échappa pas à Sam, embarrassé à son tour. Mais Aoife ne remarqua rien. Pour impressionner l'amie de son petit ami, elle poursuivit :

— En parlant de bains, est-ce que vous avez déjà essayé de laver Scotty ? Il est impossible !

Aoife entreprit de raconter comment Sam et elle avaient tenté de donner un bain au chien de ce dernier, mais Kitty n'écoutait pas. Elle surprit un bref regard entre la mère et la fille, et vit Judy serrer la main de Mary-Rose sous la table.

Nom numéro sept : Mary-Rose Godfrey
Titre de l'histoire : Celle qu'on demande en mariage

CHAPITRE 21

Après son après-midi avec Mary-Rose, Kitty se rendit à la maison de retraite Sainte-Margaret pour y retrouver Birdie. Elle aimait passer du temps en sa compagnie et écouter ses histoires du temps jadis, elle aimait son élégance, sa gentillesse et son ouverture d'esprit. Kitty avait passé plus de temps avec elle qu'avec les autres de la liste, mais, en réécoutant ses enregistrements, elle se rendit compte qu'elle avait une question à lui poser. Il faisait encore jour et soleil même si, à 18 heures, une certaine fraîcheur était en train de s'installer. Bien des résidents étaient dehors, assis à l'ombre, et c'est là que Kitty trouva Birdie, soigneusement vêtue comme à son habitude, les pieds posés sur une chaise de jardin, le visage tourné vers le soleil, les yeux clos.

— Comment va la reine du jour ? dit Kitty doucement pour ne pas lui faire peur.

Birdie ouvrit les yeux en souriant.

— Bonjour, Kitty. Je suis ravie de vous voir. (Elle ôta les pieds de la chaise.) Ce n'est pas encore mon anniversaire. Non pas que j'aie l'intention de le célébrer. Quatre-vingt-cinq ans, vous imaginez un peu ?

Elle secoua la tête, blasée.

— Vous ne faites pas un jour de plus que quatre-vingts ans, constata Kitty, ce qui fit rire Birdie. Vous allez bien fêter ça quelque part, pas vrai ?

Kitty voulait avoir le fin mot de l'histoire. Elle y pensait depuis plusieurs jours : où diable une femme de cet âge allait-elle passer son anniversaire si ce n'était pas avec sa famille et si elle avait décidé de ne rien dire à personne ?

— Eh bien, non, je ne compte pas le fêter. (La vieille dame ôta une poussière invisible de sa jupe.) N'est-ce pas un jour épatant ?

Kitty sourit. Elle aimait les défis.

— Votre anniversaire est jeudi, n'est-ce pas ?

— Oui.

— Et vous passerez la journée ailleurs ?

— Absolument. Je serai absente, mais nous pouvons nous voir samedi ou dimanche, si cela vous convient. Voire jeudi matin, mais j'ai peur de vous ennuyer avec toutes mes histoires.

Kitty sourit.

— Birdie, je peux vous demander où vous allez ?

— Oh, ça n'a pas d'importance, Kitty, c'est juste…

— Birdie…, l'avertit Kitty, et Birdie finit par sourire.

— Vous ne supportez pas les refus, pas vrai ?

— Jamais.

— Bon, très bien. Je n'ai pas été tout à fait honnête avec vous, Kitty, et je m'en excuse.

Cette dernière tendit l'oreille, excitée.

— Oui ?

— Mais seulement parce que c'est un détail idiot qui n'a aucun intérêt pour votre article.

— Laissez-moi en juger.

La vieille dame soupira.

— Je vous ai raconté qu'enfant j'ai été très malade.

— Vous avez eu la tuberculose.

— C'était une maladie fatale à l'époque, comme une condamnation à mort. Quatre mille personnes en mouraient chaque année. (Elle secoua la tête.) C'était une maladie infamante. J'avais quatorze ans et j'ai été envoyée dans un sanatorium juste en dehors de la ville, où je suis restée six mois avant que mon père, Dieu bénisse son âme, décide de m'en faire sortir pour m'emmener en Suisse. Les médecins pensaient que l'air frais me ferait du bien. Après l'été, on a proposé à mon père le poste de directeur d'école, et on est rentrés, mais à cause de ma santé, je ne pouvais pas faire grand-chose. Les gens mouraient comme des mouches dans les sanatoriums. Mais, à cause de ma maladie, mon père me traitait comme si j'étais en sucre. Il avait des plans pour moi, il était très autoritaire – il contrôlait mes fréquentations et même mes amours, ajouta-t-elle tristement. Même quand j'ai commencé à aller mieux, il n'a pas changé. J'étais sa petite fille malade, sa dernière, et il ne voulait pas, il ne pouvait pas, je suppose, me laisser partir.

Elle garda le silence.

— C'est tellement bête, Kitty.

— Non. Racontez-moi. S'il vous plaît.

— Je suppose que je m'étais habituée à être traitée comme si je pouvais me briser à tout moment. Ne pas courir trop vite, ne pas sauter trop haut, ne pas rire trop fort, ne rien faire de trop, rester mesurée... Je n'ai jamais aimé ça. Toute la ville savait que la fille du directeur était malade, et la plupart pensaient que la tuberculose récidiverait. J'étais frêle, fragile, pas comme les autres. Je pouvais mourir à tout moment, et il y avait des chances pour que je n'atteigne jamais dix-huit ans. Lorsque je suis partie, j'ai brisé le cœur de mon père, mais j'avais besoin d'avoir mon propre espace et ma propre identité. J'ai oublié tous ces sentiments au fil des années. Je me suis mariée, j'ai eu des enfants, je les ai élevés et je me suis occupée des autres pour changer. Mais je vois que je n'ai fait que ça. Comme si ça avait été ma façon de protester contre mon adolescence. Je suis devenue nourrice et je me suis occupée des enfants des autres, parce que je ne voulais plus qu'on s'occupe de moi. Mais depuis que je suis ici, tout est remonté. Le sentiment de… (Elle réfléchit et fit une petite grimace.)… d'être bichonnée en permanence. Je me sens impuissante. Mes enfants, que pourtant j'aime, m'ont déjà rayée de leur vie. Je suis vieille, je sais bien, mais j'ai encore de la réserve. Je suis encore… vivante! (Elle gloussa.) Oh, si le village me voyait à présent.

Elle lança un regard malicieux à Kitty.

—Le jour de mes dix-huit ans, j'ai fait un pari. J'ai utilisé l'argent que mon père m'avait donné le jour où j'ai quitté le village pour toujours et j'ai parié.

—Vous avez parié quoi?

—Que j'atteindrais l'âge de quatre-vingt-cinq ans.

Kitty écarquilla les yeux.

—On peut parier ce genre de chose?

—Josie O'Hara, l'homme le plus cruel de la ville, avait des bookmakers dans sa famille depuis toujours. Il pensait que j'allais mourir comme les autres et il a accepté le pari.

—Combien avez-vous misé?

—Cent livres. À l'époque, c'était une somme énorme. Et le bookmaker était tellement sûr que je perdrais qu'il m'a proposé de miser à cent contre un.

—Ça veut donc dire qu'à la grande consternation du bookmaker vous allez récolter…

Kitty se mit à calculer.

—Dix mille livres, gloussa Birdie.

—Birdie! s'exclama Kitty. C'est phénoménal! Dix mille!

—Oui. Mais ce n'est pas seulement une question d'argent, expliqua la vieille dame en retrouvant son sérieux. Même si aucun de ces vieux bonhommes n'est encore en vie. Il faut juste que j'y revienne moi-même.

— Vous avez quelque chose à finir, conclut Kitty qui trouvait cette histoire géniale.

— Oui, je suppose, répondit Birdie après réflexion.

— Bon, voilà le plan, intervint Molly, en se penchant vers elles avec des airs de conspiratrice. Maintenant que vous êtes au courant, vous pouvez nous donner un coup de main.

— Oh, ne mêlez pas la pauvre Kitty à tout ça.

— Vous plaisantez ? Je ne raterais ça pour rien au monde !

— Vraiment ?

— C'est l'histoire la plus excitante que j'aie entendue de la journée. Enfin, à part celle de l'homme qui entend les prières des autres et celle de la femme qu'on demande en mariage toutes les semaines.

— Quoi ? demanda Molly.

— Rien.

— Alors voilà. Le bus ne sera pas utilisé à partir de jeudi matin, une fois que les Oldtown Pistols seront rentrés de la demi-finale contre les Balbriggan Eagles et jusqu'à vendredi soir, quand les Pink Ladies iront bridger. Ça nous laisse donc une fenêtre d'action. Je propose qu'on prenne le bus à 10 heures, qu'on aille à Cork, où on passera la nuit, on récolte l'argent et on rentre vendredi.

— Une minute, fit Kitty. On prend le bus de la maison de retraite ?

— À moins que vous n'ayez une voiture ou une idée, je ne vois pas d'autre solution.

— Vous avez le droit de prendre cet autobus ?

— Il est strictement réservé aux activités des résidents.

— Donc, vous n'êtes pas autorisée à le prendre.

— Non.

— Donc, vous envisagez de *voler* le bus.

— J'envisage de *l'emprunter*.

— Birdie, fit Kitty, surprise, vous étiez au courant ?

— Elle va récupérer dix mille balles – elle se fiche du moyen de transport ! Je me ferai taper sur les doigts quand ils le découvriront mais je m'en fiche. Et puis Bernadette n'en saura rien. On aura fait l'aller-retour avant même qu'elle ne remarque notre absence.

Kitty réfléchit : ça avait l'air innocent dit comme ça, mais elle n'avait pas besoin d'ajouter le vol de voiture à son casier.

— Et vous, Molly ? On ne va pas remarquer votre absence ?

— Je ne travaille pas ces deux jours-là. Je reprends vendredi soir. Et, avant que vous ne posiez la question, pour la vieille mégère, Birdie va passer la nuit chez ses enfants pour son anniversaire.

— Vous avez pensé à tout.

Molly et Birdie gloussèrent.

— Alors ? demanda Molly. Vous venez ?

— Je viens.

Les trois femmes posèrent leurs mains l'une sur l'autre au centre de la table.

Sur le chemin du retour, Kitty sortit son carnet.

Nom numéro six : Bridget Murphy
Titre de l'histoire : Le magot de Birdie

Après cette longue journée passée à travailler sur son article, Kitty avait enfin l'impression d'aller quelque part. Elle avait gratté la surface et eu un aperçu des gens qui se cachaient dessous, cette partie secrète que tout le monde dissimule sous un masque, sous la politesse, sous l'insécurité. Elle avait l'impression d'atteindre la partie croustillante. Pourtant, elle n'avait contacté que six des cent personnes de la liste, à moins d'une semaine de la deadline, et n'avait toujours pas trouvé de lien entre les noms. Est-ce que le point commun était les secrets, comme pour Archie et Birdie ? Si c'était le cas, il fallait qu'elle creuse davantage auprès des autres.

Elle appela Pete pour la deuxième fois de la journée.

— T'as intérêt à avoir quelque chose pour moi, Lois Lane.

Elle se mit à rire.

— Je ne suis pas prête à te révéler quoi que ce soit. Je t'ai dit, pas avant vendredi. J'ai oublié de te demander le calibrage de l'article.

Un silence.

— Kitty, étant donné que tu devrais avoir terminé et en être à la relecture pour me rendre un article parfait, je suis étonné par ta question.

— Le méchant Pete est de retour ?

Elle se déplaça vers l'arrière du bus pour plus d'intimité.

— Le méchant Pete..., répéta-t-il en riant. C'est moi, ça ?

— Tu peux être très chiant, oui.

— Je n'ai aucune envie d'être très chiant, répondit-il, et elle put presque sentir son souffle sur sa joue, comme dans une de ces conversations où chaque pause, chaque mot et chaque soupir ont un sens. Pas avec toi, en tout cas.

Elle sourit puis jeta un regard autour d'elle pour vérifier que personne n'avait surpris son sourire débile.

— Tu as écrit combien de mots ? demanda-t-il plus doucement.

— Tu ne peux pas répondre à une question par une question, Pete. J'ai demandé en premier.

— D'accord.

On aurait dit au son de sa voix qu'il était en train de s'étirer et elle imagina ses épaules musclées puis ses mains en train de la caresser. Elle fut la première surprise par ce fantasme : c'était Pete, le méchant Pete, Pete le rédac' chef, celui qui lui avait filé des cauchemars plus souvent qu'à son tour et pas des fantasmes sexuels dans un bus. C'était quoi ce délire ?

— C'est l'article principal, donc tu as cinq mille mots. Je peux réduire à quatre mille si tu n'y arrives pas. Tu pourras l'illustrer avec des bonhommes bâtons pour remplir les blancs ou un truc du genre.

— Ça ne me pose aucun problème – enfin, si, mais dans l'autre sens. J'ai trop de matériau. Raconter les vies de cent personnes en cinq mille mots, c'est impossible.

— Kitty…

Son ton était alarmant.

— Je sais, je sais, écoute-moi.

— Non, j'ai compris. C'est ton bébé, tu vas jusqu'au bout. Si c'était l'idée de Constance, elle aurait trouvé un moyen de rédiger ça. Tu la connaissais mieux que quiconque, tu es une journaliste très talentueuse, Kitty, je suis certain que tu vas trouver un moyen.

Kitty sourit en entendant ses compliments : ils avaient été plutôt rares ces derniers mois.

— Merci.

— Je le pense vraiment, mais je ne veux plus jamais avoir à te le répéter.

— Je sais, tu as dû souffrir en le disant.

— Tu crois que je te déteste. (Il y avait un sourire dans sa voix. Il parla plus bas afin que personne ne l'entende.) Qu'est-ce que je peux faire pour te prouver le contraire ?

Elle s'entendit répondre :

— Mmm.

Ils éclatèrent de rire.

— Tu fais quoi ce soir ? demanda-t-il.

— Oh, crois-moi, tu ne veux pas savoir, répondit-elle en songeant au fumier qui l'attendait dans l'escalier, à Zhi et à l'interminable nuit de nettoyage.

— Tu es occupée, donc.

— Pourquoi ?

Elle se redressa, le cœur battant. Elle aurait voulu faire machine arrière et dire qu'en fait elle n'avait rien de prévu. À quoi avait-elle pensé ? Sa réponse avait été délibérément suggestive, le conduisant à lui faire une proposition, et voilà qu'elle avait été trop absorbée par ses problèmes de fumier pour s'en rendre compte.

— Oh, comme ça. (Pete s'éclaircit la voix.) Je travaille tard pour boucler tout ça. Je reste ici tous les soirs jusqu'à 22 ou 23 heures : si tu as besoin d'aide, ou si tu veux qu'on discute, n'hésite pas à passer.

— Merci, Pete.

— Sinon, et je remets mon chapeau de rédac' chef là, tu sais que la deadline c'est vendredi. On a une réunion ce jour-là et je veux que tu y assistes pour présenter ton article. Je n'accepterai aucune excuse.

Kitty descendit du bus un peu plus légère. Lorsqu'elle atteignit son appartement, elle s'attendait à être accueillie par l'odeur du fumier, mais tout avait été nettoyé. Ça sentait la térébenthine, ce qui était nettement mieux. Elle poussa la porte du pressing, radieuse.

— Merci beaucoup, Zhi. Je ne sais pas comment vous remercier d'avoir nettoyé. J'ai l'intention de…

— Ma femme. Elle fait, aboya-t-il, et une femme à l'air menaçant se redressa de sur sa presse pour lui lancer un regard noir.

— Ah. Madame Wong, merci beaucoup.

Elle grogna.

— Nous pas faire ça pour vous. Nettoyage pour locataire. On montre appartement. Nouvelle fille arrive dans deux semaines.

— Vous avez fait visiter mon appartement ?

— *Mon* appartement. Oui.

— Mais vous n'avez pas le droit sans ma permission, Zhi. Vous ne pouvez pas laisser quelqu'un entrer chez moi sans me le dire. C'est… c'est… contre les règles de notre contrat.

Il lui lança un regard blasé.

— Écrivez ça dans votre journal.

Elle était désespérée, mais il n'en avait cure. Elle s'éloigna lentement du comptoir. Juste au moment où elle refermait la porte de la boutique, elle entendit Zhi crier :

— Deux semaines. Dehors.

Kitty s'assit à la table de sa cuisine, les noms des six sujets étalés devant elle. Chacun était écrit sur un bristol, avec dessous son histoire. Elle les disposa avec soin et les étudia longuement, une par une, en espérant qu'un lien surgirait dans son esprit. Elle tambourina sur la table en contemplant les quatre-vingt-quatorze autres noms : elle en avait contacté beaucoup, mais n'avait pas eu le temps de les rencontrer, pour les autres, ils vivaient tellement loin de Dublin qu'elle ne leur avait pas accordé plus d'une pensée. Son estomac gronda. Elle n'avait rien mangé depuis le thé avec Mary-Rose, mais son frigo était vide, elle n'avait pas le temps d'aller faire des courses et aucune envie de se laisser distraire. Elle était perdue dans les histoires des hommes et des femmes qui envahissaient son esprit : Archie, Eva, Birdie, Mary-Rose, Ambrose et Jedrek. Leurs inquiétudes et leurs problèmes étaient les siens, leurs joies ses joies, tout comme leurs succès et leurs échecs.

Mais – et c'était un grand mais – elle avait beau regarder leurs noms et être intriguée par leurs histoires individuelles, ils ne formaient pas et ne pouvaient pas former une seule histoire pour l'hommage à Constance, une histoire qui lierait étroitement leurs vies ensemble et les unirait sous une glorieuse bannière. Kitty posa le front sur la surface fraîche de la table en gémissant. Pete lui avait donné jusqu'au vendredi et il ne plaisantait pas. Il avait supporté sa procrastination suffisamment longtemps. Il avait réussi elle ne savait comment à calmer les annonceurs paniqués, lui avait permis de continuer à écrire pour le magazine, et elle lui en serait éternellement reconnaissante. Il s'était battu pour elle, et il était temps qu'elle lui renvoie l'ascenseur en tenant sa promesse, mais elle avait été tellement occupée par cette liste qu'elle n'avait pas eu le temps de regarder la vérité en face. Et la vérité, c'était qu'elle était dans la panade. Il était temps de l'admettre, non pas uniquement pour elle-même, mais devant quelqu'un de plus important.

Kitty frappa à la porte de Bob. C'était le seul à qui elle pouvait parler avec honnêteté de l'histoire de Constance, et elle espérait que, comme il la connaissait très bien, il pourrait l'aider d'une manière ou d'une autre.

Bob ouvrit la porte, un sourire fatigué aux lèvres.

—Je t'attendais.

—Ah bon ?

—Je pensais que tu viendrais plus tôt. Beaucoup plus tôt. Pas grave. Entre.

Il ouvrit la porte en grand et disparut dans le couloir.

Il avait l'air de bonne humeur, mais épuisé. Il marchait avec une lassitude que Kitty ressentait aussi, née d'une tristesse constante, d'un vide dans leurs cœurs. Leurs cœurs savaient qu'il manquait quelque chose et qu'ils devaient travailler plus dur pour compenser.

Le salon était toujours aussi encombré. La mort de Constance n'y avait rien changé, au contraire. Teresa n'avait pas cherché à changer le système de rangement de Bob et de Constance, même si Kitty était certaine que Bob se serait battu bec et ongles si elle avait essayé d'introduire une façon de vivre plus banale et convenue. Dans ce désordre se cachait un ordre que personne ne pouvait déchiffrer. Impossible de s'asseoir à la table de la cuisine. Elle disparaissait sous les papiers et les objets divers qui se déversaient jusque sur les six chaises placées tout autour.

— Un café ? proposa Bob.

— Je veux bien, merci.

Kitty savait qu'elle avait besoin de dormir, mais ce n'étaient pas une tasse ou deux qui allaient changer quoi que ce soit. Elle ne dormait plus depuis des semaines et elle craignait fort que les choses ne s'arrangent pas vraiment d'un coup. De plus, elle avait besoin d'être alerte pour la discussion qui allait suivre. Il fallait qu'elle dissipe le brouillard qui avait envahi son esprit : il lui semblait avoir examiné toutes les avenues possibles de cette histoire et fouillé toutes les maisons trouvées le long du chemin comme s'il s'agissait d'une chasse à l'homme. Elle devait considérer l'ensemble d'un œil neuf, rembobiner, repartir de zéro et, pour ce faire, elle avait besoin de l'aide de Bob. Ce qui l'avait empêchée de la demander plus tôt était le soutien galant qu'il lui avait accordé face à Pete et Cheryl. Elle devait à présent lui avouer qu'elle n'avait pas tenu sa promesse. Elle se décevait elle-même et elle allait décevoir Bob, mais, là, dans la maison de Constance, alors qu'elle sentait la présence de son amie comme si elle était dans la pièce à côté, l'idée de la trahir, elle, était plus terrifiante et douloureuse que tout le reste. Elle était censée incarner la voix de Constance maintenant que cette dernière était réduite au silence, et au lieu de ça elle bafouillait et bégayait, fredonnait et hésitait, bien moins éloquente que Constance ne continuait à l'être outre-tombe.

Un moment s'était écoulé pendant lequel Kitty avait étudié les objets qui encombraient toutes les surfaces. Elle se rendit soudain compte qu'elle ne sentait pas l'arôme du café ni n'entendait Bob fourrager dans la cuisine. Elle le trouva debout au milieu de la petite pièce, paralysé, les yeux rivés sur les placards sans les voir, plus perdu que jamais. Même si Bob avait dix ans de plus que Constance, ils avaient toujours donné l'impression d'avoir le même âge. Kitty n'avait jamais réussi à démêler si c'était Constance qui faisait plus que son âge ou Bob qui avait l'air plus juvénile ; quoi qu'il en soit, ils étaient parfaitement assortis, toujours pareils, toujours synchro, et on n'aurait jamais dit qu'ils avaient dix ans d'écart, sauf en de rares occasions où leurs avis divergeaient. C'était comme s'ils étaient arrivés sur la planète au même moment et s'étaient tenu compagnie depuis, accomplissant leur destin. Kitty avait du mal à imaginer la vie de Constance avant Bob et celle de Bob avant Constance. Était-il possible qu'il ait vécu dix ans avant qu'elle arrive sur Terre ? Kitty se demandait s'il avait senti quelque chose sans comprendre ce dont il s'agissait le jour où elle était née, le moment où la vie d'un garçon de dix ans qui grandissait à Dublin avait soudain pris tout son sens à cause de l'arrivée d'une petite âme à Paris.

En regardant son ami en cet instant, Kitty apercevait le Bob sans Constance, et on aurait dit un corps sans âme. Une petite flamme s'était éteinte.

— Bob, dit doucement Kitty en posant une main sur son épaule.

— Oui.

Il se redressa et revint à lui comme s'il se souvenait soudain qu'il avait une invitée.

— Je vais préparer le café. Assieds-toi et détends-toi, proposa-t-elle avec désinvolture, tout en l'écartant doucement.

Elle ouvrit le placard.

— Oui, oui, bien sûr, répondit-il, visiblement absorbé dans ses pensées.

Il s'assit sur le seul fauteuil qui n'était pas encombré de magazines et de journaux.

Dans les placards, Kitty découvrit des livres entassés comme dans une bibliothèque normale. Toutes les étagères en étaient remplies : pas une seule tasse, soucoupe ou assiette en vue, pas même de la nourriture. Elle fronça les sourcils et chercha la cafetière et les tasses, mais sans succès. Elle se mit à raisonner comme Bob et Constance et gagna le salon pour chercher les tasses dans les bibliothèques. Échec. Ni logique ni tasse, mais pléthore de livres. Elle abandonna momentanément sa recherche de tasses et s'attaqua à la cafetière. Elle ne la trouva pas, pas plus que du café, juste la théière qui avait longtemps servi de tirelire.

— Bob, dit-elle en réprimant un rire, où est-ce que tu ranges le café ?

— Oh, répondit-il soudain comme s'il ne s'était jamais posé la question. On le prend toujours dehors, mais Teresa en boit toute la journée. Il doit y en avoir quelque part.

Kitty regarda autour d'elle. Le calendrier de l'année était un Kamasutra illustré. Accroché sur le frigo avec un Post-it, il faisait l'éloge de la position du mois de mai : « l'équerre ». Kitty ouvrit le frigo, qui se révéla vide, à sa grande déception : elle espérait quelque chose d'excitant vu ce qu'il y avait sur sa porte.

— Elle apporte peut-être le sien…

Elle laissa son regard errer sur les étagères vides.

— On boit du vin le soir.

Bob parlait pour lui et le fauteuil vide qui lui faisait face.

C'était logique. Constance buvait une bouteille de vin rouge tous les soirs et Kitty trouva que c'était une bien meilleure idée que le café.

— Et où se cachent les bouteilles ? demanda Kitty avec un sourire affectueux à l'adresse de Bob.

Il sourit en retour et ses yeux se mirent à briller.

— Mme Main-Verte aimait les stocker dans l'appentis.

Kitty sortit dans le jardin, où il faisait encore jour, et traversa la pelouse. Elle déverrouilla l'appentis et pénétra à l'intérieur. Une odeur d'humidité et d'humus lui sauta à la gorge. Elle alluma l'ampoule nue qui se balançait dangereusement au bout d'un fil électrique au milieu du plafond et découvrit des rangées de bouteilles de vin rouge plantées dans des pots en terre cuite.

— Elle aimait les garder au chaud, expliqua Bob en surgissant derrière elle. Elle tenait absolument à ce qu'elles aient leur propre lit et ne soient jamais exposées à une température inférieure à dix degrés.

Kitty se mit à rire.

— C'est évident. Et ça, c'est quoi ?

Il y avait des dizaines d'autres pots dans lesquels des Post-it étaient empalés sur des bâtons.

— Ses idées.

Kitty fronça les sourcils.

— Je croyais que ses idées étaient dans le classeur à rideaux.

— Uniquement celles qu'elle avait développées. La plupart naissaient ici. Elle les appelait ses petites graines. Dès qu'une idée germait dans sa tête, elle l'écrivait sur un Post-it et la plaçait dans un de ces pots. De temps en temps, quand elle était à court d'idées, elle venait voir si l'une d'entre elles avait poussé.

Kitty lui lança un regard surpris.

— Pourquoi n'ai-je jamais entendu parler de ça ?

— Parce que sinon, ma chère, Constance aurait fini à l'asile.

— Elle était déjà à l'asile, Bob. Avec toi. (Ils sourirent tous les deux.) Il y a peut-être quelque chose à propos de cette histoire de « Noms » ici…

Elle longea les pots à Post-it en déchiffrant l'écriture hâtive de Constance, se sentant gagnée par un besoin terrible d'être avec elle, de la voir, de la toucher.

— Non, puisque tu as trouvé la liste dans le meuble. Ça a peut-être commencé avec un nom, ou cinq ou même aucun. Si c'était rangé, c'est que c'était devenu quelque chose. Ici, c'est la nursery.

— Ses bébés, fit Kitty en souriant, sans quitter des yeux les idées sporadiques et spontanées qui avaient toutes surgi un jour dans le cerveau de Constance.

Elle songea à ce que Bob venait de dire : l'idée n'aurait pas été rangée dans le meuble si elle n'avait pas été développée, et c'était tellement frustrant de ne rien savoir. *Allez, Constance,* pria Kitty en silence en jetant un dernier coup d'œil dans l'appentis, *donne-moi un indice.* Elle attendit un peu, mais l'appentis demeura silencieux.

Kitty attrapa une bouteille de vin, se ravisa, en prit une deuxième et suivit Bob dans la maison. Elle ôta la pile d'albums photo posée sur le fauteuil face à lui, un fauteuil français avec une fleur métallique. Elle imaginait Bob et Constance assis près du feu de cheminée, discutant de problèmes, de théories, d'histoires extravagantes et bizarres qu'ils voulaient couvrir, débattant, liés par leur amour pour tout ce qui était inhabituel et fantastique, et pour l'ordinaire et le supposé prosaïque.

— Comment tu vas, Bob ? finit par demander Kitty. Comment tu t'en sors ?

Il soupira. Un long soupir plus pesant que les mots.

— Ça fait deux semaines. Je frissonne en pensant que ça fait si longtemps. Le lendemain de l'enterrement, j'ai pensé en me levant : « Je ne vais pas y arriver. » Je ne vais pas survivre à cette journée. Et pourtant, si. Je ne sais pas comment. Et puis cette journée s'est terminée et la nuit est tombée et je me suis dit : « Je ne vais pas survivre à cette nuit. » Et pourtant si. Je ne sais pas comment. Et puis la nuit s'est achevée. Je me dis la même chose tous les matins et tous les soirs depuis quinze jours. Chaque seconde est une torture, comme si elle n'allait jamais passer, comme si rien n'allait jamais s'arranger, et pourtant, quand je regarde en arrière, je vois le temps qui s'est écoulé. Deux semaines. Et je survis. Et je pense toujours que j'en suis incapable.

Les yeux de Kitty se remplirent de larmes.

— Je m'attendais à ce que le monde s'arrête de tourner quand elle est morte. (Il prit la bouteille des mains de Kitty, l'ouvrit avec dextérité à l'aide d'un tire-bouchon posé sur la petite table près de lui, à côté des mots croisés de l'*Irish Times*, un stylo à bille et ses lunettes.) Mais ce n'est pas arrivé. Tout a continué comme avant, tout continue comme avant. Parfois, je vais me promener et je me rends compte que j'ai arrêté de marcher, mais que le reste du monde évolue autour de moi. Et je me dis : « Mais ils ne savent pas ? Ils ne savent pas la chose horrible qui est arrivée ? »

— Je comprends ce que tu ressens.

— Il y a les bons et les mauvais veufs. On entend sans arrêt parler des bons. Oh, là, là, ne sont-ils pas si merveilleux, si forts et si courageux pour faire je ne sais quoi si tôt. J'ai bien peur d'être un mauvais veuf, Kitty. Je ne veux rien faire du tout. Je n'ai envie d'aller nulle part. La plupart du temps, je n'ai même pas envie d'être en vie, mais on n'est pas censé dire ça, pas vrai ? On est censé dire des choses sages, profondes et surprenantes qui permettent de montrer au reste du monde à quel point on est courageux. Courageux, répéta-t-il, les yeux pleins de larmes. Mais je ne l'ai jamais été. Pourquoi le deviendrais-je brusquement ? Cela me dépasse. (Il ouvrit aussi rapidement la seconde bouteille que la première et la rendit à Kitty.) Je ne sais pas où sont les verres, fit-il en cognant légèrement sa bouteille contre la sienne. À... quelque chose.

— À notre Constance bien-aimée.

Kitty porta la bouteille à ses lèvres. Le vin rouge lui brûla la gorge mais déposa une tiédeur délicieuse dans sa bouche. Elle en but une deuxième gorgée.

— Notre Constance bien-aimée, répéta Bob en considérant sa bouteille, songeur.

— Et à cette nuit à laquelle nous allons survivre.

— Ah, je bois à ça, dit-il en levant sa bouteille. À cette nuit à laquelle nous allons survivre.

Ils restèrent assis dans un silence confortable. Kitty cherchait comme aborder le sujet, mais Bob la devança.

— J'ai comme l'impression que tu as eu des problèmes avec cette histoire.

— C'est un euphémisme, soupira Kitty avant de boire une gorgée de vin. Je suis désolée de l'avouer, Bob, mais je suis perdue. Totalement et complètement. Pete attend cet article pour vendredi, ou du moins le sujet de l'article, et à moins que je finisse par trouver quelque chose, je vais être obligée de monter lui dire qu'il n'y a pas d'histoire et que j'ai tout gâché. Encore une fois.

Des larmes de frustration et de culpabilité lui montèrent aux yeux.

— Ah. Je peux peut-être t'aider, offrit Bob, toujours aimable malgré ce qu'elle venait de lui révéler. J'ai bien peur de ne rien savoir de plus que toi sur ces noms, et après une semaine d'enquête, j'en sais même forcément moins, mais je connais Constance, aussi permets-moi de te donner une leçon de Constance. (Il regarda la lumière et ses yeux se mirent à briller tandis qu'il la ressuscitait dans son esprit.) Tu te souviens de ce meurtre affreux il y a quinze ans, sur Ailesbury Road, quand ce magnat multimillionnaire avait été soupçonné d'avoir poignardé sa femme avec un étrange outil de ménage ? (Kitty secoua la tête.) Tu es trop jeune pour t'en souvenir, mais l'affaire avait fait grand bruit. On ne l'a jamais arrêté, mais on a toujours pensé que c'était lui. Il a déménagé, vendu la maison, et on n'a plus jamais entendu parler de lui par la suite, mais Constance a analysé tout ce qui a été publié sur l'affaire. Quelque chose dans cette histoire résonnait en elle, l'excitait, et pas parce que c'était une histoire banale d'homme riche et cultivé accusé d'avoir tué sa femme. Constance, comme tous les journalistes, voulait désespérément obtenir une interview de la jeune bonne qui avait découvert le corps dans la chambre et prévenu la police. Elle était la star du procès qui avait acquitté le riche mari. C'était une jeune fille ravissante, une Philippine ou une Thaïlandaise – je ne me souviens pas. Constance n'a cessé d'aller sonner chez lui pour essayer de parler à cette jeune fille. Quand elle était occupée à autre chose, ce qui arrivait souvent, comme tu le sais, c'est moi qu'elle envoyait pour essayer de convaincre la bonne de nous parler. Je présumais, comme tout le monde, que c'était pour parler du meurtre, ce qu'elle avait vu, ce qu'elle avait trouvé, quel genre d'homme était son patron, quelle relation entretenaient les époux, quels soupçons elle portait, ce genre de choses… (Les yeux dans le vague, Bob se mit à rire en pensant à ce qui allait suivre.) Il se trouve que ce qui intéressait Constance, ce n'était pas le meurtre, mais l'instrument utilisé par le mari pour tuer sa femme. C'était un vieil outil – dont le nom m'échappe – qui avait été apporté en Irlande par la bonne et, comme elle écrivait un article sur les instruments de ménage, Constance voulait absolument interroger la bonne.

Kitty secoua la tête en souriant.

— Et elle finit par lui parler. Nous avons été les seuls à publier une interview de cette femme, et nous n'avons même pas évoqué le meurtre. Ce que je veux dire par là, ma chère, c'est que tu as l'impression que Constance te mène sur un chemin, mais en réalité tu dois en emprunter un tout à fait différent. Avec Constance, rien n'est jamais ce qu'il paraît. Oublie ce qui est logique, parce que sa logique est tout autre. Essaie de voir les choses à travers son regard à elle, de sentir à travers son cœur qui était énorme et compliqué et qui te conduira à son histoire.

Kitty but une autre gorgée de vin. Bob la dévisageait pendant qu'elle laissait son esprit digérer l'histoire qu'il venait de lui raconter. Puis elle la compara à celles des personnes qu'elle avait rencontrées.

C'est alors qu'elle comprit. Enfin.

Chapitre 22

Après avoir passé quelques heures en compagnie de Bob et des bouteilles de vin de Constance, Kitty se sentit plus détendue à la perspective de monter voir Pete. Elle avait enfin le plan de l'article et elle allait pouvoir lui expliquer comment elle comptait se concentrer sur les gens qu'elle avait déjà rencontrés et eux seuls. Cette partie-là était l'idée de Bob. Il l'avait aidée à comprendre que, même si elle avait enfin compris quel était le lien entre les noms, elle n'avait pas besoin des quatre-vingt-quatorze autres pour en arriver à la même conclusion. Ils n'avaient tout simplement pas le temps de faire tout ce que Constance avait planifié pour eux. Et elle avait vraiment réussi cette fois : elle avait imaginé quelque chose de majestueux et merveilleux, imprégné de ses leçons, ce qui avait à la fois enthousiasmé et ému Kitty. C'était presque comme si c'était le message d'adieu de Constance, ses dernières paroles d'outre-tombe, des paroles parfaites.

Kitty n'était pas spécialement nerveuse à l'idée de présenter son pitch à Pete, parce qu'elle savait que Bob la soutenait et que leur relation avait beaucoup évolué ces derniers jours. Elle sourit, des papillons plein le ventre comme une collégienne. Elle eut soudain conscience de son apparence, de ses joues rougies par le vin, de son jean, de son chemisier, des ballerines qu'elle portait depuis le matin. Aurait-elle dû se changer ? Elle se brossa les cheveux et chercha du rouge à lèvres et de la poudre dans son sac. La porte du magazine s'ouvrit et deux femmes de ménage en sortirent, leur tâche achevée.

— Vous voulez bien me tenir la porte ? cria Kitty en rangeant son maquillage.

Elle monta les marches quatre à quatre et pénétra dans les bureaux. Pas un bruit. Personne ne travaillait tard, sauf Pete, qui comme d'habitude portait le plus gros des responsabilités. Il n'avait pas de petite amie, mais elle pouvait très bien imaginer la frustration de l'attendre à 22 heures. Elle vérifia son reflet dans le miroir de l'accueil, fit bouffer ses cheveux, ouvrit un autre bouton de son chemisier puis repassa l'histoire dans sa tête en se demandant comment la lui vendre au mieux.

Elle entendit des meubles bouger dans le bureau de Constance et elle se dirigea vers lui. Elle était sur le point de s'annoncer quand elle entendit une femme rire. Puis soupirer. Elle regarda autour d'elle. Y avait-il quelqu'un d'autre dans le bureau ? Tout était étrangement silencieux. Puis elle eut un pressentiment et envisagea de tourner les talons et partir. Mais ce n'était pas dans sa nature de ne pas tirer quelque chose au clair, aussi poursuivit-elle son chemin. Le bruit de meuble continuait, comme si on faisait bouger une chaise d'avant en arrière. Elle ne frappa pas. Elle devinait que, si elle frappait, elle raterait ce qu'elle savait déjà. Elle ouvrit la porte et se retrouva face à face avec Cheryl, sa jupe grise remontée jusqu'au nombril, les jambes autour de l'homme contre lequel elle se frottait. Des mains caressaient son dos, ses cuisses, ses fesses, la pinçant, la pressant, si peu romantiques et tellement maladroites que Kitty s'adossa à l'encadrement en fronçant le nez. Ce n'était pas les mains d'un expert.

Elle entendit leurs baisers mouillés entrecoupés de soupirs, et lorsque son rédacteur en chef expliqua d'une voix rauque de désir à sa rédactrice adjointe ce qu'il comptait lui faire sur un ton plutôt vicieux, elle sentit que c'était le bon moment pour manifester sa présence par un toussotement. Cheryl bondit si haut sur la table que Kitty se demanda si on pouvait parler de premier vol humain.

— Bon sang, Kitty !

Cheryl rabattit sa jupe sur ses cuisses puis tenta de reboutonner son chemisier d'une main si tremblante qu'elle abandonna et se contenta de refermer les pans du vêtement et de croiser les bras.

— On était juste, j'étais juste...

— Sur le point de te faire sauter par ton patron, fit Kitty. Je sais. Désolée de vous interrompre. On dirait bien que Pete avait un plan sympa pour vous deux, mais je suis passée, sur son invitation, pour partager ma découverte capitale avec lui. Mais ce n'est pas le bon moment, apparemment.

Elle posa les yeux sur Pete, bouleversée. Elle savait qu'elle n'avait aucune raison de réagir comme ça mais elle se sentait trahie. Ça ne faisait que quelques jours qu'ils flirtaient, et cela avait eu du sens pour elle, surtout après sa nuit désastreuse avec Richie. Sa vie sentimentale était au plus mal, elle se sentait victimisée alors qu'en réalité elle n'avait à s'en prendre qu'à elle-même pour ses mauvais choix en hommes. Mais elle n'était pas encore prête à ça. Là, elle allait s'apitoyer sur son sort parce qu'il la regardait avec une expression désolée. Elle comprit alors qu'elle avait raison de se sentir trahie parce qu'il se comportait comme s'il venait de la tromper.

Pete n'avait pas bougé d'un pouce depuis que Kitty les avait surpris. Il était debout devant son bureau, les cheveux en désordre, et il la dévisageait, hésitant, incertain et angoissé à l'idée de ce qu'elle allait faire ensuite. Il avait au moins la décence de paraître honteux.

Cheryl sentit qu'il se passait quelque chose, elle aussi, parce qu'elle les regarda tour à tour, perplexe.

— Qu'est-ce qui se passe ?

Elle serrait les pans de son chemisier si fort que ses jointures avaient blanchi.

— Rien, répliqua Kitty dont la voix, hélas, ne dépassa pas le murmure. (Elle toussota et articula bien fort.) Absolument rien.

Sur ce, elle quitta le bureau.

Elle se sentait un peu humiliée et trahie, mais, sur un plan strictement professionnel, elle était au contraire en pleine possession de ses moyens parce qu'elle devinait que ce que pensait Pete de son article n'avait plus aucune importance. Elle l'écrirait comme elle voudrait et comme elle pensait que Constance l'aurait voulu. Pete pouvait lui opposer sa mauvaise humeur, son autoritarisme ou ses menaces, elle n'en changerait pas une ligne. C'était exactement ce dont elle avait besoin. Elle avait manqué de confiance, elle en avait à présent à revendre. La balle était dans son camp et l'histoire était la sienne. Elle se dépêcha de se rendre à Fairview pour voir Archie et découvrit en y arrivant à 22 heures que ce n'était pas l'idée du siècle. Tant pis, elle avait une mission à accomplir. Elle dépassa en courant les gamins qui lui barraient le chemin et monta à toute allure les quatre étages qui menaient à l'appartement d'Archie. Elle tambourina à la porte en se dandinant d'un pied sur l'autre. Elle voulait en finir tout de suite, sans attendre un jour de plus. Elle s'éclaircit la voix. Elle entendit quelqu'un faire de même, et quand elle pivota sur sa droite, elle vit le garçon de la dernière fois, assis sur son ballon de basket.

— Salut, fit-elle.

— Salut, répéta-t-il en l'imitant.

— Il est là ?

— Il est là ?

Elle leva les yeux au ciel. Lui aussi.

Elle s'éloigna de la porte et redescendit les marches en courant, retraversa la foule d'enfants qui la hua et courut jusqu'au *fish and chips*. On était lundi soir et il y avait foule. Elle aperçut Archie en train de préparer des hamburgers derrière le comptoir.

— Archie, fit-elle en jouant des coudes pour s'approcher de lui.

Il pivota et lui adressa son éternel sourire amusé, comme s'il se divertissait à ses dépens.

— Vous devez faire la queue, affirma-t-il en revenant à ses burgers.

— Je ne suis pas là pour manger, je veux juste vous parler.

Elle essayait de ne pas hausser la voix, mais même avec la radio allumée, il était impossible de ne pas être entendue. Le collègue d'Archie lui lança un regard noir. Archie était clairement contrarié. Elle était en train de lui attirer des ennuis.

— OK, dit-elle en reculant. Des frites, s'il vous plaît.

Son collègue hocha la tête et plongea un panier de frites dans l'huile bouillante. Son estomac gronda.

— Et un cheeseburger, ajouta-t-elle.

Archie rajouta un steak sur son gril.

Vingt minutes plus tard, elle était à la caisse. Archie la servit en personne.

— J'ai pensé à vous toute la journée, dit-elle, de nouveau tout excitée.

— Je fais cet effet-là à toutes les femmes, rétorqua-t-il en inondant ses frites de sel et de vinaigre.

— Vous devez l'aider.

Il leva enfin les yeux vers elle et croisa son regard.

— La femme dans le café. Vous devez lui parler. Peut-être êtes-vous censé l'aider. Peut-être est-ce justement pour ça que tout ça vous arrive.

Archie jeta un coup d'œil anxieux aux autres clients. Il espérait que personne n'écoutait.

— Cinq quatre-vingts.

Elle prit son temps pour rassembler sa monnaie.

— Retrouvez-moi au café demain matin. Elle sera là, pas vrai ?

Il redressa le menton tout en réfléchissant, puis il acquiesça.

— D'accord.

Elle s'éloigna du comptoir et ouvrit la porte.

— Vous pensez que ça s'arrêtera alors ? lui lança-t-il.

— Est-ce que c'est ce que vous voulez ?

Elle le laissa méditer sa question et rentra chez elle dans la nuit fraîche, salivant à la perspective du festin de frites qui l'attendait. En repassant devant l'immeuble d'Archie, elle aperçut un garçon sur un vélo familier. Elle s'arrêta et vérifia autour d'elle qu'il n'avait pas de renfort dans les parages. Les gamins qui traînaient dans le coin un peu plus tôt avaient disparu, ailleurs, chez eux ou dans la pénombre.

— Eh, dit-elle.

— Eh, l'imita une voix quatre étages plus haut.

Le garçon et elle levèrent les yeux de concert vers la voix avant de se regarder.

— C'est mon vélo, dit-elle.

— C'est mon vélo.

Le garçon monta sur le trottoir et pédala autour d'elle. Il n'avait guère plus de treize ans et pourtant il l'intimidait.

— S'il est à vous, comment ça se fait que je l'aie ?

— Parce que tu l'as volé.

— J'ai rien volé.

Il continuait à lui tourner autour.

— Je l'avais accroché à la rambarde vendredi dernier. Quelqu'un l'a pris.

Aussitôt que les mots franchirent ses lèvres, ils furent immédiatement répétés par le garçon aux taches de rousseur assis sur le ballon de basket. Il parlait en même temps qu'elle et elle avait du mal à se concentrer sur ce qu'elle disait.

— Le cadenas devait être pourri.

— Oui.

— Oui.

Il descendit du trottoir, se leva sur les pédales et freina brutalement : la roue arrière se souleva. Il fit d'autres acrobaties au beau milieu de la route.

— Vous voulez le récupérer ?

— Évidemment. Oui.

Elle entendit : « Évidemment. Oui. »

Il s'arrêta net et sauta à bas de la bicyclette. Il se tenait à quelques mètres d'elle, le vélo à bout de bras.

— Il suffisait de demander.

Elle regarda autour d'elle, persuadée qu'il y avait un piège et que sa bande était prête à lui sauter à la gorge.

Elle s'approcha lentement de lui, son hamburger et ses frites à la main, à la lumière orangée du lampadaire. Elle atteignit sa bicyclette et attendit qu'il se passe quelque chose. En vain. Elle s'empara du guidon et le garçon s'éloigna.

— Merci, fit-elle, et elle entendit de la surprise dans sa propre voix.

— Merci, répéta l'écho condescendant.

Il suffisait de demander.

Kitty était sur le point d'enfourcher son vélo lorsqu'elle éprouva le désir puissant de faire quelque chose.

— Eh ! s'écria-t-elle.

— Eh ! répéta la voix.

— Toi là-haut sur le ballon de basket ! (Pas de réponse, mais une petite tête apparut par-dessus le muret.) Tu veux jouer ?

Il ne répéta pas ce qu'elle venait de dire. Il disparut et elle entendit le bruit de ses pas dans l'escalier. Sur le terrain de basket derrière la cité, Kitty retrouva sa jeunesse tandis que le jeune garçon et elle jouaient dans l'obscurité sans prononcer un seul mot.

Lorsqu'elle revint chez elle, elle était tellement concentrée pour monter les marches avec son vélo qu'elle fut effrayée lorsqu'une silhouette surgit dans son champ de vision.

— Merde.

Elle lâcha sa bicyclette, pensant avoir affaire aux partisans de Colin Maguire venus lui mettre une raclée. Elle aurait certainement préféré, parce que face à elle se tenait Richie, le journaliste maléfique. Elle aurait bien aimé le gifler, mais son œil à moitié fermé et violet ressemblait déjà à une prune pourrie et il avait la lèvre éclatée. Elle ne savait pas quoi dire. Elle ne retrouvait aucun des commentaires sarcastiques qu'elle avait préparés.

— Qu'est-ce qui t'est arrivé ?

— Comme si tu ne le savais pas, répliqua-t-il sèchement. Rends-moi ma veste et je me casse.

Son sang ne fit qu'un tour.

— Pardon ?

— Ma veste. Je suis venu la chercher. Le mec en bas m'a dit que c'était toi qui l'avais.

— Ta veste, répéta-t-elle. Et des excuses, non ? Salut, Kitty, je suis désolé ? Je te demande pardon de m'être comporté comme une saloperie d'ordure de connard de menteur ?

Elle n'essaya pas de contrôler sa rage et la laissa se déverser.

— Ah, ça va, pas la peine de monter sur tes grands chevaux, dit-il en levant les mains. Tu connais les règles du jeu. On m'a envoyé te soutirer une histoire et j'ai fait mon boulot, c'est tout.

— Tu as fait ton boulot ? Et coucher avec moi, ça faisait aussi partie du boulot ?

Elle s'était rapprochée de lui, les mains sur les hanches, et elle était si près de lui qu'elle lui postillonnait dessus. Il eut l'audace de paraître embarrassé.

— Écoute, ce n'était, ce n'était… j'avais trop bu. Ça n'aurait pas dû se produire.

Elle n'en croyait pas ses oreilles. Elle avait répété cette conversation en boucle un millier de fois dans sa tête, elle avait imaginé comment elle se déroulerait. Elle aurait été en colère, mais si éloquente dans ses insultes qu'elle aurait permis à Richie d'avoir une révélation : il aurait baissé la tête, tellement dégoûté par son comportement qu'il aurait dû se faire violence pour formuler des excuses. Mais voilà que, dans la réalité, elle écoutait quelqu'un qui était incapable de s'excuser et que, une fois poussé dans ses retranchements, la seule chose qu'il regrettait, c'était d'avoir couché avec elle. Or le sexe avait été la seule chose à peu près convenable qui soit arrivée cette nuit-là. Elle était tellement furieuse qu'elle se mit à trembler de tout son corps. Elle ne voulait surtout pas pleurer. Pas question de montrer à cette petite merde insensible à quel point elle était blessée. Elle se creusa les méninges pour trouver une réplique cinglante, consciente que le temps s'écoulait tandis qu'elle contemplait son visage abîmé. Elle se rendit soudain compte qu'il parlait.

— Mais ce n'était pas une raison pour m'envoyer ton garde du corps. C'était ridicule, Kitty. Tu as de la chance que je ne porte pas plainte ou que je ne crie pas sur tous les toits que tout ça est ta faute, parce que sinon tu aurais des ennuis, crois-moi.

— Garde du corps ? Mais qu'est-ce que tu racontes, bordel ? Je ne t'ai « envoyé » personne. J'aurais été ravie de te faire ça moi-même, alors tu peux arrêter de m'accuser et commencer à penser à tous les gens que tu as insulté en faisant ton sale job de merde.

Il sourit. Sa lèvre fraîchement fendue se rouvrit et du sang se mit à couler. Il arrêta immédiatement.

—Alors, d'abord, mon sale job de merde, comme tu dis, est le même que le tien, donc on est dans le même bateau, Kitty Logan. Et ensuite, garde du corps ou petit ami, je ne sais pas, mais est-ce que la nuit qu'on a passée ensemble t'a causé des ennuis, Kitty? demanda-t-il, suffisant. La dernière fois que j'ai irrité Steve Jackson, c'est quand j'ai accidentellement renversé sa pinte de bière sur toi au bar de la fac, alors je peux t'assurer que je sais exactement qui m'a cassé la gueule et pourquoi.

—Steve? C'est Steve qui t'a fait ça?

—Tu vas prétendre que tu ne le savais pas? Comme tu as fait sur *Trente minutes*? Je n'ai pas de temps à perdre, donne-moi ma veste.

Kitty avait envie de lui coller son poing dans la figure, ce qui lui aurait valu un deuxième œil au beurre noir, mais elle était tellement abasourdie par son attitude et par ce qu'avait fait Steve qu'elle se contenta de déverrouiller sa porte et de récupérer sa veste sur le canapé où elle l'avait balancée. Elle la lui tendit.

—Ne reviens plus jamais, lança-t-elle fermement.

Il lui lança un regard amusé et se coula dans l'escalier.

—Attends. (Il s'arrêta et remonta.) Où est ma clé USB?

—Quelle clé USB?

—Elle était dans ma poche. C'est pour ça que je suis là. Il y a mon roman dessus.

Il se mit à fouiller ses poches avec frénésie, comme un collégien paniqué.

—Je n'ai pas ta clé USB. Tu devrais demander aux employés du pressing. Ils l'ont peut-être noyée dans la vapeur.

Il eut l'air sincèrement affolé.

— Non, mais, sérieux, tu ne l'as pas ? Je n'ai qu'une seule sauvegarde.

— Tu aurais dû faire des copies.

Elle croisa les bras, ravie de le voir souffrir.

— C'était mon back-up, mon ordi a planté... Merde ! Kitty, est-ce que tu l'as ? demanda-t-il, désespéré. Sérieusement ?

— Non, répondit-elle sèchement, de nouveau en proie à la colère. Je n'ai pas ton roman à la con et je n'en veux pas. Ne t'approche plus jamais de moi ou j'appelle les flics.

Sur ce, elle lui claqua la porte au nez.

Elle s'assit à la table de la cuisine, la tête entre les mains, inspira et expira lentement en se repassant la conversation tellement de fois qu'elle eut envie d'ouvrir la porte et de le défier de nouveau, mieux cette fois.

Elle finit par avoir une illumination. Elle se dirigea vers le canapé où elle avait jeté la veste avant de partir chez Sally et se mit à chercher partout, sur le sol, sous le meuble puis sous les coussins. Sa main finit par trouver quelque chose. Elle souleva le coussin et éclata de rire en voyant la clé USB de Richie.

— L'heure de la vengeance a sonné.

Chapitre 23

Kitty et Archie étaient assis, silencieux, dans le café de Temple Bar. Il tenait une tasse de thé entre ses mains, elle un mug de café, et ils étaient installés de travers sur leurs tabourets, afin d'avoir une vue dégagée sur la salle. La femme timide arriva à 8 heures, comme d'habitude, resta vingt minutes, but le contenu d'une théière, mangea un scone aux raisins avec du beurre et de la confiture, comme tous les matins, puis elle paya et partit. Kitty fut la première à sauter à bas de son tabouret. Archie ne bougea pas.

— Allez, le pressa-t-elle, et il se leva à contrecœur comme un enfant grondé par sa mère. Dépêchez-vous. (Il la suivit en traînant des pieds.) On va la perdre.

Lorsqu'ils débouchèrent dans la rue, la femme n'était nulle part en vue.

— Ah, Archie, on l'a perdue. Vous l'avez fait exprès. J'aurais dû exiger que vous l'abordiez à l'intérieur.

— Vous ne pouvez pas me forcer à faire quoi que ce soit, répliqua-t-il sèchement. Et on ne l'a pas perdue du tout.

Il enfonça les mains dans les poches, tourna à gauche et remonta la rue comme s'il avait tout le temps devant lui.

— Mais elle n'est pas là. Comment ça, on ne l'a pas perdue ? Pourquoi vous marchez comme ça ? Archie, croyez-moi, j'ai assez de soucis en ce moment, je n'ai pas besoin que vous vous payiez ma tête.

Elle continua à râler tout en marchant et finit par se taire, se contentant de le suivre en songeant à toutes les choses plus utiles qu'elle aurait pu faire ce matin-là. Ils tournèrent deux fois à droite pour atteindre les quais, et elle la vit en train de traverser Halfpenny Bridge.

— La voilà ! s'exclama-t-elle en saisissant le bras d'Archie.

Il ne parut pas surpris le moins du monde.

— Vous l'aviez suivie avant ! s'exclama-t-elle.

Il ne répondit pas.

— Combien de fois ?

— Une ou deux.

— Où va-t-elle ?

— Voyez par vous-même.

Ils traversèrent le pont sur la rivière Liffey et atteignirent Bachelor's Quay. La femme disparut dans une église. Archie s'arrêta net.

— Je ne vais pas plus loin.

— Entrons.

— Non. J'attendrai ici.

— Pourquoi ? Voyons ce qu'elle fait à l'intérieur.

— D'après vous ? C'est une église. Je reste ici, merci beaucoup.

— Elle pourrait aller à confesse ou retrouver quelqu'un, passer une valise ou deux, chanter, pleurer, faire un strip-tease et la roue sur l'autel, on n'en sait rien.

Il lui lança un regard perplexe.

— Vous avez un cerveau étrange.

— C'est le vôtre qui m'intéresse. Si vous entendez des prières comme vous le prétendez, il y a certainement d'autres gens à l'intérieur que vous pourriez aider.

— Vous ne me croyez pas ?

— Plus maintenant, répondit-elle avec sincérité.

Il réfléchit un instant et pénétra dans l'église.

Kitty observa son visage quand il entra. L'église était calme, avec une dizaine de personnes disséminées sur les bancs. Elle était silencieuse, à l'exception d'une toux ou d'un reniflement occasionnel qui, lorsqu'il avait lieu, semblait se répandre comme la marée à travers la petite assemblée avant que le silence retombe. Archie ferma les yeux et pencha la tête sur le côté, l'air peiné. Il finit par examiner les croyants un par un. Ses yeux se posèrent sur la femme timide. Celle-ci alluma une bougie, se dirigea vers un banc et s'agenouilla. Archie se dirigea lentement vers l'aile gauche et s'assit derrière elle, embarrassé. Kitty resta où elle était, dans le fond. Elle avait plusieurs raisons à ça – elle voulait laisser de l'espace à Archie, elle n'était pas très à l'aise dans les églises, mais, plus que tout, au cas où Archie entendrait vraiment les prières des gens, elle ne voulait pas qu'il entende les siennes. Kitty n'avait pas menti quand elle avait dit qu'elle ne croyait pas en Dieu. Elle avait été baptisée mais, comme la plupart des catholiques de sa connaissance, elle n'était pas pratiquante. L'église était associée pour elle aux mariages et aux enterrements. Elle ne priait pas non plus, c'est-à-dire qu'elle ne s'agenouillait pas tous les soirs devant son lit, mais il lui arrivait lorsqu'elle se sentait perdue de prier pour que la crise qui s'était abattue sur elle passe rapidement, sans jamais se demander à qui elle adressait ses prières exactement. Elle comprenait qu'Archie puisse croire qu'il entendait les prières des gens, qu'après avoir pensé que personne n'avait entendu les siennes quand sa fille avait disparu, il éprouvait le besoin de montrer que quelqu'un quelque part, si ce n'était Dieu, l'avait entendu et que cette personne, c'était lui à présent. C'était peut-être une façon de se prouver que ses prières n'avaient pas été vaines et que celui qui les avait entendues était impuissant, tout comme lui. Ou alors il était juste taré. Kitty essaya de penser à tout sauf à ses propres prières, debout au fond de l'église, mais c'était difficile. Elle avait beaucoup de soucis. C'était tellement tranquille et apaisant que le silence, comme une vague sur le rivage, l'attirait dans son propre esprit.

Elle se faisait du souci à cause de Pete, de Richie, de Steve qui l'ignorait, ce qui la préoccupait davantage que de savoir qu'il avait défendu son honneur, ce à quoi elle ne voulait pas penser ; elle s'inquiétait à cause de sa présentation de vendredi, puis, si elle était approuvée, du week-end qu'elle devrait passer à rédiger son article, et à cause de l'appartement qu'elle avait quinze jours pour trouver, de l'entretien d'embauche à l'université, et enfin du possible vol d'un autobus de maison de retraite. Mais ce qui la préoccupait le plus, c'était de trouver une façon de s'excuser auprès de Colin Maguire. Elle était au moins sûre d'une chose. Elle avait trouvé le moyen d'écrire l'histoire de Constance et, avec ou sans la permission de Pete, elle entendait bien le faire.

La femme discrète quitta l'église au bout d'un quart d'heure. Elle ne regarda pas Kitty et ne montra aucun signe de reconnaissance alors qu'elles avaient pris leur petit déjeuner dans le même café trois matins. Archie se leva et sortit aussi, dépassant Kitty pour se diriger vers la lumière brillante de l'existence extérieure. Ils plissèrent les yeux sous le soleil.

— Où va-t-elle à présent ?

— J'en sais rien, je ne suis jamais resté aussi longtemps.

Il soupira. Il avait l'air épuisé.

— Comment ça s'est passé ? demanda-t-elle d'une voix douce.

— C'est une chose d'être au milieu de la foule ou dans le bus – on entend les trucs que les gens souhaitent, comme être à l'heure, avoir de bons résultats à l'école ou à la fac, décrocher une promotion, obtenir une hypothèque ou un prêt – mais là-dedans… (Il exhala.) C'est plutôt *hard*.

— Qu'est-ce que vous avez entendu ?

Il lui lança un regard incertain.

— C'est… privé, non ?

— Je dois savoir, répondit Kitty. Sinon, comment écrire un article ? Et puis vous n'êtes pas tenu par une clause de confidentialité comme les prêtres.

— Quand même, s'entêta Archie en haussant les épaules. Je n'ai pas envie. Ce n'était pas très agréable. Les gens ne prient pas quand ils sont heureux. S'ils le font, ils ne vont pas à l'église un matin de semaine pour ça.

Ils s'arrêtèrent un instant sur la promenade qui surplombait le fleuve, une passerelle orientée plein sud, parfaite pour manger ou boire un café en terrasse. La femme discrète se dirigea vers le kiosque à café à côté d'O'Connell Bridge et se prépara à prendre son service.

— Qu'est-ce que je devrais faire, d'après vous ? demanda Archie.

— Aider qui vous pouvez. Je pense que ça vous aidera vous aussi. Et je pense que vous devriez commencer par elle.

Ils la regardèrent.

— Les gens vont me prendre pour un fou quand ils sauront.

— Ce sera mieux que ce qu'ils pensent de vous maintenant, non ?

Il réfléchit un instant, attendit que la circulation ralentisse puis traversa la rue rapidement en direction du kiosque.

— Je pense que vous devriez lui donner une deuxième chance, dit Gaby à Kitty devant son deuxième expresso à l'hôtel Merrion sur Merrion Square.

Kitty l'avait appelée la veille pour prendre rendez-vous, et Gaby avait choisi le lieu et fait les frais de la conversation. Kitty espérait qu'elle paierait la note aussi parce que c'était le café le plus cher qu'elle ait jamais bu. Elles étaient assises dans le jardin, entourées de gens, dont Gaby écoutait les conversations d'une oreille, tandis qu'elle consacrait l'autre à Kitty. Elle alluma une autre cigarette. Gaby était convaincue que Kitty avait l'intention de laisser tomber Eva, et elle s'était lancée dans une tirade sur la carrière de cette dernière, en commençant par ses clients célèbres et les magazines qui lui avaient consacré un article, et, même si ce n'était pas tout à fait faux, Kitty ayant été refroidie par la réponse My Little Pony, elle n'en avait parlé ni à Eva ni à Gaby. Mais c'étaient des femmes intelligentes. Kitty avait décliné deux fois la possibilité de voir Eva ces derniers jours : elle n'était pas certaine que cette dernière soit prête à dévoiler quoi que ce soit de personnel. Kitty n'avait pas de temps à perdre avec une femme aussi secrète.

— Elle a fait partie de la liste de *Vogue* des personnalités les plus en vue et était dans la sélection « Jeunes et branchés » de *Cosmopolitan*. Elle est *incroyable*.

Elle ferma les yeux et trembla de tout son corps pour souligner ses propos, puis elle les rouvrit et tira sur sa cigarette.

— Elle est trop secrète, Gaby. Chaque fois que je lui pose une question, soit elle refuse de répondre, soit elle ramène tout à son travail. Je sais qu'elle bosse comme une folle et qu'elle est passionnée par la philosophie de sa compagnie, mais il m'en faut davantage. Les autres personnes que j'ai interviewées sont plus… (Elle essaya de trouver une formulation polie, mais se rendit soudain compte qu'elle s'adressait à Gaby et qu'elle n'avait pas besoin de l'être.)… denses. Elles m'intriguent. J'ai envie d'en savoir plus et plus je creuse, plus j'en découvre. Eva n'est pas prête à me faire confiance et je n'ai aucune envie de la forcer à aborder des sujets dont elle ne souhaite rien dévoiler. Je ne suis pas ce genre de journaliste.

Gaby leva un sourcil comme pour dire qu'elle n'était pas d'accord.

— Du moins je ne le suis plus, affirma Kitty en levant le menton.

— Elle est difficile à cerner, je vous le concède. Le problème d'Eva, c'est qu'elle est… (Gaby s'interrompit pour faire son petit effet, ce qui fonctionna sur Kitty qui était suspendue à ses lèvres.)… *créative.* (Elle avait dit ça comme si c'était un gros mot. Elle baissa la voix pour que personne n'entende le sale secret qu'elle s'apprêtait à révéler.) Elle fait partie de ces gens qui pensent que leur *art* parle pour eux. (Elle leva les yeux au ciel.) Sincèrement. Je dois gérer ce genre de conneries en permanence avec mes auteurs. Ils pensent que leurs bouquins sont leur voix, et ils ne comprennent pas que c'est à *eux* de leur en donner une. Ils ne voient pas que ce sont des gens comme vous et moi qui les aidons à vendre leur putain d'*art*. Vous savez combien de temps il m'a fallu pour convaincre Eva d'ouvrir son blog ? Ils pensent que les choses se font comme ça. Si James Joyce vivait à notre époque, vous croyez que ses tweets le rendraient plus accessible ?

Kitty espérait vraiment que personne n'écoutait leur conversation.

— Bref, fit-elle en agitant la main avec désinvolture, Eva est une femme intéressante qui a le cœur sur la main. Il faut juste que vous passiez du temps avec elle pour lui permettre de s'ouvrir, et quand vous découvrirez sa personnalité, alors vous comprendrez tout.

— Vous savez quelque chose sur elle ?

— J'en sais plus que la plupart, oui, ce qui ne veut pas dire grand-chose, mais j'ai eu un aperçu de qui elle est vraiment une ou deux fois. Elle est sortie avec mon frère pendant trois ans. C'est un crétin, mais elle, elle est adorable. On est proches depuis. J'ai juré de l'aider et je ne la laisserai jamais tomber.

Kitty voulait parler de quelque chose à Gaby qui n'avait aucun rapport avec Eva Wu, mais maintenant qu'elles discutaient d'elle, elle était intéressée par un aperçu de la femme à qùi elle n'avait pas trouvé d'histoire.

— Ça m'aiderait de pouvoir m'entretenir avec ses clients, comprendre comment elle les aide, découvrir ce qu'elle a fait pour eux. Elle est très secrète sur tout ça.

— Elle n'est pas secrète, elle les protège. La discrétion est très importante pour elle. Elle considère ce qu'elle fait comme un cadeau et elle a raison. C'est unique.

Kitty secoua la tête, perplexe.

— Je sais. Tout s'éclairera quand vous serez à Cork.

— Comment savez-vous que je vais à Cork ?

— Le mariage… J'ai supposé, c'est tout.

— Le mariage vendredi ! s'exclama Kitty. Bien sûr. (Avec toute l'excitation liée au road trip imminent de Birdie, elle avait oublié qu'Eva devait offrir leurs cadeaux aux Webb.) Comment elle y va ?

— En voiture, pourquoi ?

— Demandez-lui si elle veut prendre un bus pour Cork avec moi jeudi. J'ai quelque chose à faire qui devrait lui plaire.

— Bien sûr, répondit Gaby en regardant arriver son rendez-vous suivant par-dessus l'épaule de Kitty. Voici Jools Scott. L'écrivain. Super à l'écrit mais incapable d'aligner deux mots à l'oral. Si j'arrive à lui décrocher une interview, ce sera inespéré, marmonna-t-elle entre ses dents avant de lui adresser un salut joyeux.

— Avant qu'on se sépare, j'aimerais vous demander quelque chose. Je suis sûre que je ne suis pas la première, mais j'ai un énorme service à vous demander.

C'était pour cette raison qu'elle avait téléphoné à Gaby. Elle posa la clé USB sur la table devant elle et lui adressa son sourire le plus charmant.

Au grand soulagement de Kitty, Gaby paya la note avec sa carte professionnelle, son dernier pot-de-vin pour que Kitty accepte d'insérer Eva dans son article. Comme elle se sentait un peu coupable de l'avoir laissée tomber deux fois, Kitty appela Nigel, l'assistant de George Webb.

— Molloy Kelly Avocats.

— Kitty Logan. Je suis devant votre bureau. Eva Wu se montre très protectrice en ce qui concerne ses clients et refuse de dévoiler quoi que ce soit. Si vous voulez que l'article présente votre patron sous un jour favorable, vous avez intérêt à me parler.

Un silence.

— D'accord.

Cinq minutes plus tard il l'avait rejointe dehors. Il portait un costume élégant, comme d'habitude. Lorsqu'il aperçut son vélo, un léger sourire se dessina sur son visage.

— Comme c'est cucul. Éloignons-nous un peu. Je ne veux pas que quelqu'un me voie avec vous et vos chaussures de la saison dernière.

Kitty sourit. Ils se dirigèrent vers le mémorial de la famine et se penchèrent sur la rivière boueuse.

— Allons droit au but. Je suis gay. (Il jeta un coup d'œil à Kitty, mais cette dernière n'était pas d'humeur à faire des remarques drôles.) Je viens d'une petite paroisse de Donegal où tout le monde connaît tout le monde. J'ai su que j'étais gay dès que j'ai pu parler et, dans ma famille, c'est inacceptable. Mon père est producteur laitier, comme son père et son grand-père avant lui. Je suis le seul garçon et tout le monde s'attendait à ce que je suive leurs traces. Mais cette vie ne m'attirait pas. Mes parents sont de fervents catholiques. Pour eux, l'enfer existe vraiment. S'ils l'avaient su, ils auraient mis mes sœurs à la porte parce qu'elles ont couché avant le mariage. Ils vivent dans un monde de règles religieuses qu'ils ne transgressent jamais. Ils n'imaginent rien en dehors d'elles : ils ne connaissent que ça. Vous imaginez donc ce qu'ils pensent de l'homosexualité, poursuivit-il avec un rire amer. Si mon père n'arrive pas à comprendre pourquoi je ne veux pas être producteur laitier, vous vous doutez bien qu'il ne peut pas concevoir que j'aime les hommes. Quand je lui ai dit que je ne voulais pas travailler avec lui, il ne m'a pas adressé la parole pendant un an. Alors imaginez ce qu'il a ressenti quand je lui ai avoué que j'étais gay. Mais je ne pouvais pas ne pas le faire. J'avais rencontré quelqu'un qui prenait beaucoup de place dans ma vie et j'avais l'impression de mentir en permanence en ne parlant pas de lui et de ma vie à Dublin, et en ne l'amenant pas aux réunions de famille. J'ai fini par le leur dire. Ma mère l'a accepté, même si elle prie tous les jours pour que Dieu me guérisse et qu'elle refuse d'en parler, mais mon père a refusé d'être sous le même toit que moi. Il ne m'a adressé ni un regard ni un mot.

—Ça a dû être très difficile.

—Oui.

Un silence.

—Ça a duré cinq ans. On n'a pas échangé un mot pendant cinq ans. J'ai essayé mais… Lorsque son soixantième anniversaire s'est profilé, je ne pouvais pas y aller, mais je voulais lui faire un cadeau, quelque chose qu'il pourrait regarder tranquillement et qui lui prouverait ce que j'essayais de lui dire. Alors j'ai embauché Eva.

—Comment la connaissiez-vous ?

—Elle avait aidé un de mes amis. Mais c'est une autre histoire pour une autre fois. Elle a passé une semaine avec nous à Donegal, parce que c'est comme ça qu'elle travaille. Ça a été très bizarre pour elle, mais elle a été fantastique, elle s'est bien intégrée.

Kitty avait remarqué qu'elle faisait ça très bien.

—Ma mère était persuadée que c'était ma petite amie, que j'étais « guéri », et du coup elle a été charmante avec elle.

— Et votre père ?

— Il a dormi à la maison quand j'étais là, ce qui était un progrès, mais il a passé toutes les journées et tous les repas dehors. Mes sœurs lui ont offert une moto – il en rêvait depuis toujours –, mais je voulais lui faire un cadeau qui aurait plus de sens, pour moi comme pour lui. Je me suis dit qu'il n'y avait aucun moyen que cette fille parvienne à trouver le cadeau qui ferait tout ce que je voulais qu'il fasse.

— Elle a réussi ?

À sa grande surprise, il secoua la tête.

— Non, ce n'était pas tout ce que je voulais. C'était beaucoup plus. Elle a fait un album photo. Elle a trouvé des photos de son grand-père et de son père en train de travailler à la ferme, de lui à la ferme avec son père, et des photos de mon père et moi depuis ma naissance jusqu'à mon départ. Des photos à la ferme, où on le voit me pousser sur la balançoire qu'il avait faite pour moi avec un pneu, des clichés que je n'avais jamais vus. Papa avait dû abattre un des chênes. Il avait été bouleversé parce qu'on jouait beaucoup dans cet arbre pendant notre enfance, et que son père et lui y avaient joué aussi. C'était sur cet arbre qu'il avait fixé la balançoire. Mais la neige épaisse qui était tombée cet hiver-là avait étouffé les racines et l'arbre était mort. Eva a récupéré le bois mort de cet arbre et elle s'en est servie pour fabriquer la couverture de l'album photo. Elle a gravé le nom de mon père et un message de joyeux anniversaire de ma part dessus. Elle m'a fait payer soixante-cinq euros pour la menuiserie et quarante euros pour les photos et le papier. C'est tout ce que m'a coûté ce cadeau.

— Ça a marché ?

— Maman dit qu'elle l'a entendu pleurer quand il a regardé l'album une fois qu'elle était allée se coucher. Il ne m'a pas adressé la parole pendant des semaines et puis, un jour, il m'a téléphoné.

— Qu'est-ce qu'il vous a dit ?

Nigel se mit à rire.

— Il a commencé par me raconter un problème qu'il avait eu à la ferme. Une vache avait eu de la fièvre. J'étais tellement surpris de l'entendre que je ne comprenais pas un mot de ce qu'il racontait. Il n'a pas évoqué les cinq ans pendant lesquels nous ne nous sommes pas parlé, il a repris notre relation exactement où elle s'était arrêtée.

— Eva est incroyablement attentionnée.

— Elle est plus que ça. Elle a compris comment raisonnait mon père, ce qui le contrariait et le décevait, ce qui pourrait l'émouvoir et secouer ses convictions. Elle a passé du temps avec nous, a écouté nos histoires et trouvé une solution. Mon père est un homme sensible mais renfermé, il ne montre jamais ses émotions, il n'en discute pas, et pourtant elle a trouvé un cadeau qui a touché son cœur.

Kitty songea à tout ça.

— D'accord.

— Vous avez compris ?

— J'ai compris.

— Bien. Maintenant, ne me dérangez plus jamais au travail, fit-il sur un ton impertinent avant de tourner les talons et de la laisser seule sur le quai.

Chapitre 24

Tôt le mercredi matin, Kitty descendit du bus à Kinsealy, au nord de Dublin, à côté de la jardinerie. Dans les champs alentour, des familles s'étaient rassemblées pour ramasser des fraises. Un peu plus loin, les jardins du père de Steve étaient pris d'assaut par les jardiniers attirés par le temps printanier. Le terrain tout entier appartenait au père de Steve : la jardinerie, les champs de fraises, les jardins ouvriers… À la grande surprise de beaucoup de gens, parfois contrariés, cela faisait plus de dix ans qu'il réussissait à contrer les investisseurs qui auraient voulu récupérer le terrain pour construire des logements. Les offres avaient fini par se tarir, mais il avait refusé des millions, heureux de continuer ses petites affaires. C'était un fermier dans l'âme et il n'aurait pas su quoi faire avec vingt millions sur son compte en banque. Il préférait passer ses journées à retourner la terre et à dénicher de nouveaux jouets de jardinage. Et à aboyer sur les gens.

— Je pensais que tu te cacherais sous un rocher, fit-il lorsque Kitty pénétra dans son bureau.

— Je pensais que tu serais le plus à même de trouver sous quel rocher.

Il lui lança un regard circonspect.

— Le plus gros possible, je dirais.

— Je suis ouverte à toutes les suggestions, répondit-elle en souriant, ce qui l'agaça encore plus. Comment ça va ? Les affaires tournent ?

Il la dévisagea avant de reporter son attention sur la paperasse entassée sur son bureau.

— Si c'est Steve que tu cherches, il passe le rotavator dans le jardin numéro cinquante.

— Steve passe le rotavator ? s'étonna Kitty en riant. Qu'est-ce qu'il y connaît ?

— Plus que toi en journalisme, répliqua-t-il sèchement. Voilà qui la remit à sa place.

— Il a une petite amie, tu sais.

— Je sais.

— Katja.

— Je sais.

— Une fille chouette.

— Je sais.

— Elle réussit bien.

— Je sais. Elle prend des photos.

— C'est elle qui a pris celle-là.

Il lança de nouveau un regard circonspect à Kitty, et cette dernière posa les yeux sur un paysage magnifique : Skellig Rock sur la côte du Kerry, par un jour brumeux. Il obtint l'effet escompté : elle trouva le cliché très beau, mais comme c'était Katja qui l'avait pris, elle se sentit mal à l'aise.

— Où est le numéro cinquante ?

Il agita la main en direction du plan punaisé sur le mur sans lui prêter davantage attention.

Kitty trouva son chemin à travers les jardins de cinquante mètres carrés chacun et sourit aux familles. Certains étaient en plein boulot, d'autres prenaient le soleil sur des transats en buvant du thé, les enfants courant tout autour et s'aspergeant avec des arrosoirs. Chaque jardin présentait une scène différente, ce qui lui rappela le tableau noir du *Brick Alley* : « Chaque table a une histoire à raconter. »

Elle trouva Steve dans le jardin, occupé avec son outil qui faisait un bruit de tous les diables. Elle le héla, mais il ne l'entendit pas. Debout près de la clôture, elle le regarda : il était concentré sur le sol. À sa grande surprise, il avait exposé sa peau. Il avait abandonné son blouson en cuir et portait un tee-shirt et un jean, ainsi qu'une paire de bottes. Il était entièrement recouvert de boue et d'herbe, et d'autres taches non identifiables, et ses cheveux étaient encore plus en désordre que d'habitude. Il finit par lever les yeux et l'apercevoir.

Elle lui fit un signe de la main, souriante. Il arrêta immédiatement sa machine.

— Kitty, fit-il, surpris.

— Je me suis dit que j'allais passer te faire la surprise.

— Ça fait longtemps que tu es là ?

— Quelques minutes. J'observais la tête que tu fais quand tu es concentré.

Elle fronça les lèvres en faisant la moue, comme il le faisait déjà à la fac quand il étudiait ou passait un examen.

Il éclata de rire.

— Papa t'a accueillie ?

— Le meilleur comité d'accueil dont une fille puisse rêver.

— Je suis désolé, fit-il, sincèrement préoccupé.

— T'inquiète. Je préfère ton père au fumier sur ma porte.

— Ils t'en ont encore fait baver ?

— Que ça. Ça s'est arrêté dimanche, en fait, découvrit-elle soudain. Ils ont peut-être eu des ennuis. En parlant d'ennuis (elle contourna la clôture et pénétra dans le jardin), je suis venue te donner ça.

Elle ouvrit grand les bras et enlaça étroitement Steve. Il se raidit, sidéré et embarrassé, mais elle s'en fichait, elle devait le remercier pour ce qu'il avait fait. Il finit par se détendre, et elle fut surprise lorsqu'il passa ses bras autour de sa taille.

C'était étrangement confortable. Elle ne s'était pas attendue à ce qu'il réagisse comme ça. Elle pensait qu'il la repousserait en appréciant son geste, mais voilà qu'ils se retrouvaient dans les bras l'un de l'autre en plein milieu du jardin, et elle se sentait gênée. Elle relâcha son étreinte et il fit de même, mais il ne s'éloigna pas. Leurs visages étaient tout près l'un de l'autre. Ses yeux bleus plongèrent dans les siens. Elle déglutit.

— C'était censé être un remerciement, dit-elle à voix basse.

Il fronça les sourcils.

— Un remerciement pour quoi ?

— Pour avoir nettoyé la peinture sur la porte de mon appartement et la merde de chien sur les marches, pour m'avoir laissé ton lit, mais plus que tout pour avoir fait du visage de Richie une tomate pourrie.

— Oh. Ça.

Il la lâcha brusquement et recula – beaucoup –, puis, pour plus de sûreté, il se plaça derrière le rotavator. Il était de nouveau lui-même.

— Tu l'as appris.

— Il est venu chez moi récupérer sa veste. Il pensait que tu étais mon petit ami et que tu avais appris la vérité. Il était ravi.

L'expression de Steve se durcit.

— Quel connard. Je lui casserais de nouveau la gueule sans problème.

Kitty était surprise par sa réaction. Steve n'était pas ce genre de mec. Il n'était jamais agressif. Il n'était pas mou non plus, mais sa ligne de défense était toujours de s'en ficher, pas de se battre.

— Eh bien, tu l'as déjà fait et je t'en remercie.

— Deux fois, en réalité, fit-il en souriant. J'ai failli me casser le poignet.

Il leva la main, et Kitty remarqua ses phalanges abîmées.

— Oh, Steve, je suis désolée.

Elle se pencha pour lui prendre la main, mais, fidèle à lui-même, il se dégagea.

— Ce n'est rien du tout.

— Je croyais que tu ne me parlais plus.

Il lui lança un regard perplexe.

— Comme tu m'as raccroché au nez l'autre jour, j'ai pensé que tu m'en voulais. À cause de l'histoire dans le journal du dimanche. Parce que j'ai encore merdé.

— Non, non, Kitty, non, répondit-il doucement. Pas du tout. J'étais en colère, oui, mais après lui. Pourquoi j'aurais été en colère après toi ?

Elle haussa les épaules et regarda autour d'elle : elle se sentait soudain tellement vulnérable quand elle était avec lui, tellement désireuse de plaire, tellement... non ! Elle ne pouvait pas ressentir ça *pour Steve* ?

— Comment tu vas, comment va l'histoire ?

— Je *l'adore*, répondit Kitty avec enthousiasme en laissant ses sentiments de côté.

Il éclata de rire.

— J'ai rencontré des gens incroyables et j'ai vraiment hâte de raconter leur histoire.

— C'est bien. On dirait que tu es de retour au meilleur de ta forme.

— Tu crois ?

Elle était sincèrement touchée.

— Oui. Tu reviens à tout ce qui m'a toujours prodigieusement ennuyé. Ça fait plaisir de te voir aussi... (il la dévisagea) heureuse.

Heureuse. Elle réfléchit un instant. Oui, elle l'était. Malgré toutes les emmerdes, elle était heureuse.

— Ça te dit d'aller manger un bout ou boire un verre ou... ?

— J'adorerais, mais je dois aller à Kildare voir la femme papillon. Je dois vraiment en apprendre davantage sur elle. Elle est aussi fascinante qu'une créature échappée d'un roman de Tolkien. Et après j'ai un entretien d'embauche.

— Où ?

— L'école du soir d'Ashford pour leurs cours sur les métiers des médias. Mais je me demande si je ne vais pas annuler.

— Je te l'interdis. Tu vas faire un malheur.

— C'est bien ce qui m'effraie.

— Kitty, déclara-t-il en plongeant son regard bleu dans le sien. Tu vas être géniale.

Sincèrement touchée, elle sentit des larmes absurdes lui monter aux yeux. Elle n'avait pas vraiment croulé sous les louanges ces derniers temps, et surtout pas de la part de Steve, et elle ne s'était pas rendu compte à quel point elle avait besoin qu'il la complimente. Elle baissa les yeux vers ses pieds et toussota.

— Je fais un voyage demain et je me demandais si je pouvais demander de l'aide à ta copine.

Elle eut un mal fou à prononcer ces mots, mais elle faisait des efforts et elle espérait qu'il le voyait.

— Katja ? Pourquoi ?

— C'est l'histoire la plus géniale de toutes. Birdie, l'un des noms de ma liste, a parié qu'elle atteindrait l'âge de quatre-vingt-cinq ans et elle les a demain. On va à Cork collecter son gain.

— Tu plaisantes. Elle a gagné combien ?

— Dix mille, répondit Kitty en souriant de toutes ses dents. Ou l'équivalent en euros, du moins. J'ai besoin d'une photographe. On part deux jours et j'ai deux, trois bricoles à faire sur le chemin.

Steve réfléchit.

— Je vais lui en parler.

— Merci. Je t'enverrai les détails depuis le bus. Si elle ne peut pas venir, dis-le-moi pour que je trouve quelqu'un d'autre.

Ils restèrent un instant immobiles dans le jardin, et Kitty éprouva l'envie soudaine de le serrer très fort dans ses bras. Abasourdie par ses propres sentiments, elle tourna les talons et s'éloigna, gênée.

— Mais, enfin, Eugene, pourquoi est-ce que tu lui as raconté ça ? cria Ambrose à l'intention de son ami et collègue.

Eugene rougit. Le caractère d'Ambrose était aussi brûlant que ses cheveux. Il l'avait déjà affronté et n'en était jamais sorti vainqueur. Il en était réduit à bredouiller.

— C'est venu comme ça dans la conversation, fit-il humblement.

Son attitude la conforta dans sa colère.

— Comment une chose pareille peut-elle se présenter dans la conversation ? Ça n'a rien à voir avec le musée. Oh, je savais bien que je n'aurais pas dû accepter qu'elle t'interviewe, fulmina-t-elle en faisant les cent pas dans la cuisine.

Ils savaient cependant tous les deux que c'était faux. Si Eugene n'avait pas parlé à la journaliste, il n'y aurait pas d'article et donc pas de publicité pour le musée, dont ils avaient un besoin cruel, et aucun moyen pour eux d'exprimer leurs inquiétudes pour leurs chers papillons dont certains étaient en voie d'extinction. Eugene se débrouillait mieux avec les gens. Tout le monde savait ça. Sauf en sa présence, Ambrose était totalement incapable de discuter avec qui que ce soit. Elle était trop consciente de son apparence, trop obsédée par ce qu'on pensait d'elle pour formuler une pensée cohérente, et encore moins faire des affaires ou promouvoir son musée. Elle s'en sortait au téléphone, mais elle avait bien conscience du mystère local qui l'environnait et, en conséquence, elle préférait ne rencontrer personne. De cette façon, elle n'ajoutait pas d'eau au moulin des rumeurs sur le thème de « le jour où j'ai rencontré Ambrose Nolan… ». À dire la vérité, c'était de pire en pire. Elle faisait ses courses en ligne et se débrouillait pour que toutes les livraisons nécessitant une signature soient déposées au musée afin qu'Eugene ou Sara les réceptionne. Mais la seule chose que personne ne savait était précisément ce qu'il avait révélé à la journaliste. Deux choses, pour être plus précise. Eugene avait avoué la première en s'attendant à ce qu'Ambrose soit relativement agacée, mais elle avait explosé en l'entendant. Quant à la seconde, elle était impardonnable. Il le savait quand il l'avait dit à la journaliste, mais il n'avait pas pu s'en empêcher. Elle connaissait bien son métier et avait une façon de lui soutirer les informations qui l'ennuyait. Il avait révélé des choses qu'il ignorait jusqu'à ce qu'elles sortent de sa bouche.

— Je m'excuse de lui avoir parlé de l'opération, bafouilla-t-il. Je n'aurais pas dû. Je ne sais pas ce qui m'a pris. Je vais lui demander de ne pas en parler dans son article.

Il parlait du fait qu'Ambrose faisait des économies depuis très longtemps pour se faire enlever la tache de naissance qui lui dévorait le visage. Elle avait consulté de nombreux médecins à ce sujet : il lui faudrait plusieurs opérations au laser, mais c'était faisable. Elle n'avait aucune envie que cette information circule. L'idée qu'Eugene ait pu discuter de son apparence avait quelqu'un l'humiliait profondément.

— Mais j'ignorais que tu ne voulais pas que je parle du rapport, poursuivit Eugene sur un ton plus assuré, et Ambrose sut qu'il était sincère.

— Qui d'autre est au courant ?

— Personne.

— Tu savais donc bien qu'il ne fallait pas en parler, sinon tu l'aurais dit à d'autres personnes.

— Écoute, Ambrose, calme-toi. Tu as abattu un travail considérable. Tu devrais en être fière. J'ai lu et relu ton rapport, et c'est la chose la plus merveilleuse que j'aie jamais lue. Je suis fier de toi : le monde entier devrait être au courant de tes découvertes. Le fait que le symposium t'ait demandé de faire une intervention est un honneur immense et la confirmation de la qualité de tes analyses. C'est une chance en or, et tu le sais. Ce n'est pas tous les jours ni même tous les ans qu'il vient en Irlande.

Il faisait allusion à l'événement qui devait avoir lieu à l'Université de Cork, et dont sir David Attenborough, président de la Sauvegarde des papillons, ferait l'allocution d'ouverture. Il y aurait des articles sur les dernières initiatives pour contrer le déclin du nombre de papillons et sur la préservation des habitats. Ce symposium serait aussi l'occasion pour les chercheurs du monde entier de présenter leurs études sur le travail de conservation. Ils réfléchiraient aux défis à venir, parmi lesquels le changement climatique. Ambrose avait été invitée à s'exprimer. Eugene avait confirmé sa venue sans la prévenir, ce qui avait provoqué sa colère, mais la dispute avait eu lieu un autre jour. Eugene ne savait pas encore si elle se rendrait à la conférence, mais il n'abandonnait pas tout espoir.

— Tu as fait exprès de le lui dire, aboya-t-elle, rouge de rage, les yeux brillants, l'un d'un vert menaçant, l'autre d'un marron inquiétant, pour me forcer la main. Si elle en parle, alors je serai obligée d'y aller, c'est ça ton plan ?

— Je pense que ton travail mérite d'être mis en lumière, répliqua-t-il en essayant de ne pas bafouiller. Je doute que quiconque au monde ait étudié le paon du jour aussi bien que toi. Tu as les données et l'expérience pour le prouver.

Pourquoi passer cinq ans à rédiger un rapport si tu veux le garder pour toi ?

Il se rendit soudain compte que sa voix s'était fait de plus en plus forte. Ambrose parut surprise. Presque amusée.

— Tu lui as dit que j'allais à Cork, et maintenant elle veut venir avec nous, fit-elle, irritée.

— Faux. Elle veut qu'on l'accompagne.

— Je ne comprends pas.

— Elle va t'expliquer. Elle va arriver d'un instant à l'autre. Elle veut passer l'après-midi avec toi.

La sonnette de l'entrée retentit.

— Ce doit être elle.

Encore tremblant, il abandonna une Ambrose bouche bée, qui s'empressa de se détacher les cheveux pour se cacher le visage.

Il prit une profonde inspiration et sourit avant même d'ouvrir la porte.

— Ah, mademoiselle Logan. Quel plaisir de vous voir. Entrez, je vous prie.

— Elle s'attache les cheveux quand elle est avec vous, fit remarquer Kitty à Eugene lorsqu'elle en eut terminé avec Ambrose, qu'elle trouvait de plus en plus intrigante.

Eugene, qui était assis à son bureau dans une pièce minuscule, leva les yeux de ses dossiers, surpris.

— Elle vous a dit ça ?

— Non, je vous ai vus discuter par la fenêtre avant de sonner.

Ce qui voulait dire : « Je vous ai espionnés par la fenêtre avant de sonner. »

— Oh. Eh bien, je n'ai rien à ajouter à cette remarque.

— Je n'en parlerai pas dans mon article, le rassura Kitty en s'appuyant au chambranle, ce qui donna à Eugene l'impression d'être pris au piège. Je pensais juste que vous aimeriez le savoir.

— Ah bon ? Pourquoi ?

Il agitait ses papiers. Ses joues étaient écarlates et la couleur s'était répandue sur son cou et jusqu'à son nœud papillon.

— Parce que cela veut dire qu'elle se sent bien avec vous.

Kitty sourit en voyant les coins de sa bouche frémir.

— Eh bien, je n'y ai jamais prêté attention. Je veux dire, il n'y a pas de raison… Ce n'est pas… Elle n'est pas… Nous ne sommes pas…, bégaya-t-il, incapable de finir une phrase.

— Bon, je vous verrai tous les deux demain, affirma Kitty.

— Elle a accepté de venir ?

— Non, mais je compte sur vous pour la convaincre. J'ai le sentiment qu'elle vous écoute.

Sur ce, elle lui fit un clin d'œil et quitta le musée.

L'Université privée d'Ashford était située sur Parnell Square à côté du Centre des écrivains irlandais, qui faisait face au jardin du Souvenir et autres bâtiments importants tels le Gate Theatre et l'hôpital Rotunda. C'était un square georgien, et l'université occupait quatre étages. On y enseignait la cuisine et la technologie, la décoration intérieure, les affaires, le marketing et les médias. Une partie de cette formation était consacrée à la télévision et avait pour but d'apprendre aux étudiants à s'exprimer correctement et lentement, à s'adresser à la caméra, à se débarrasser de tics ou d'habitudes qu'ils avaient sans le savoir et à être à l'aise à l'écran et avec sa propre voix. Kitty avait suivi ce cours cinq ans plus tôt et s'apprêtait à passer un entretien pour se retrouver de l'autre côté de la barrière. Elle était bien consciente de ne pas avoir d'expérience en matière d'enseignement, mais elle avait celle du terrain et, outre le fait qu'elle était toute prête à partager son expérience, elle avait vraiment besoin d'argent. Deux heures et demie par semaine, c'était déjà ça.

Elle s'assit devant Daniel Meara, le capitaine du navire, ancien proviseur devenu homme d'affaires, qui avait fondé cette université pour donner des formations à mi-temps et des cours du soir : il gagnait donc de l'argent en délivrant des diplômes et des certificats pour des emplois que les étudiants ne trouveraient jamais.

— Katherine.

Il baissa les yeux sur son CV avant de les reposer sur elle en souriant. C'était un sourire gêné qui poussa immédiatement Kitty à se demander pourquoi diable elle était là. Si elle ne croyait pas en elle, comment allait-elle convaincre cet homme qu'elle était compétente pour ce job ? Elle se prépara pour la suite.

— Merci d'être venue. Voilà…, fit-il en posant les mains bien à plat sur la table.

Ses doigts moites produisaient un bruit de succion chaque fois qu'il les soulevait pour accentuer certains mots.

— Vous êtes une ancienne élève, poursuivit-il, ce que nous apprécions grandement, et c'est pour cela que j'ai demandé à Triona de vous faire venir, afin de vous rencontrer. (Il bougea ses doigts qui firent ce bruit écœurant.) Vous avez travaillé dans le domaine pour lequel vous aviez suivi cette formation, ce que nous admirons infiniment et dont nous sommes très fiers. (Il s'éclaircit la voix.) Cependant, au vu des circonstances actuelles, de *vos* circonstances actuelles…

C'étaient les seuls mots qu'elle avait besoin d'entendre pour comprendre ce qui allait suivre, et le reste disparut avant d'atteindre son esprit, à l'exception du mémorable :

— Les étudiants étudient votre cas en cours de loi des médias, et nous pensons que cela constituerait un conflit d'intérêts et vous placerait dans une position très inconfortable.

Elle aurait préféré l'entendre au téléphone. Elle avait passé du temps à s'habiller, se maquiller et se coiffer, elle portait des chaussures qui lui coupaient la circulation, et voilà qu'elle était renvoyée sur un ton condescendant. Au moins, par téléphone, elle n'aurait pas eu à rentrer chez elle en pleurant sur son vélo. La seule chose de bien de la soirée fut la pluie torrentielle prédite par Sally, qui tomba brusquement alors qu'elle roulait, malheureuse, dans l'obscurité.

Chapitre 25

Kitty ne parvint pas à trouver le sommeil cette nuit-là. Elle ne pouvait même pas fermer les yeux. Elle avait rangé l'humiliation subie lors de l'entretien dans un coin de sa tête ; elle s'en préoccuperait à un autre moment, un jour où elle en aurait le courage. Pour l'instant, elle ne songeait qu'à son article, aux gens et au voyage. Elle était nerveuse. Des picotements d'excitation lui nouaient le ventre, aussitôt suivis par les pensées négatives qu'elle ne connaissait que trop bien. Et si elle avait commis une erreur en les réunissant ? Et si son plan d'action concernant l'angle qu'elle avait trouvé était erroné ? Elle était submergée par le sentiment du devoir à remplir envers Constance et Bob. Elle n'était plus animée, en revanche, par le désir de plaire à Pete. Il n'aurait qu'à employer un peu de la foi et de l'enthousiasme de Constance et faire confiance à son auteur. Elle sentait au plus profond d'elle-même qu'elle avait raison ; elle avait recommencé à suivre son instinct au lieu de réagir en fonction de celui de quelqu'un d'autre. Cette conséquence du processus était suffisamment importante à elle seule pour être célébrée. Elle avait retrouvé sa confiance en elle, mais elle redoutait que son instinct ne soit faux et ce voyage désastreux.

Tandis qu'elle était étendue dans son lit et qu'elle contemplait son appartement baigné dans la lueur bleue de la lune, elle commença à penser qu'elle devait le quitter. Elle y avait vécu seule pendant cinq ans, puis quatre mois avec

Glen. Elle adorait cet appartement et n'avait aucune envie de partir. Elle avait eu de la chance de le dénicher, l'insolence de menacer le propriétaire pour qu'il lui fasse une ristourne de loyer, et voilà que ses manières discutables revenaient la hanter. Dans moins de quinze jours, elle serait à la rue. Bien éveillée à l'idée de son avenir incertain, elle repoussa les couvertures et commença à faire ses valises, effrayée par le voyage du lendemain et par le déménagement. À 3 h 30, toute sa garde-robe était emballée dans ses valises ; à 4 heures, elle dormait comme une souche et rêvait des aventures des six de ses cent noms.

Kitty avait décidé d'aller chercher Birdie en taxi. La mégère de l'accueil avait été informée qu'elle venait la prendre pour l'emmener dans sa famille, où elle passerait la nuit. Au même moment, les Oldtown Pistols revinrent comme prévu, victorieux contre les Balbriggan Eagles. Pendant son service, Molly s'était arrangée pour programmer une révision pour le bus, en prétextant avoir entendu « un drôle de bruit » et en ajoutant qu'un des « Pistols » avait remarqué une odeur étrange. Cette déclaration fut prise très au sérieux et les infirmières avaient approuvé l'arrangement de Molly avec un mécanicien du coin, Billy Meaghar, qui devait le réviser et le rapporter le vendredi soir pour que les Pink Ladies puissent aller au bridge. Pour cinquante euros, Billy avait accepté que Molly récupère le bus, à condition qu'elle le lui rapporte à temps pour qu'il puisse être à l'heure à la maison de retraite.

Jusque-là tout allait bien.

Birdie et Kitty attendirent anxieusement l'arrivée de Molly au café d'Oldtown. Elles s'attendaient à ce que la mégère leur mette des bâtons dans les roues.

— Comment vous vous sentez ? demanda Kitty.

— À propos du bus ?

— Non, du voyage. À l'idée de revenir chez vous.

La vieille dame poussa un long soupir, et Kitty n'aurait su dire si c'était de contentement ou d'angoisse. Peut-être les deux.

— Je suis excitée, mais j'ai le trac. Je n'y suis revenue qu'une fois, pour l'enterrement de mon père, il y a quarante ans. Ce voyage m'a donné à penser. C'est drôle comme la simple idée de revenir m'a fait disparaître dans mes souvenirs… (Elle laissa sa phrase en suspens comme si elle était prise dans une autre toile de réminiscences.) Je me souviens de choses que je croyais avoir complètement oubliées.

— Vous êtes sûre que ça ne vous ennuie pas que les autres se joignent à nous ? Je sais que ce voyage est très personnel pour vous.

— Kitty, je suis ravie de rencontrer ces gens, affirma Birdie avec un sourire. Je suis très curieuse de savoir qui d'autre figurait sur cette liste avec moi.

— La curiosité, voilà le maître mot, répondit Kitty avec un rire un peu anxieux.

— Vous avez trouvé, n'est-ce pas ? La chose qui nous lie ?

— Oui. Je pense que oui.

Elle fut reconnaissante à Birdie de ne pas lui demander de quoi il s'agissait.

— C'est bon, moi aussi j'ai un petit secret, gloussa Birdie, les yeux brillants de malice. Molly ne le sait pas encore, mais nous avons un arrêt supplémentaire à faire sur la route.

Cet arrêt, c'était l'Université de Trinity où Edward, son petit-fils, faisait ses études de droit. Kitty se souvint de l'avoir croisé à la maison de retraite. C'était un beau jeune homme d'une vingtaine d'années, responsable et appliqué, et, aux yeux de Birdie, c'était le parti rêvé pour Molly, même si Kitty pensait qu'il n'y avait pas plus mal assortis.

— Espèce de romantique, la taquina Kitty.

— Molly me tuera, j'en suis certaine, mais Edward a besoin d'être un peu secoué. C'est vraiment le fils de Caroline, dit-elle comme si cela expliquait tout. Il passe son temps à étudier et il ne reconnaîtrait pas une bonne chose même si elle se déshabillait et s'agitait sous son nez.

— Je pense que Molly en est capable.

Birdie éclata de rire.

Un bruit sonore de klaxon se fit soudain entendre. Elles sursautèrent toutes deux, de même que les autres clients. Elles regardèrent par la vitrine du café : Molly était derrière le volant, les deux pouces en l'air.

— Voilà qui est subtil, marmonna Kitty entre ses dents tandis qu'elles se dirigeaient vers le bus.

— J'adore faire ça, dit Molly, toute joyeuse en refermant les portes et en savourant sa joie.

Elle tira sur un levier et les portes se rouvrirent, puis elle les referma.

— Ça suffit, protesta Kitty, nerveuse. Cessez de jouer avec ce bus. Je ne veux pas être arrêtée pour vol avant la fin du voyage.

Birdie et Kitty s'installèrent sur le siège juste derrière le chauffeur, mais Kitty se dit que si les talents de conductrice de Molly étaient les mêmes que sur sa moto, elle n'allait pas rester là longtemps.

— Il y a même un micro, constata Molly, excitée comme une puce. Prochain arrêt, dit-elle dans le micro, les contreforts de Boggeragh Mountains.

— Il faut d'abord faire un arrêt à Trinity, annonça Kitty.

— Je croyais qu'on récupérait tout le monde sous l'horloge de Clerys et qu'on allait directement à Cork, s'étonna l'infirmière. Oh, ne me dites pas que…

Elle jeta un coup d'œil à Birdie par-dessus son épaule.

— Gardez les yeux sur la route, mon enfant ! s'écria Birdie. Je veux fêter mon quatre-vingt-cinquième anniversaire. Il ne sait pas encore qu'il vient avec nous.

Molly leva les yeux au ciel et elles quittèrent Oldtown avant que quiconque ne puisse les voir.

Elles s'arrêtèrent devant chez Clerys sur O'Connell Street, sous les coups de klaxon furieux des nombreux bus et voitures alarmés par la conduite irrationnelle de Molly.

— Oh, vos gueules, marmonna cette dernière en allumant les warnings. Ils sont là, Kitty ?

Kitty avait le ventre noué en les cherchant des yeux devant Clerys : elle les aperçut soudain. Ils étaient tous là, certains en groupes, d'autres seuls. Elle fut ravie de voir Ambrose et Eugene côte à côte. Les cheveux roux d'Ambrose lui dissimulaient le visage et elle contemplait ses pieds, tandis qu'Eugene avait levé le visage vers le soleil avec bonheur, faisant sans aucun doute son possible pour qu'Ambrose oublie qu'elle était dehors dans le grand méchant monde rempli d'étrangers, et loin de ses précieux papillons.

Eva Wu fut la première à apercevoir Kitty dans l'encadrement de la porte à soufflet du bus. Elle jeta un regard intrigué au blason « Sainte-Margaret » qui s'étalait sur le flanc de l'autocar. Bien qu'elle eût de nombreux cadeaux à distribuer pendant le mariage, elle n'avait qu'un sac de week-end et un cabas avec elle. Kitty se dit qu'elle avait certainement prévu de faire livrer les cadeaux plus tard.

— Bonjour, Kitty, dit Eva en l'embrassant.

Lorsque les autres aperçurent Kitty à leur tour, ils rejoignirent le bus devant lequel ils firent la queue. Kitty fut surprise en apercevant Steve qui attendait en bout de file. Elle lui lança un regard perplexe, puis continua d'accueillir ses invités.

— C'est quoi ce bus de maison de retraite ? demanda Eva, amusée.

— Tout vous sera révélé en temps et heure, promit Kitty. Archie !

Elle lui sourit et l'enlaça. Il se raidit, gêné par cette démonstration d'affection.

— Euh… J'ai amené quelqu'un, j'espère que vous êtes d'accord. Elle s'appelle Regina. (Il fit un pas de côté, dévoilant la femme effacée du café.) Je lui ai tout raconté.

Regina leva les yeux vers lui avec un sourire timide, puis lança un coup d'œil anxieux à Kitty. Elle avait encore ce regard légèrement hanté, comme si elle avait peur qu'il arrive quelque chose, ou comme si elle espérait que quelque chose se passerait tout en redoutant que cela n'arrive pas.

— Vous êtes la bienvenue, Regina, fit Kitty, tout sourires, en lui serrant la main.

Elle essaya de dissimuler son ébahissement, en vain.

— Merci.

Regina rougit et chercha le regard d'Archie.

— Asseyez-vous où vous voulez.

Ils choisirent deux sièges au troisième rang et Archie laissa la fenêtre à Regina. Les suivants étaient Eugene et Ambrose. Kitty embrassa Eugene mais ne toucha pas Ambrose. Elle ne s'attarda pas non plus sur sa présence. Eugene avait l'air ravi, il portait un pull, une chemise et un nœud papillon avec des papillons brodés, quant à Ambrose, elle accorda à peine un regard à Kitty et se dirigea vers l'arrière du bus. Il y avait là cinq sièges devant lesquels étaient fixées des tables, et deux sièges en face. Sans surprise, Ambrose évita les sièges qui permettaient de bavarder et s'installa sur l'un des deux les plus éloignés.

Vinrent ensuite Mary-Rose et Sam.

— J'espère que ça ne vous ennuie pas qu'elle m'ait emmené, fit Sam.

— Je n'en attendais pas moins, le taquina Kitty.

Mary-Rose rougit et elle les embrassa tous les deux. Ils se dirigèrent vers l'arrière du bus, et Sam se présenta à tout le monde au passage. L'atmosphère en fut immédiatement allégée.

Montèrent ensuite Jedrek et Achar, qui, au grand amusement de Kitty et des passants, avaient apporté leur pédalo. Il fallut que Sam, Jedrek, Achar et Steve s'y mettent à quatre pour réussir à le coincer de travers dans la soute.

— Qu'est-ce que tu fais là ? demanda Kitty à Steve quand ils remontèrent dans le bus. Où est Katja ?

— Elle ne pouvait pas venir, alors je me suis dit que je serais ton photographe pendant les deux prochains jours.

— Steve, protesta Kitty, paniquée, tu aurais dû me prévenir. J'ai besoin d'un vrai photographe pour le magazine.

— Je t'arrête tout de suite avant que tu ne m'insultes : on a tous les deux étudié le photojournalisme, tu te souviens ? Je sais ce que je fais.

— C'était il y a dix ans et tu étais nul.

— Je n'étais pas nul, j'étais créatif, c'est pas pareil.

— Bon, au moins, essaie de ne pas décapiter les gens sur les photos, d'accord ?

— Eh ben, merci, Steve, d'avoir pris un jour de congé pour m'aider, je suis vraiment contente.

— Désolée. Merci, fit-elle, sincère, en s'asseyant. Mais ne gâche pas tout.

Il s'installa à côté d'elle au premier rang et contempla la petite assemblée éclectique.

— C'est le résultat de ton boulot. C'est super, Kitty. Je suis vraiment content que tu fasses ça.

Aucune réponse sarcastique ne lui venant à l'esprit, elle se contenta de le remercier en souriant. Elle était ravie qu'il soit là. C'était bien.

— Bon, faites vite, ordonna Molly, un peu nerveuse, tout en regardant dans le rétroviseur intérieur au moment où elle tournait sur Nassau Street. Je ne peux pas rester stationnée ici longtemps.

— Comment ça, faites vite ?

— C'est vous qui devez aller chercher Edward. Je ne peux pas quitter le bus.

— Vous ne pouvez pas lui passer un coup de fil ? demanda Kitty. Je ne le connais même pas.

— Il a coupé son portable, expliqua Birdie, navrée. Il est à la bibliothèque.

Kitty et Steve gagnèrent en courant l'entrée sur le côté du bâtiment. Ils trouvèrent la bibliothèque et demandèrent Edward Fitzsimons.

— On ne peut pas le déranger, il travaille sur un devoir en groupe et il a demandé que personne ne l'approche.

Kitty soupira et fit un pas en arrière.

— Partons. Il faut que nous expliquions à Birdie qu'il n'est pas disponible.

— Hein ? Tu veux briser le cœur de cette vieille dame ? Elle vit l'aventure de sa vie – je suis surexcité et je ne la connais même pas –, et si c'était ma grand-mère je ne voudrais rater ça pour rien au monde.

— Mais tu as entendu ce qu'a dit l'employée.

— Arrête. Ne me dis pas que la journaliste sans état d'âme *Katherine* Logan ne peut pas imaginer un stratagème pour nous tirer de là !

— Plus maintenant, rétorqua Kitty sur un ton sans appel. Je ne suis plus cette femme-là. Et puis tu détestais cette facette de ma personnalité.

Elle n'avait pas envie que la conversation prenne un tour si sérieux, ce n'était pas le moment, pas quand onze personnes et un pédalo les attendaient dans un bus appartenant à une maison de retraite garé en double file, mais elle ne pouvait pas s'en empêcher.

Steve lui lança de nouveau ce regard, celui qui la faisait frissonner et qu'il avait déjà eu la veille. Elle tenta de ne pas y prêter attention, embarrassée.

— Tout ça n'a aucune importance.

Elle tourna les talons et sortit de la bibliothèque. Soudain elle sentit une main se poser sur son bras.

— Kitty… Je ne pensais pas ce que je disais.

— Si.

— D'accord, en partie. C'est vrai. Mais je ne déteste pas cette facette de ta personnalité, c'est juste que j'ai eu peur qu'elle ne t'engloutisse tout entière.

— J'ai bien compris, et je ne serai plus jamais comme ça.

Il lui lança un regard incrédule.

— En l'occurrence… Tu ne peux pas être cette journaliste menteuse et manipulatrice une dernière fois ?

— Tu me donnes la permission ?

— Il y a un temps pour tout. Fais de ton pire, dit-il en souriant.

— D'accord. (Elle carra les épaules et rebroussa chemin.) Re-bonjour. Je suis désolée de vous ennuyer, mais je dois absolument parler à Edward. Je ne voulais pas faire les choses comme ça, mais nous sommes là à cause de sa grand-mère, Birdie. Elle vient de mourir et nous devons le lui annoncer en personne.

Kitty entendit Steve s'étouffer derrière elle et elle réprima un sourire tandis que la bibliothécaire courait chercher Edward.

Un quart d'heure et des dizaines d'excuses plus tard, ils avaient repris la route et Edward, assis à côté de sa grand-mère, la bombardait de questions.

— Tu es sûre que tu vas bien ?

— Oui. Certaine.

— Tu n'es pas… mourante.

— On est tous mourants, mon chéri, et je suis certainement beaucoup plus près de la tombe que toi, le taquina-t-elle.

— Je ne suis pas d'accord, intervint Molly. Il peut mourir d'une seconde à l'autre.

— Surtout vu la façon dont tu conduis, rétorqua-t-il. Qui a eu la grande idée de voler ce bus ?

Molly détourna les yeux du rétroviseur et se mit à siffloter.

— Tu n'as pas pensé à me demander si je pouvais la conduire ? demanda Edward.

— Oh, bien sûr que si. Il n'y a rien qui me fasse plus envie que de passer quatre heures dans ta bagnole pourrie.

— Tout ça parce que ta moto est plus grosse que la mienne.

— Au moins, elle n'est pas en panne toutes les cinq minutes.

— Au moins, je conduis sans mettre la vie des autres en danger.

— Quoi ? demanda sèchement Molly en dévisageant Edward dans le rétroviseur. Pourquoi tu me regardes comme ça ?

— Je me demande pourquoi tes cheveux sont bleus. Non, mais sérieux, de toutes les couleurs possibles, t'as choisi bleu.

— Pour être assortis à ta personnalité, monsieur J'ai-toujours-des-bleus-à-l'âme.

Donc Edward et Molly se connaissaient bien. Kitty surprit Birdie en train de sourire avant de se détourner vers la vitre.

Kitty se leva et se dirigea vers le micro. Sam se mit immédiatement à crier pour lui demander de chanter ; les autres éclatèrent de rire et tout le monde reporta son attention sur elle.

— Je ne chanterai pas, promis.

— Elle fait bien, croyez-moi, intervint Steve, ce qui provoqua l'hilarité générale.

— Je voudrais juste vous dire quelques mots à propos de ce voyage. Je sais que la plupart d'entre vous n'ont aucune idée de ce qui se trame, et j'apprécie vraiment que vous m'ayez accompagnée quand même. Mais, en réalité, c'est vous qui m'avez emmenée en voyage. (Elle s'éclaircit la voix.) Une amie, qui était aussi ma rédactrice en chef, est morte d'un cancer il y a quelques semaines et elle m'avait demandé d'écrire l'histoire qu'elle n'avait pas eu le temps d'écrire. Le seul indice qu'elle m'a laissé, c'étaient vos noms – et quatre-vingt-quatorze autres qui ne rentraient pas dans le bus.

Ils gloussèrent.

— Je n'avais aucune idée de l'angle par lequel Constance comptait aborder son histoire, mais plus je vous parlais, plus j'apprenais à vous connaître, certains mieux que d'autres, plus je sentais que l'histoire s'écrivait toute seule parce que vous êtes tous des gens remarquables avec des histoires fascinantes, et je vous remercie de les avoir partagées avec moi. Surtout à une période de ma vie où…

Elle entendit un tremblement dans sa voix et elle s'interrompit pour se ressaisir. Tous les yeux étaient rivés sur elle, y compris ceux de Molly.

— Regardez la route, ordonna Kitty, et ces simples mots lui permirent de poursuivre… Surtout à une période de ma vie où j'en avais particulièrement besoin. Je sais que j'en ai agacé pas mal parmi vous, que je me suis imposée dans vos vies alors que vous n'en aviez pas envie, et j'apprécie votre patience. J'espère que vous avez compris que j'ai tout misé sur vous, pour apprendre à vous connaître, pour entendre vos histoires et leur rendre justice. J'ai beaucoup appris de vous tous, vous m'avez émue, et, je n'ai pas peur de le dire, vous m'avez rendue meilleure et remise sur les rails.

Ambrose ne la quittait pas de son regard puissant.

— Je voudrais vous présenter les uns aux autres. Nous avons beaucoup de route à faire, et je suis certaine que vous aurez l'occasion de discuter et de découvrir vos histoires respectives, sauf en ce qui concerne cet homme. (Elle désigna Steve.) Il n'est pas là pour l'article, il n'a rien à raconter, c'est juste mon ami, alors ne lui parlez pas.

Ils rirent.

— Il pourrait nous raconter votre histoire, Kitty, cria Jedrek depuis le fond du bus, et tous pouffèrent.

— Non, croyez-moi, vous ne voulez pas la connaître.

— Il fallait lire le journal de dimanche, cria Steve, et ceux qui comprirent la plaisanterie se mirent à rire.

— Merci, Steve. Mais je voudrais d'abord vous présenter notre invitée d'honneur. Dont c'est l'anniversaire aujourd'hui. Birdie Murphy.

Tout le bus applaudit et se mit à chanter « Joyeux anniversaire ».

L'atmosphère devint très spéciale : les passagers se mélangèrent, et un véritable sentiment de fête et de jubilation s'installa dans le bus. Quand elle se rassit à côté de Steve, Kitty ne put dissimuler sa satisfaction.

— Regarde comme tu es contente, fit remarquer son ami en lui ébouriffant affectueusement les cheveux.

Chapitre 26

La plupart des « noms » s'étaient réunis à l'arrière du bus pour écouter Jedrek et Achar parler de leur tentative de record.

— C'est le cent mètres masculin, expliqua Jedrek avec le plus grand sérieux. Le record du monde actuel est d'une minute cinquante-huit secondes et six dixièmes. On peut le faire en une cinquante.

Tout le monde les félicita.

— Vous allez battre ce record à Cork ? demanda Eva.

— Notre souhait était que nos familles assistent à notre triomphe, répondit Jedrek avec tristesse. Ils nous ont soutenus tout du long et leur absence…

Achar lui coupa la parole, plus enthousiaste.

— Ils n'ont pas pu nous accompagner, mais si nous sommes là avec vous aujourd'hui, c'est parce que nous savons qu'un juge est à Cork en ce moment. Si nous arrivons à le convaincre d'assister à notre course, il pourra enregistrer notre record dans le *Guinness*.

— Même si nous n'avons pas besoin de la présence d'un juge pour homologuer un record, rebondit Jedrek.

— C'est vrai. Mais sa présence est la seule façon de savoir tout de suite si nous avons battu le record. Si on veut qu'il soit approuvé tout de suite et avoir une couverture médiatique, alors il faut en passer par là. Il décerne un certificat encadré. On s'est renseigné, mais ça coûte cinq mille euros d'en faire venir un. On a appris qu'il y en avait un à Cork aujourd'hui pour un événement. Si on peut le convaincre d'assister à notre tentative, on saura tout de suite.

— Oui, mais il n'est pas obligatoire d'avoir un juge, répéta Jedrek. Je ne veux pas que tu te fasses des films.

— Et si j'en ai envie ? protesta Achar. Tu manques d'optimisme.

Ils se disputèrent ainsi jusqu'à ce qu'Archie finisse par intervenir.

— Ça vaut le coup d'essayer, non, les gars ? Et si vous ne parvenez pas à avoir le juge, on sera tous vos témoins.

— Je vous filmerai avec mon iPhone, comme ça vous aurez une preuve vidéo à ajouter au dossier, proposa Sam.

— Et je prendrai plein de photos, ajouta Steve. Et tout ça sera rendu encore plus légitime par la journaliste qui va écrire un article sur vous.

Jedrek, toujours sentimental, parut ému par leurs gentils encouragements, mais il demeura cynique quant à la possibilité que le juge accepte.

Tandis que Steve parlait papillons avec Eugene qui lui expliquait quelles plantes faire pousser dans son jardin afin de les attirer, Kitty s'assit à côté d'Ambrose.

— La succise des prés pousse en terrain humide et sec, l'œillet des prés aime les primeroses, les violettes, les pissenlits…

Steve écoutait sans piper mot.

— Je suis vraiment contente que vous soyez venue aujourd'hui, dit doucement Kitty. Je sais que ce n'est pas… facile pour vous.

Les paroles de Kitty étaient bienveillantes, mais elles excitèrent la colère d'Ambrose.

— À cause de mon visage, rétorqua-t-elle sèchement, son œil vert rivé à Kitty. Je suis au courant de la conversation que vous avez eue avec Eugene. Il n'aurait jamais dû vous raconter ça.

Kitty comprit tout de suite qu'elle parlait de l'opération pour laquelle elle économisait. Eugene avait avoué à Kitty qu'elle était prête à mettre toutes ses économies dans les multiples opérations au laser censées enlever ce qu'ils appelaient un angiome plan défigurant, même si Kitty pensait tout le contraire : la tache ne ravageait pas sa beauté, elle l'accentuait ; Ambrose ressemblait à un de ses papillons exotiques encadrés. Mais elle doutait fort qu'Ambrose la croie si elle lui disait ça.

— On n'a pas du tout parlé de vous comme vous le croyez, déclara lentement Kitty.

Ambrose fronça les sourcils, perplexe.

— Mais bien sûr. Je suis certaine que vous ne vous êtes pas moqués de moi ni que vous avez discuté du pauvre visage répugnant d'Ambrose. Je ne veux pas que vous écriviez là-dessus. Je ne veux aucune mention de mon apparence dans votre article.

— Tout l'article est sur vous, Ambrose. Si je ne peux pas écrire sur vous, je ne peux pas écrire tout court.

— On ferait mieux d'arrêter ce bus, alors, parce que je ne vous donnerai jamais la permission de vous moquer de moi en public.

— Mais pourquoi croyez-vous que je vais me moquer de vous ? Bien au contraire. Pour tout vous dire, et je pense que vous méritez de le savoir, la seule raison pour laquelle Eugene m'a parlé de votre opération, c'est parce qu'il est contre. Il pense que vous ne devriez pas le faire.

Kitty savait qu'elle dépassait les bornes, mais elle ne voyait pas le mal qu'il y avait à régler le malentendu entre elles, et certainement aussi entre Eugene et Ambrose. Ambrose ne voyait pas ce qu'Eugene ressentait pour elle.

— Quoi ?

— Il vous a comparée aux papillons que vous adorez et chérissez tous les deux, et il a dit que vous étiez unique pour les mêmes raisons : vous êtes rare, exotique et entièrement vous-même. Il vous trouve belle comme vous êtes. C'est uniquement pour ça que nous avons parlé de vous, je vous le jure.

Ambrose ouvrit et ferma la bouche tout en essayant de digérer ce qu'elle venait d'entendre. Elle avait envie de se mettre en colère, devina Kitty – toute remarque sur son apparence avait cet effet-là –, mais, pour une fois, elle ne le fit pas. Elle finit par fermer la bouche et une esquisse de sourire se dessina sur ses lèvres.

Kitty avait prévu d'utiliser ce voyage, comme elle l'avait promis à Gaby, pour essayer de mieux cerner Eva, mais très vite après qu'ils eurent quitté Dublin, celle-ci s'installa à côté de Birdie et elles se mirent à converser. Edward avait choisi le siège du guide à côté de Molly et ils se disputaient pour savoir quelle route était la meilleure pour pouvoir déposer tout le monde à destination. Après Cork, ils se rendraient dans la ville natale de Birdie, Nadd, dans l'après-midi, et le mariage d'Eva n'avait lieu que le lendemain. Kitty avait tout planifié, et c'était bien ce qui l'inquiétait : les choses ne se déroulaient jamais comme prévu. Kitty avait désespérément envie de se mêler à la conversation d'Eva et de Birdie, mais c'était impossible. Au lieu de ça, Mary-Rose la rejoignit.

— Kitty, ça vous ennuie si on discute deux minutes ?

Elle avait l'air nerveuse. Elles s'assirent sur deux sièges vacants, d'où Kitty pouvait entendre Eugene dispenser sa leçon sur les papillons à Steve.

— Est-ce que tout va bien ?

— Oui. Tout le monde est très poli et chaleureux. J'adore écouter leurs histoires, mais, euh, je ne comprends pas bien ce que je fais là. Ils ont tous un but, vous comprenez, ils vont quelque part ou faire quelque chose. Je ne sais pas ce que je fais là.

— Je voulais juste que vous les rencontriez. Je vous ai tous rencontrés pour la même raison. Ne croyez pas que vous ayez besoin de faire quoi que ce soit.

— Mais je me sens inutile.

Kitty eut soudain une idée.

— Vous avez votre matériel avec vous ?

— Je l'emporte partout.

— Et si vous vous occupiez de Birdie ? C'est son anniversaire.

Mary-Rose s'illumina, ravie de pouvoir se rendre utile. Kitty se dit que du coup elle pourrait parler à Eva.

— Et puis, on ne sait jamais, toute cette aventure pourrait inspirer une autre demande en mariage, plaisanta Kitty.

Les traits de Mary-Rose s'assombrirent.

— Oh, je ne sais pas.

Kitty devina tout de suite ce qui la tracassait.

— C'est sérieux avec Aoife ?

Mary-Rose déglutit.

— Oui, je pense, enfin, on n'a pas vraiment parlé… d'elle.

Un silence.

— Et votre ami ? demanda Mary-Rose en faisant un signe de tête en direction de Steve.

— Comment ça ?

Kitty se sentit immédiatement contrariée, voire agacée. Mary-Rose en pinçait-elle pour Steve ? Ce genre de chose était interdit, non ? Mary-Rose avait au moins dix ans de moins que lui, elle était beaucoup plus jolie, juvénile… elle ne pouvait pas s'intéresser à lui.

— Il a une petite amie ?

— Oui ! s'exclama Kitty avec un enthousiasme un peu trop appuyé. Depuis un moment. Ils sont fous l'un de l'autre.

Elle ne savait pas si c'était vrai, mais elle se sentait mal à l'idée que Mary-Rose puisse sortir avec Steve. C'était quoi son problème à la fin ?

— Oh, c'est dommage, fit Mary-Rose, désolée, et Kitty en fut secrètement soulagée. Vous iriez tellement bien ensemble.

Kitty fut tellement surprise qu'elle ne sut quoi répondre. Mary-Rose ne se rendit compte de rien et elle alla demander à Birdie si elle était prête pour son relooking. Les filles se mirent toutes à battre des mains, surexcitées, et même Regina quitta Archie pour se rapprocher d'elles.

Kitty se mit à rêvasser en imaginant ce que ça ferait d'être en couple avec Steve. Elle se rappela même la seule fois où ils avaient couché ensemble à la fac ; ils étaient saouls et ça n'avait pas été génial, mais le cœur de Kitty se mit à battre plus vite et des papillons élurent domicile dans son estomac… Elle ne pouvait pas…

— J'ai enfin réussi à m'échapper, merci de m'avoir présenté, souffla Steve en se glissant sur le siège voisin. Si jamais j'ai besoin d'en apprendre davantage sur les papillons, sois gentille, abats-moi, murmura-t-il au creux de son oreille. (Elle frissonna en sentant son souffle contre sa peau.) Qu'est-ce qui ne va pas ? Tu es écarlate.

Kitty ouvrit la bouche et la referma comme une carpe, mais le bus fit une brusque embardée et tout le monde reporta son attention sur Molly. Au fond, l'interprétation d'une chanson polonaise fut brutalement interrompue.

— À gauche ! J'ai dit à gauche ! cria Edward. Tu essaies de nous tuer ou quoi ?

— Non, juste toi, grogna Molly.

— Tout va bien devant ? demanda Eva tandis que Mary-Rose effaçait une trace de rouge à lèvres sur la joue de Birdie, le bâton ayant dérapé quand le bus s'était affolé.

— Ouais, merci. Grand Schtroumpf ici présent a la situation sous contrôle, répondit Edward.

Kitty surprit de nouveau un sourire chez Birdie, amusée de voir cette lutte de pouvoir entre son infirmière et son petit-fils.

À leur arrivée à Cork, Kitty se sentit partagée. Si elle voulait respecter son planning, il fallait qu'ils se séparent. Tandis qu'Eugene et Ambrose allaient au symposium sur les papillons à l'Université de Cork, Achar et Jedrek se rendirent à l'English Market où le Conseil de la gastronomie irlandaise, *Bord Bia*, avait fait venir un juge assermenté du *Livre Guinness des records* pour qu'il homologue le record du plus grand nombre de personnes habillées en œuf réunies au même endroit. C'était censé aider à promouvoir les fermiers bio de la région. Sachant qu'elle devait assister aux deux événements, de même que Steve, Kitty descendit du bus et se fraya rapidement un chemin au milieu des gens déguisés en œufs, dont le visage sortait d'un trou de leur costume et qui portaient des leggings en lycra doré, afin de trouver le juge. Jedrek et Achar le cherchaient de leur côté avec autant de frénésie.

— Vous le voyez ? demanda Achar en fouillant l'endroit des yeux.

— Il ressemble à quoi ? répondit Sam.

À ce moment-là, un œuf trébucha et heurta Mary-Rose ; Sam s'interposa immédiatement pour l'empêcher de tomber et la protéger.

— Pas à ça, j'espère, répliqua Jedrek, et ils éclatèrent de rire.

Cramponnée au bras d'Edward, Birdie contemplait la scène avec ravissement. Quant à Molly, même si elle avait prétendu qu'il lui tardait de pouvoir s'éloigner de l'étudiant, elle ne les quittait pas d'une semelle. Ne sachant pas si le record des œufs avait déjà été homologué, ils décidèrent de se séparer pour trouver le juge.

— Regarde, Jedrek, c'est exactement ce qu'il nous faut.

La presse locale, le support de la foule et un juge assermenté. C'était exactement ce dont Achar rêvait.

— Oui, Achar, mais il n'y a pas d'eau.

Les paroles de son ami lui firent l'effet d'une douche froide.

— Je l'ai trouvé ! cria Eva.

Kitty suivit la direction de sa voix et parvint devant un homme en costume noir visiblement ahuri par la drôle de bande qui l'encerclait.

Jedrek et Achar traversèrent la foule et, lorsqu'ils aperçurent le juge, on aurait dit qu'ils avaient trouvé le Graal. Jedrek fondit sur lui, main tendue. Le juge jeta un regard à l'équipe de Kitty avant de baisser les yeux sur la main offerte de Jedrek comme s'il croyait à une plaisanterie, puis, sentant la solennité de l'instant, il la lui serra.

— Monsieur le Juge… (Jedrek s'adressait à lui comme à un membre de la famille royale ; il lui tenait les mains et le regardait comme si la grandeur s'était invitée au marché.) Nous sommes venus de loin, mes amis et moi, pour vous trouver.

Le juge lança un regard incertain au petit groupe.

— Euh, bonjour. Je m'appelle James.

— James ! répéta Jedrek, manifestement fasciné par cette information. Je m'appelle Jedrek Vysotski et voici mon ami Achar Singh. Et cette dame, James, c'est Kitty Logan, la grande journaliste reporter qui nous fait l'honneur d'écrire notre histoire.

Kitty hocha la tête avec enthousiasme et James la salua, embarrassé.

— James, intervint un homme derrière lui, on va commencer.

— D'accord, juste une minute, répondit aimablement James en se tournant de nouveau vers Jedrek, intrigué.

— Achar et moi allons essayer de battre le record de pédalo masculin sur cent mètres. Il est établi pour l'instant à une minute cinquante-huit secondes et six centièmes, et Achar et moi, on peut le faire en une cinquante. On va le faire, James. À Cork. Et on aimerait que vous soyez notre juge.

Cette fois, c'est un œuf qui les interrompit.

— On est prêts, James.

— Oui, juste une seconde, répondit celui-ci, un peu paniqué.

— On ne vous décevra pas, James, insista Achar.

Jedrek posa une main légère sur l'épaule de son ami.

— Laisse-le parler.

— Merci, dit James, qui commençait à transpirer. Je suis désolé, mais je ne peux pas venir assister à votre événement, même s'il a l'air merveilleux. (Il s'exprimait avec un accent anglais.) Mais, d'après le règlement, vous devez vous être enregistrés auprès du *Livre Guinness.*

— Tout à fait, tout à fait, répondit Jedrek avec enthousiasme.

— Et qu'est-ce qu'ils ont dit ?

— Ils nous ont expliqué combien ça coûtait de faire venir un juge et on n'a pas les moyens, répliqua immédiatement Achar, ce qui agaça Jedrek. C'est pour ça qu'on est venus vous chercher ici. On est venus jusqu'à vous pour que vous n'ayez pas à venir jusqu'à nous, conclut-il comme s'ils lui faisaient une faveur.

— Je suis désolé messieurs, mais les choses ne fonctionnent pas comme ça.

— Ils s'entraînent depuis des mois, intervint Archie. Vous pouvez bien venir les regarder, non ?

Archie n'était pas vraiment subtil et sa question était vaguement menaçante. Eva le sentit et prit le relais.

— Nous serons à Kinsale Pier demain à 14 heures. Tout ce que vous avez à faire, c'est venir les regarder, servir de témoin et ils feront le reste. Qu'est-ce que vous en pensez ?

— J'ai un vol pour Londres demain matin…

— Changez-le, dit Sam.

— Je paierai votre billet, promit Kitty. Ils méritent vraiment que vous assistiez à leur course.

— Ils sont à fond, lança Regina, un peu en dehors du cercle. On croit en eux.

— Je paierai votre salaire, dit soudain Birdie, et tout le monde la regarda, sidéré.

— Non, non, protestèrent Achar et Jedrek. C'est beaucoup trop. On ne peut pas accepter.

— Après aujourd'hui, je pourrai acheter tout ce que je veux, répliqua Birdie avec un sourire malicieux avant de reporter son attention sur le juge. Votre prix sera le mien.

— Ça n'a rien à voir avec ça. (James transpirait sérieusement à présent.) C'est à cause du protocole. Votre tentative de record doit être statuée d'avance afin que j'aie le certificat avec moi pour…

— Vous pourrez nous l'envoyer quand il sera prêt, l'interrompit Achar. Vous n'êtes pas obligé de nous le donner demain.

Tout le monde se mit soudain à parler en même temps, chacun énonçant ses propres arguments. James ne comprenait pas un traître mot. Il leva les mains, sur la défensive.

— Je suis vraiment désolé de ne pas pouvoir, s'excusa-t-il, sincère. Mais je vous souhaite bonne chance.

Il y eut un silence gêné ; il était évident qu'il se sentait très mal.

— Kinsale Pier, demain, 14 heures, rappela Kitty sur un ton sans appel. Venez, je vous en prie.

Il fut entraîné vers une petite estrade où il se prépara à délivrer le certificat pour le record du plus grand nombre de personnes déguisées en œufs au même endroit. Tandis que tout le monde s'agglutinait autour de la scène, Kitty et sa bande se frayèrent un chemin dans la direction opposée et regagnèrent le bus, découragés.

Kitty et Steve arrivèrent juste à temps à l'autre bout de la ville, essoufflés, en nage et étourdis, pour entendre le nom d'Ambrose, qui s'apprêtait à prendre la parole pour détailler le rapport que tout le monde attendait. Cinq cents personnes applaudirent. Mais pas de signe d'Ambrose. Les gens regardèrent autour d'eux et le présentateur derrière lui, perplexe.

Kitty vit Eugene se lever du siège qu'il occupait au premier rang et se diriger vers les coulisses. Il revint, monta sur scène et chuchota quelques mots à l'oreille de l'homme.

Kitty sentit son cœur se serrer.

— Oh, non, chuchota-t-elle et, à sa grande surprise, les larmes lui montèrent aux yeux.

Steve, l'homme qui détestait toucher les gens, passa le bras autour de ses épaules et la serra contre lui.

— Mesdames et messieurs, encore deux minutes apparemment, si ça ne vous ennuie pas de me supporter encore un peu.

Les gens se détendirent et commencèrent à bavarder entre eux. Cinq minutes s'écoulèrent. Le présentateur avait l'air embarrassé.

— Tu crois que je devrais aller la voir ? demanda Kitty, inquiète.

Juste au moment où elle se levait pour rejoindre les coulisses, l'homme regarda derrière lui et hocha la tête.

— Nous sommes prêts à continuer. Encore une fois, pour nous parler de notre papillon le plus beau, le paon du jour, connu pour la plupart d'entre vous sous le nom d'*Inachis io*, notre cher membre de la Sauvegarde des papillons, Ambrose Nolan.

Il y eut des applaudissements polis.

Ambrose, les cheveux en rideau devant le visage, tête baissée, gagna l'estrade.

Elle se redressa et s'éclaircit la voix dans le micro : le bruit se réverbéra bruyamment dans la salle.

— Désolée pour le retard. Mon partenaire m'a dit de vous dire que je ressemble beaucoup à l'*Aglais urticae*, plus connu sous le nom de petite tortue, qui est rapide et vigilant, mais extrêmement méfiant et difficile à approcher.

Tout le monde rit en entendant cette plaisanterie destinée aux amateurs de papillons, et l'atmosphère s'allégea instantanément. Ambrose leva les yeux, aperçut Kitty et prit une profonde inspiration. Puis elle commença à parler.

Chapitre 27

Ambrose et Eugene planaient et, malgré l'enlèvement raté du juge, l'humeur était au beau fixe dans le bus tandis qu'ils écoutaient Eugene raconter comment Ambrose avait envoûté l'auditoire avec ses découvertes. Steve commença à leur montrer les photos qu'il avait prises, mais Ambrose l'interrompit immédiatement. Lorsque Eugene eut raconté toute l'histoire plusieurs fois, tout le monde se tourna vers Birdie et son gain imminent.

Birdie n'avait pas exagéré quand elle avait raconté venir d'une petite ville. Nadd était situé sur les contreforts des Boggeragh Mountains et comptait cent soixante-dix habitants. Il y avait deux pubs, dont l'un faisait aussi chambre d'hôtes, et la deuxième épicerie et agence de paris, une église et une école. Juste en dehors du village, un projet immobilier pour encourager les jeunes familles à s'installer dans le coin n'avait pas été achevé, laissant derrière lui des maisons aux couleurs pastel et aux vitres brisées, à moitié construites.

— Ouh, on y est, Birdie, chantonna Mary-Rose en passant devant le bookmaker.

Elle ajouta de la laque à la coiffure parfaite de la vieille dame, ce qui fit tousser Edward encore une fois.

À la grande joie de Molly.

Il fut décidé que tout le monde attendrait dans le jardin de la chambre d'hôtes afin de laisser un peu d'intimité à Birdie, mais elle demanda à Kitty de l'accompagner et cette dernière en fut honorée. Birdie prit le bras d'Edward, tandis que Kitty et Steve restaient un peu en retrait, Steve prenant des photos sans se faire remarquer.

La salle des paris, rattachée au pub, était une petite pièce qui ressemblait à un salon. À droite du pub O'Hara se tenait un marchand de journaux, à gauche les bookmakers. À l'intérieur, deux hommes assis sur des tabourets regardaient une petite télévision dans un coin. Ils portaient des casquettes en tweed et des vestes de costume, et ils puaient comme s'ils ne s'étaient pas douchés depuis des semaines. Derrière la vitre protectrice se tenait un homme d'une trentaine d'années. Il leva les yeux, et quand Birdie croisa son regard, elle poussa un petit cri presque inaudible. Kitty supposa qu'elle le connaissait et attendit un signe de reconnaissance de sa part. Rien ne vint et Birdie se ressaisit.

— Je m'appelle Bridget Murphy, dit-elle d'une voix légèrement tremblante et avec un accent de Cork plus prononcé que d'habitude.

Les deux hommes âgés détournèrent les yeux du téléviseur pour la dévisager. Edward posa une main encourageante sur la taille de sa grand-mère.

— Il y a soixante-sept ans, j'ai parié auprès de Josie O'Hara et je suis là pour toucher mon gain.

En entendant ces paroles, Kitty faillit se mettre à pleurer. Combien de fois Birdie avait-elle répété ces mots dans sa tête, quand elle était une ado qui voulait désespérément quitter la ville et tout aussi désespérément prouver qu'elle pourrait y revenir, quand elle était jeune maman, quand elle avait atteint l'âge mûr puis la vieillesse ? Combien de fois avait-elle pensé à ce moment ? Et maintenant qu'il était arrivé ?

Le jeune homme derrière le comptoir se leva.

— Vous avez le ticket ?

La vieille dame sortit une pochette en plastique de son sac à main et la glissa d'une main mal assurée sous la vitre. Kitty ne savait pas si c'était l'émotion ou l'âge, mais elle n'avait jamais vu Birdie trembler ainsi auparavant. Le jeune homme examina le ticket, leva les yeux sur elle et sur Molly et Edward, puis regarda de nouveau le ticket. Enfin il sourit et éclata de rire.

— Je n'arrive pas à y croire. Soixante-sept ans !

Molly et Kitty eurent un grand sourire, mais Edward s'inquiéta :

— Vous allez lui donner l'argent ?

Que Birdie puisse ne pas toucher son dû n'avait jamais effleuré l'esprit de Kitty. Elle se demandait combien on lui donnerait au vu du changement de monnaie. Son pari était pour le moins original.

— Un pari est un pari, répondit le jeune homme, tout excité. Vous savez, Josie était mon arrière-grand-père. Il est mort quand j'étais petit, mais je n'oublierai jamais… Attendez. (Il examina le ticket de plus près et son sourire disparut.) Cent contre un ? lut-il, abasourdi.

Birdie acquiesça.

— C'est ce que Josie m'a donné.

— Il faut que… Je n'ai pas l'autorité pour… Attendez un instant, je vous prie.

Il prit le ticket et disparut par une porte, les laissant abasourdis. Un des vieux les dévisageait.

— Vous êtes la fille de Thomas ? demanda-t-il.

Birdie pivota vers lui.

— Oui.

— Bon sang, Sean, t'as vu ça ? C'est la fille de Thomas.

— Hein ? cria l'autre.

— C'est la fille de Thomas, hurla le premier.

Le deuxième posa le regard sur Molly. Ses cheveux bleus lui inspirèrent une méfiance immédiate.

— Ah bon ?

— Non, pas elle, l'autre, dit-il en agitant un doigt crochu dans sa direction. Vous êtes la fille malade.

Birdie rougit et Kitty devina que l'infamie attachée à la maladie était bien présente dans ses souvenirs.

— Et vous, vous êtes qui ? demanda Molly.

— Paddy Healy. Le fils d'Una et Paddy.

Birdie plissa les yeux en réfléchissant : elle essaya de se rappeler toutes ces années qui appartenaient à un temps perdu ou oublié, délibérément ou naturellement. Soudain, ses yeux se mirent à briller.

— Au bas de la rue ?

— Oui.

— Le petit frère de Rachel.

— C'est moi.

Kitty avait du mal à imaginer que ce vieil homme ait pu être le petit frère de qui que ce soit.

— Rachel et moi étions camarades de classe. Enfin, quand je pouvais aller en classe.

Ses traits s'adoucirent.

— Elle est morte il y a dix ans.

Birdie cessa de sourire.

— Je suis désolée.

La porte derrière eux se rouvrit et une voix sonore se fit entendre de l'autre côté de la vitre.

— On ne vous donne pas l'argent, annonça la voix.

Elle appartenait à une femme d'environ quatre-vingts ans, mais le temps n'avait pas été aussi clément avec elle qu'avec Birdie. Elle était voûtée sur sa canne et ses cheveux étaient si épais et secs qu'ils ressemblaient à une pelote de laine.

Sa blouse était couverte de poils de chien, ses jambes et ses chevilles étaient enflées et elle portait des baskets.

— Pardon ? fit sèchement Molly sans se laisser démonter par la vieille femme deux fois plus petite qu'elle.

Birdie la détailla des pieds à la tête.

— Mary O'Hara.

L'autre renifla.

— Fitzgerald. T'es toujours vivante, je vois.

Elle la détailla attentivement à son tour.

— Bien vivante et en pleine forme, rétorqua-t-elle en se redressant. Je suppose que c'est toi qui ne veux pas me donner l'argent.

L'arrière-petit-fils de Josie leur lança un regard désolé.

— C'est moi qui dirige les paris et je refuse.

— C'était un pari valide, répliqua Birdie sur un ton assuré. Ton père, au moins, était un homme de parole.

— Contrairement à toi.

Elle renifla de nouveau, et il devint clair que ce qui se jouait entre les deux femmes dépassait un simple pari fait il y a plus de soixante ans.

— J'espère que ce n'est pas personnel, Mary. C'était il y a longtemps.

— Tu as brisé le cœur de mon frère. Brisé une fois, brisé à vie. Je me fiche de savoir combien d'années ont passé.

Birdie pâlit.

— Il est… Comment… ?

— Il est mort, répondit l'autre sur un ton si sec que le vieil homme à côté d'elle sursauta.

Kitty remarqua qu'Edward avait affermi sa prise sur sa grand-mère, comme si cette dernière n'était pas capable de tenir debout toute seule.

— Pourquoi ? Tu t'attendais à le voir ici ? demanda Mary avant de se mettre à rire, un sifflement qui se transforma en toux. Tu croyais qu'il t'attendait ? Eh bien, sache qu'il ne l'a pas fait, il a tourné la page, il est parti, il s'est marié, il a eu des enfants et des petits-enfants.

Birdie eut un petit sourire triste.

— Quand est-ce qu'il est… décédé ?

Quand Mary répondit, son ton s'était quelque peu radouci, mais il était toujours plein de mépris.

— L'année dernière.

La peine et la tristesse envahirent les traits de Birdie. Elle tourna les talons et quitta la salle des paris.

— Alors ? demanda Mary-Rose dès qu'ils eurent franchi la porte.

Kitty secoua la tête afin que personne ne pose de question.

Birdie avait l'air perdue. Edward et Kitty se tournèrent vers Molly.

— Et si on allait prendre l'air ? proposa cette dernière en prenant le bras de Birdie et en l'éloignant doucement du pub.

Les autres décidèrent de regagner la maison d'hôtes pour dîner. La soirée était fraîche, mais ils choisirent de s'installer dehors. Edward et Steve racontèrent ce qui s'était passé et ils débattirent pour savoir de quel recours légal ils disposaient. Edward, qui avait des connaissances en droit, et Steve, qui connaissait bien le milieu des paris, pensaient qu'il s'agissait juste d'un accord de parole, et même s'il pouvait être honoré, il n'y avait aucune obligation légale à cela. Le moral du petit groupe chuta alors. Frustrée, contrariée pour Birdie et embarrassée d'avoir entraîné tout le monde dans une chasse au dahu, Kitty tenta de trouver un moyen de quitter la table. L'arrière-petit-fils O'Hara lui fournit une excuse sur un plateau quand elle l'aperçut entrer dans le jardin et regarder autour de lui comme s'il cherchait quelqu'un.

Elle le rejoignit.

Ce ne fut pas difficile de trouver Birdie. Elle était assise sur un banc de la rue principale, les yeux rivés sur l'école dont son père avait été le directeur après y avoir enseigné, et sur la maison voisine qui avait dû être la sienne. Kitty imaginait sans peine toutes les journées qu'elle avait passées à regarder par la fenêtre les enfants jouer dans la cour, incapable de les rejoindre à cause de sa maladie ou du moins parce qu'on la pensait trop délicate pour ça.

Kitty s'assit à côté d'elle.

— Je suis désolée, Birdie. Je n'ai pas réfléchi.

Birdie sortit brusquement de sa rêverie.

— Pourquoi être désolée ?

— J'ai entraîné tout le monde dans votre voyage. J'aurais dû me douter que c'était une mauvaise idée. C'était personnel. Je n'aurais pas dû m'en mêler.

— Absurde. J'ai passé une journée merveilleuse, Kitty. Quand pourrai-je dire de nouveau que j'ai passé du temps avec quatre cents personnes déguisées en œufs ? dit-elle en riant. Je suis rarement invitée à vivre autant d'aventures en si peu de temps. Il en va de même pour nous tous. Vous avez fait quelque chose de très spécial pour nous, Kitty, ne l'oubliez pas. Vous nous avez réunis. Personne ne vous en veut quand les choses ne se déroulent pas comme prévu.

Kitty apprécia sa gentillesse, mais elle resta sans effet. Elle avait l'impression d'avoir déçu tout le monde : pas de juge pour Achar et Jedrek, pas de gain pour Birdie… Au moins la journée avait-elle été un succès pour Ambrose.

— Souvenez-vous : tout ça n'a rien à voir avec l'argent, reprit Birdie avec un léger sourire aux lèvres.

Mais l'argument lui parut moins crédible que la première fois. Kitty voulait bien croire que ça n'avait rien à voir avec l'argent, que la vieille dame était venue affronter de vieux fantômes, mais ils avaient encore gagné, en ce jour où Birdie pensait être victorieuse.

— Qu'est-ce que vous avez là ? demanda celle-ci en posant les yeux sur les fleurs sauvages que Kitty avait ramassées avant de la rejoindre.

— Ah. Oui. Le jeune O'Hara est venu me voir. Il m'a chargée de vous dire quelque chose.

Sur les contreforts de Boggeragh Mountains, alors qu'un léger brouillard tombait autour d'elles, Birdie cessa de chercher parmi les tombes et s'arrêta à côté d'une d'elles, sa quête achevée. À côté de l'église, de la petite école et de la maison où elle avait grandi, elle déposa les fleurs sur la tombe de son premier grand amour, Jamie O'Hara, qu'on lui avait interdit d'aimer et qu'elle avait dû abandonner pour s'installer à Dublin et échapper aux griffes de son père et aux préjugés du village. Elle avait fait une promesse et un pari, et elle avait fini par rentrer chez elle. Hélas, il était trop tard pour honorer les deux.

Kitty rejoignit les autres et picora son poisson, ses frites, ses petits pois et sa sauce tartare tout en se demandant comment remonter le moral des troupes. Et le sien ? Les conversations étaient légères, mais l'enthousiasme de la journée était retombé.

— Ce n'est pas ta faute, constata Steve à voix basse, la sortant de son silence.

Elle lui lança un regard incertain.

— Je suis très gênée.

— Pourquoi ?

— Parce que j'ai conduit tout le monde ici, parce que…

— Ce n'est pas ta faute, Kitty, se contenta-t-il de répéter en lui tendant un verre de vin. Maintenant bois ça, tu seras de meilleure compagnie. T'as pas intérêt à ronfler cette nuit ou je t'étouffe avec un oreiller.

— Je ne ronfle pas.

— Oh si. Quand tu as picolé, tu ronfles aussi fort que mon père.

— Certainement pas. Comment tu le sais, d'abord ?

Il lui lança de nouveau ce regard, celui qui la paralysait tout en la rendant toute chose.

— Je sais que tu as ronflé au moins en une occasion.

Elle déglutit.

— Personne ne m'a jamais dit ça.

— Peut-être parce que personne n'était réveillé pendant que tu dormais.

C'était une remarque sans importance, mais elle lui alla droit au cœur et elle ne put s'empêcher de penser à cette chambre d'étudiant dans laquelle elle avait dormi, blottie contre la poitrine de Steve pendant qu'il la regardait sous ses longs cils sombres. Il y eut soudain un tintement et Sam se leva en frappant sa cuillère contre son verre.

— Oh, non, Sam, dit Mary-Rose, et elle avait l'air très sérieuse cette fois.

— Esmeralda, répondit-il sur un ton sévère.

— Esmeralda ? s'étonna Jedrek, perplexe. Mais je t'appelle Mary-Rose, poursuivit-il en se penchant par-dessus la table pour se faire entendre.

— Ignore-le, conseilla Mary-Rose en se cachant le visage. Je ne plaisante pas, Sam. Arrête.

Mais Sam ne comprit pas qu'elle n'était pas d'humeur, ou il se trompa et crut qu'il pourrait tout arranger avec sa demande, alors que Kitty voyait très bien qu'il n'y parviendrait pas. Elle avait déjà assisté à deux d'entre elles : elle était devenue experte en la matière.

— Bon, d'accord, expliqua Sam aux convives intrigués. Esmeralda est le petit nom que je lui donne. Pas vrai, ma chérie ?

— Non, répliqua-t-elle sèchement. Pas du tout.

— D'accord. Mary-Rose Godfrey. Ma meilleure amie du monde entier.

— Arrête, Sam.

— Non. Je ne peux pas arrêter, pas plus que je ne peux cesser d'éprouver ce que j'éprouve pour toi. Je ne peux pas arrêter de penser à toi. Je ne peux pas faire comme si on était juste amis. Je ressens ça tous les jours et je ne peux rien te dire.

Kitty se raidit soudain près de Steve, gênée par ces paroles. S'il ressentait ça, que ressentait Mary-Rose ?

— On se connaît depuis l'âge de six ans. Quand tu es rentrée dans la salle de classe le jour de la rentrée avec tes chaussures aux mauvais pieds, j'ai su que je devais te parler.

Mary-Rose éclata de rire.

— C'est vrai, fit-elle, surprise.

Sam ne récitait pas un scénario écrit à l'avance ce soir, mais était-il sincère pour autant ?

— On a commencé à parler, puis on s'est disputés pour savoir à qui c'était le tour de jouer avec le Lego jaune, tu m'as pincé, tu t'es fait gronder par la maîtresse qui t'a mise au coin, et je me suis dit : cette fille a des couilles. Je veux être ami avec elle. Non pas que j'aime les filles avec des couilles ni ce genre de chose.

La tablée se mit à rire. Sauf Mary-Rose. Elle ne souriait pas, non pas parce qu'elle était embarrassée mais parce qu'elle était triste. Les paroles de Sam étaient émouvantes, si touchantes que Kitty se demanda s'il était vraiment sincère. Pendant un instant, Mary-Rose se posa la même question et elle examina attentivement Sam.

— On a été amis à l'école primaire, au collège, même quand ta mère t'a envoyée dans cette école catholique où tu as dû porter cette horrible jupe marron qui t'arrivait aux genoux avec ces mi-bas ringards pendant six ans. Et ça m'allait d'être seulement ton ami jusqu'à il y a quelques mois…

Il plongea son regard dans le sien.

— C'est pour de vrai ? murmura Steve à l'oreille de Kitty qui frissonna de nouveau.

— Je n'en sais rien, chuchota-t-elle si bas que ses lèvres effleurèrent le lobe de son oreille.

Elle fut parcourue par une décharge électrique. Même si ses propres sentiments la perturbaient, elle essaya de se concentrer de nouveau sur la scène qui se jouait sous ses yeux.

Sam rejoignit Mary-Rose : certains s'étaient levés pour ne pas perdre une miette du spectacle et ils retenaient leur souffle. Tout le monde y croyait.

— Mary-Rose Godfrey, tu as été ma meilleure amie depuis qu'on est gamins, mais je ne peux plus le cacher. Je suis follement amoureux de toi. Je sais bien que ça peut te paraître exagéré et terriblement mélodramatique, mais je sais qu'on est faits l'un pour l'autre. Est-ce que… est-ce que tu veux bien m'épouser ?

Mary-Rose avait les yeux brillants de larmes et elle avait l'air éprise, ravie et plus heureuse que jamais, et même Kitty pensa que cette fois c'était réel.

Tout le monde applaudit dans le jardin, mais pendant qu'ils criaient et se regardaient, ils ne virent pas le clin d'œil de Sam, qui eut le même effet sur Kitty que sur Mary-Rose. Il fit voler l'illusion en éclats et prouva que ce n'était qu'un jeu. Et vinrent les inévitables demandes de silence.

Le sourire de Mary-Rose s'estompa rapidement.

— Non, dit-elle dans le silence.

La foule poussa un cri de surprise.

— Non ? répéta-t-il, incertain, en essayant de déchiffrer son expression.

— Non, fit-elle, et une larme roula sur sa joue.

— C'est pour de vrai ? demanda une nouvelle fois Steve.

Kitty et Steve étaient si proches l'un de l'autre que la chaleur qui s'exhalait de son corps la protégeait de la froideur de la nuit.

Ambrose parut abasourdie. Elle s'empara sans réfléchir de la main d'Eugene, à la grande surprise de ce dernier, mais il ne protesta pas et passa le bras autour de ses épaules comme pour la protéger de ce qu'elle voyait.

— Arrête de faire ça, Sam, s'il te plaît, supplia Mary-Rose qui s'était mise à pleurer à chaudes larmes.

— Quoi ? demanda-t-il, sincère cette fois.

Mary-Rose se leva et quitta la table.

— Pas de bol, mec, grommela Archie en lui donnant dans le dos une tape brutale qui se voulait compatissante.

Sam regarda Kitty, stupéfait.

— Qu'est-ce que… ?

— Je vais lui parler, intervint Kitty.

Elle répugnait à s'éloigner de Steve, mais elle savait qu'elle devait le faire. Elle trouva Mary-Rose dans l'arrière-salle, le visage dans les mains.

— Oh, mon Dieu, qu'est-ce que j'ai fait ? sanglota-t-elle. C'est juste que je ne le supporte plus, Kitty. Je ne peux pas écouter ses discours en espérant que c'est vrai et en sachant que ça ne l'est pas.

Kitty la serra contre elle sans rien dire, se contentant de faire des sons apaisants.

— Et maintenant, je lui ai dévoilé mes sentiments, pleura-t-elle dans le chemisier de Kitty. Comment vais-je pouvoir le regarder en face ?

— Eh, Mary-Rose, c'était la meilleure ! (Sam ouvrit la porte à la volée et se laissa tomber à côté d'elles.) Eh, qu'est-ce qui t'arrive ? Tu peux arrêter de faire semblant maintenant ; tu as convaincu tout le monde. J'ai déjà obtenu deux pintes gratuites. Des pintes de compassion. Je n'y aurais jamais pensé. Retournement de situation sympa, au fait. Tu as presque failli m'avoir. Quand est-ce que tu as eu cette idée ? demanda-t-il en riant.

Mary-Rose leva lentement la tête du giron de Kitty et le regarda, perdue.

— Je vais vous laisser tous les deux, fit Kitty en se levant.

— Non, vous n'êtes pas obligée, protesta Mary-Rose, nerveuse.

— Si, répondit Kitty en lui lançant un regard qui signifiait « dites-lui ».

Le portable de Kitty sonna alors qu'elle regagnait le jardin.

— Désolée de vous appeler si tard, mais je sais que vous n'êtes pas encore couchée, je viens d'avoir Eva au téléphone, hurla Gaby.

Kitty baissa le volume.

— Bonsoir, Gaby, pas de problème, ne vous inquiétez pas, tout se passe bien.

— Tant mieux, tant mieux, mais ce n'est pas pour ça que je vous appelle. C'est à propos du bouquin que vous m'avez donné. Mon patron l'a lu aujourd'hui.

— Ça a été rapide, constata Kitty en souriant. (Elle s'assit, attendant sa vengeance.) J'espère que je ne lui ai pas trop fait perdre son temps. C'était juste pour rendre service à un ami, vous savez.

— Eh bien, votre ami va être ravi parce que j'ai d'excellentes nouvelles. Mon patron adore. Les polars se vendent comme des petits pains en ce moment, et il voudrait entrer en contact avec votre ami.

Chapitre 28

Kitty était incapable d'articuler un seul mot tant elle était sous le choc. Ça ne s'était pas déroulé comme prévu. Elle pensait que le roman de Richie ne serait pas publié et qu'on lui écrirait une lettre de refus ferme et définitive qu'elle pourrait lui donner en personne, lui enfonçant par la même occasion le même poignard dans le cœur que celui qu'il avait utilisé contre elle. Mais tout avait terriblement mal tourné. On avait *aimé* son roman – comment était-ce possible ? Il allait être publié ? C'était là sa vengeance ?

Kitty avait besoin d'un moment toute seule pour digérer la merde dans laquelle elle s'était mise : elle monta donc dans sa chambre pour se ressaisir. Elle avait aussi besoin de réfléchir à ce qu'ils pouvaient accomplir le lendemain et à ce que les événements de la journée signifiaient pour elle. Il y avait des lits jumeaux dans la chambre, avec un lavabo dans un coin et une salle de bains partagée dans le couloir. Mais au lieu de débrouiller ses problèmes, la seule chose qui occupait son esprit était Steve : comment est-ce que ça allait se passer quand ils allaient partager la chambre, à quel point cette perspective l'excitait, même si elle ne pensait pas qu'il allait se passer quoi que ce soit, bien qu'elle soit obligée d'admettre qu'il y avait un changement dans leur relation depuis quelques jours, ou alors c'était juste elle qui se faisait des films ? Est-ce qu'elle projetait ses sentiments alors qu'en réalité rien n'avait changé de son côté à lui ? Les expériences de Kitty avec la gent masculine n'avaient pas été édifiantes ces derniers temps. Par le passé, elle était sortie avec des hommes bien qui l'avaient traitée respectueusement, mais ces dernières semaines, entre Richie et Pete, son besoin d'affection et son désir d'être acceptée l'avaient envoyée dans les mauvais bras. Elle n'avait pas l'impression que ses sentiments pour Steve étaient mal placés. Il était fiable, il ne l'avait jamais laissée tomber et elle le connaissait bien : il ne risquait pas de la surprendre un beau matin en lui avouant qu'il avait une femme, quatre enfants et un penchant pour les putes. Elle savait tout de lui, *absolument* tout.

On frappa à la porte et elle entendit Steve l'appeler. Son cœur accéléra. Elle pouvait à peine avoir une pensée cohérente.

Elle ouvrit la porte.

— Tu vas bien ? demanda-t-il en la regardant bizarrement.

— Oui, pourquoi ?

Sa voix ressembla à un couinement.

— Parce que tu t'es transformée en Titi, fit-il en se moquant de son ton. (Il poussa la porte et entra dans la chambre.) C'est comment, ici ?

Il jeta un regard autour de lui et s'assit sur le lit de gauche. Il rebondit légèrement et les ressorts grincèrent.

Ils échangèrent un sourire, et Kitty dut détourner les yeux comme une collégienne infatuée.

— Qu'est-ce qui se passe ? demanda-t-il plus doucement.

Elle s'installa face à lui sur l'autre lit.

— J'ai reçu de mauvaises nouvelles.

Il lui lança un regard inquiet.

— J'ai envoyé le manuscrit de quelqu'un à un éditeur pour lui faire une surprise et… Eh bien, les choses ne se sont pas déroulées comme prévu.

— Le refus fait partie du jeu. Il faut expliquer à ton ami qu'il doit s'y habituer.

— Il n'a pas été refusé. Et ce n'est pas un ami, répliqua-t-elle, boudeuse.

— C'était le roman de qui ?

— Richard Daly. Vas-y, dis-moi que tu m'avais prévenue. Que je suis horrible, que je n'aurais pas dû faire ça. Je le sais, d'accord ? J'ai trouvé sa clé USB sur laquelle il y avait son roman débile dont il est si fier et j'ai supposé qu'il était nase, comme tout ce qu'il écrit, et je me suis dit que je pourrais lui faire parvenir une magnifique lettre de refus. Je suis affreuse, je sais !

Le coin des lèvres de Steve frémit.

— Ne... pense... même... pas... à...

Il sourit.

— Ce n'est pas drôle.

— Si, un peu.

— Steve, ce n'est vraiment pas marrant, protesta Kitty, mais l'expression de Steve la fit rire d'agacement. Je ne suis même pas capable de me venger correctement, bon sang. J'ai perdu tout mon mordant, et c'est ta faute.

— Ah bon ?

Elle déglutit sans le regarder dans les yeux.

— Oui... non... enfin, tu as été très clair quand tu m'as expliqué en détail ce que j'étais devenue, et je me suis rendu compte que ça ne me plaisait pas vraiment, donc, oui... Ton avis a de l'importance... (Elle prit une profonde inspiration et décida de lâcher le morceau, à la fois craintive et sincère.) *Tu* as de l'importance pour moi.

Il lui lança ce fameux regard. Oh, Seigneur, ce regard. Elle se sentit fondre.

On frappa à la porte.

— Ne réponds pas, ordonna Steve.

Kitty avait bien l'intention de lui obéir. Tout ce qu'il voulait, quoi qu'il dise.

Mais les coups redoublèrent.

Steve secoua la tête.

Elle resta assise, un grand sourire aux lèvres.

— Eh, les gars, dit Sam, vous êtes là ?

Kitty ne put s'empêcher de se lever, mais Steve plongea sur elle et la cloua au lit.

— Je t'ai dit de ne pas bouger, murmura-t-il.

Ses cheveux lui chatouillaient le visage. Ils étaient pratiquement nez à nez.

— Euh, si vous êtes là, j'aimerais vraiment que vous me donniez un coup de main.

Il semblait angoissé. Le regard de Kitty se posa tour à tour sur la porte et sur Steve.

— Je crois que je préférais quand tu étais une journaliste de merde, murmura Steve en se redressant.

Elle éclata de rire et rajusta sa tenue avant d'ouvrir la porte.

— Coucou, Sam. Désolée de ne pas avoir ouvert tout de suite.

Sam était tellement pris dans son propre dilemme qu'il ne remarqua rien d'anormal. Il pénétra dans leur chambre sans attendre d'y être invité.

— Je suppose que vous avez discuté avec Mary-Rose.

— Vous étiez au courant ?

— Elle ne m'a jamais rien dit, mais j'avais deviné.

— Dit quoi ? demanda Steve, allongé sur son lit.

— Qu'elle a des sentiments pour lui.

— Ah, oui, j'avais remarqué.

— Vous aussi ?

— Bien sûr. C'est évident.

— Merde. (Sam s'assit sur le lit, abasourdi.) Je suis tellement con. Je n'arrive pas à croire que je lui aie dit tout ça. Je ne me doutais pas que…

— Qu'est-ce que vous lui avez dit ? demanda Kitty, dont l'inquiétude montait.

— Eh bien, voyons… J'étais tellement surpris. Je lui ai dit qu'il fallait que je réfléchisse.

Steve réprima un cri désapprobateur.

— Réfléchir ? répéta Kitty.

— Qu'est-ce que j'aurais dû dire ?

Il les regarda tour à tour.

— Que tu ressens la même chose qu'elle, expliqua Steve.

Mais il regardait Kitty et pas Sam.

— Mais je ne sais pas si c'est que je ressens. Je veux dire, je l'adore, c'est ma meilleure amie, je ferais n'importe quoi pour elle, mais je n'ai jamais pensé à elle comme ça.

— Eh bien, il est temps de le faire, mon pote, affirma Steve.

— Mais est-ce qu'on peut, alors qu'on a été si longtemps amis…

— Oui, dirent Steve et Kitty en même temps.

Ils échangèrent un regard et un sourire.

Sam les dévisagea attentivement l'un après l'autre, et Kitty eut l'impression qu'il avait enfin compris et qu'il allait les laisser tranquilles.

— Ça vous ennuie si je dors ici cette nuit et vous avec Mary-Rose ? Elle ne veut pas me laisser entrer dans la chambre et la pension est complète.

C'était exactement ce que Kitty redoutait d'entendre. Elle voulait refuser, si frustrée en pensant à tout ce qui aurait pu se produire cette nuit dans ce lit qui grinçait. Elle jeta un coup d'œil à Steve qui s'étouffait silencieusement sous son oreiller et se mit à rire.

— Bien sûr, Sam. Prenez mon lit. Mais ne ronflez pas ou votre coloc' vous tuera.

Un peu plus tard, alors que les événements de la journée avaient enfin cessé de tournoyer dans l'esprit de Kitty, elle était en train de glisser dans le sommeil lorsque de la musique en provenance de l'extérieur la ramena à la conscience.

Elle jeta un coup d'œil à Mary-Rose, qui avait fini par s'endormir après avoir versé des litres de larmes, puis elle sortit de son lit et parcourut le plancher grinçant pour aller voir de quoi il retournait.

— Mary-Rose, siffla-t-elle. Venez voir ça !

Mary-Rose se souleva sur les coudes, ensommeillée, et regarda autour d'elle comme si elle ne savait pas où elle était.

— Regardez ! s'exclama Kitty plus fort, tout excitée à présent.

Mary-Rose finit par entendre la musique, descendit de son lit et la rejoignit devant la fenêtre. Il lui fallut un certain temps, comme Kitty avant elle, pour comprendre ce qu'elle voyait. Un lent sourire étira ses lèvres et elle lança à Kitty un regard ravi.

— Descendons.

Kitty se rhabilla rapidement et dévala l'escalier en courant. Elle sortit de la maison d'hôtes et gagna la route. La nuit était tranquille, le petit village entièrement plongé dans l'obscurité ; tous les habitants étaient couchés. Au-dessus d'elle, le ciel sans nuages brillait de mille étoiles.

Le bus de Sainte-Margaret avait été déplacé : il n'était plus sur le parking mais garé en plein milieu de la route, qu'il barrait quasiment, mais ce n'était pas grave puisqu'il n'y avait aucune circulation. Le moteur et les phares étaient allumés et les vitres baissées. Les phares éclairaient la vieille salle de bal dont les portes avaient été ouvertes. Une odeur de moisi et de renfermé s'exhalait de la grange abandonnée, dans laquelle Birdie avait si souvent dansé.

Et Birdie dansait dans l'obscurité, les yeux fermés, le menton levé vers le ciel tandis qu'elle tournait sur elle-même, les bras en l'air autour du cou d'un partenaire invisible, au son de « Dream a Little Dream of Me » d'Ella Fitzgerald et Louis Armstrong.

Eva était assise derrière le volant, le micro dirigé vers le lecteur CD, et Edward et Molly se tenaient juste à côté des phares.

Fascinée par la scène, Kitty abandonna Mary-Rose, qui semblait tout aussi envoûtée, et grimpa dans le bus.

— C'est vous qui avez fait ça ? demanda-t-elle à Eva.

— Elle m'a raconté que Jamie et elle avaient l'habitude de rentrer par effraction dans la grange et de danser toute la nuit. C'était leur chanson préférée. C'est un cadeau d'anniversaire en retard, expliqua-t-elle, les yeux pleins de larmes, sans quitter des yeux Birdie qui dansait toute seule dans la vieille salle de bal.

Tandis qu'ils contemplaient tous la vieille dame, Kitty remarqua que Molly et Edward se tenaient par la main. Elle comprit que c'était ça, la magie d'Eva.

Chapitre 29

Le lendemain matin, l'humeur était bien meilleure. Même si Mary-Rose et Sam ne s'assirent pas côte à côte au petit déjeuner, Eugene et Ambrose avaient l'air à l'aise et cette dernière échangea même quelques mots avec Regina, même si elle ne regarda personne d'autre. Archie et Regina avaient partagé une chambre, et leur proximité et leurs regards en coulisse n'échappèrent à personne. Kitty se sentait cependant un peu plus embarrassée que d'habitude en présence de Steve, et elle ne parvenait pas à décider comment elle devait se comporter après leur conversation interrompue de la veille, mais tout ça fut facilement caché par l'excitation provoquée par le grand événement à venir pour Jedrek et Achar.

Ils mangèrent solidement tous les deux et eurent droit à des encouragements nourris de la part d'Archie, qui suivait certainement le plan qu'il s'était fixé en aidant ceux dont il entendait les prières. Kitty n'avait pas son « don », mais elle devinait sans problème ce que devaient souhaiter Jedrek et Achar ce matin. Steve et Sam discutèrent, sérieux, pendant tout le repas, et poursuivirent leur conversation dans le bus. Kitty aurait tout donné pour savoir de quoi ils parlaient. Elle les aurait volontiers rejoints si elle avait su comment se comporter avec Steve. Bien qu'elle n'ait pas touché son dû, Birdie était d'excellente humeur après son retour aux sources et le cadeau mémorable que lui avait offert Eva, et elle était perdue dans ses pensées, participant de loin en loin à la conversation quand elle sortait de sa rêverie.

Alors qu'ils étaient en train de s'installer dans le bus, le jeune O'Hara sortit en courant du salon des bookmakers, une grosse enveloppe à la main.

— Bridget ! s'écria-t-il. Bridget Murphy !

Birdie, qui s'apprêtait à monter dans le bus, pivota vers lui. Edward se porta immédiatement à sa hauteur et Kitty avait bien l'intention de rester là aussi.

— Je suis content de vous avoir attrapée à temps. J'ai dû déployer tous mes talents de persuasion ce matin, fit-il, écarlate et essoufflé. Je suis vraiment désolé pour hier. Ma grand-mère peut se montrer très rancunière. On adore la loyauté dont elle fait preuve envers la famille, mais c'est souvent ce qui cause sa perte. Mais moi je suis loyal aussi, à mon arrière-grand-père. Je sais qu'il était radin comme pas deux, mais il avait un grand respect pour ses affaires et c'était un homme de parole. S'il a accepté votre pari, il aimerait vous voir gagner. J'espère que vous accepterez cet argent, votre gain, avec mon plus grand respect.

Birdie le dévisagea, sidérée.

— J'étais très proche de mon arrière-grand-père, Jamie. Il parlait souvent de vous.

Birdie porta les mains à sa bouche, puis les posa sur les joues du jeune O'Hara, très émue. Il rougit encore plus.

— Tu lui ressembles tellement que quand je t'ai vu pour la première fois, hier, j'ai cru…

— Tout le monde dit que je suis son portrait craché, dit le jeune homme, les joues toujours cramoisies.

— Merci, murmura-t-elle. Que Dieu soit bon avec toi.

— Merci, dit Edward à son tour.

Kitty aida Birdie à monter dans le bus : quand ils virent l'enveloppe dans sa main, tous se mirent à l'acclamer, et la bonne humeur fut définitivement de retour.

— Allez, l'étudiant, appela Molly, mais sur un ton plus affectueux que d'habitude, et lorsque Edward posa les yeux sur elle, Kitty devina qu'il y avait quelque chose entre eux.

Elle était tellement contente qu'elle aurait pu faire une petite danse de la joie.

Regina la rejoignit et s'assit à ses côtés.

— Bonjour, fit-elle, timide. On n'a pas encore eu l'occasion de discuter.

— Absolument. J'en suis navrée.

— Oh, vous avez plein de gens plus importants à qui vous devez parler pour votre article, répondit-elle avec gentillesse. Je ne veux pas abuser de votre temps, mais juste vous remercier.

— C'est inutile, je suis ravie que vous ayez pu vous joindre à nous.

— Je ne parlais pas de ce voyage, même si je vous en suis reconnaissante, et Archie m'a dit que c'était vous qui aviez payé les chambres, et je vous en remercie. (Elle baissa les yeux sur ses doigts délicats et minces qui ressemblaient à ceux d'une poupée.) Je voulais vous remercier d'avoir aidé Archie. Il dit que vous avez fait beaucoup pour lui. Que c'est vous qui lui avez dit de m'aborder.

— Je n'ai pas eu besoin de beaucoup le pousser, répondit Kitty en souriant. Il vous dévorait des yeux chaque fois qu'on se retrouvait au café.

Regina rougit en l'entendant.

— Et comme vous l'avez aidé, il m'a aidée, et je vous en suis profondément reconnaissante.

— Il vous a parlé de son… sixième sens ?

Kitty ne savait pas quel mot employer : à dire la vérité, elle ignorait si c'était un don ou une malédiction. Si grâce à ça il avait rencontré Regina et qu'il était heureux, alors c'était un don, mais elle ne le lui enviait pas.

— Oui. Il m'a raconté toute sa vie. C'est un homme unique, de cela je suis certaine.

Elle s'était exprimée avec fermeté, ce qui sous-entendait qu'elle ne croyait peut-être pas le reste.

— Il a beaucoup souffert, acquiesça Kitty. Je peux vous poser une question personnelle ? Vous n'êtes pas obligée de tout me raconter, mais... j'aimerais bien savoir s'il avait raison à votre propos.

— À propos de mes prières ?

— Oui. Il m'a dit que vous répétiez sans cesse « S'il vous plaît ».

— Je n'en étais pas consciente, répondit-elle en contemplant ses mains. Mais je suppose que c'est effectivement ce que je disais.

Kitty hocha la tête. Elle mourait d'envie d'en apprendre davantage, mais elle ne voulait pas la brusquer. C'était Archie son histoire, pas Regina, mais il était dans sa nature de s'intéresser aux gens, du moins c'était ce que Constance lui avait toujours dit.

— J'ai été en couple, avoua soudain Regina, au moment où Kitty pensait qu'elle ne répondrait pas. Pendant très longtemps. (Elle eut de nouveau ce regard hanté que Kitty avait observé au café.) Mais un jour il a voulu rompre. Sans raison. Il ne m'a donné aucune explication. Il a juste dit que ça n'avait pas d'importance... (Elle haussa les épaules.) J'ai trouvé ça très dur à accepter. Il a déménagé, il a changé de numéro de téléphone et de travail. On aurait dit qu'il avait disparu de la surface de la Terre. Mais je l'ai aperçu un jour dans ce café, à cette heure-là, très matinale, en passant, et j'ai été si surprise que je n'ai pas réussi à l'approcher. Je n'étais pas prête à lui dire ce que j'avais sur le cœur. J'ai poursuivi ma route, tourné au coin de la rue, changé d'avis et je suis revenue sur mes pas, mais il était parti. C'est le seul endroit où je l'ai revu. Les gens qu'on connaissait tous les deux n'avaient aucun contact avec lui. Je pense qu'il lui est arrivé quelque chose : il a abandonné sa vie pour en construire une nouvelle. Il voulait disparaître mais je l'ai trouvé dans ce café. Je n'ai juste pas eu le cran d'aller le voir. Je me suis dit qu'il reviendrait peut-être, qu'avec un peu de chance, c'était un endroit où il avait ses habitudes, alors je me suis mise à le fréquenter. Il n'est jamais revenu, mais je n'ai pas manqué un seul jour. Je n'arrêtais pas de me dire : « Et si c'était aujourd'hui qu'il revenait ? » Et je ne pouvais pas m'empêcher d'y aller. Les mois ont passé, j'ai continué d'y aller. Même quand j'essayais d'aller ailleurs, on aurait dit qu'il me ramenait là. Je finissais toujours dans ce café. Je sais que c'est bizarre de ma part, constata-t-elle avec un regard gêné. Ma famille se faisait du souci pour moi. Je savais que ce n'était pas normal, mais je ne pouvais pas m'arrêter. C'était le seul lien que j'avais avec lui. Alors je continuais d'espérer. J'ai toujours cru au destin. Et au sort. À toutes ces choses auxquelles la plupart des gens ne croient pas. Je pensais que c'était un signe si je l'avais vu là et que je l'y reverrais. Mais maintenant j'ai même du mal à comprendre ce que j'espérais. Je ne l'ai jamais revu. Ça fait un an, conclut-elle, honteuse.

— Vous avez rencontré Archie là-bas, répondit Kitty, fascinée par cette femme et par son histoire. C'était ça, le but. Votre ancien amour vous y a ramenée, mais c'était peut-être pour que vous puissiez rencontrer Archie et pas pour lui. Si on cherche un signe du destin, alors c'est celui-là.

Et Kitty, qui pourtant ne croyait pas en ces choses, était parfaitement sincère. Apparemment, Regina n'avait pas pensé à ça. Son regard devint brillant.

— Vous croyez ?

— Je ne peux pas en être absolument certaine, mais c'est mon hypothèse préférée. Si votre ex ne vous avait pas ramenée dans ce café, vous n'auriez jamais rencontré Archie, n'est-ce pas ?

Regina sourit à cette idée et se détendit en l'acceptant.

— Vous savez, aujourd'hui, c'est la première fois que je ne vais pas dans ce café depuis un an.

— Et comment vous sentez-vous ?

Regina réfléchit un instant, sembla sur le point de dire quelque chose puis se ravisa.

— Répondez honnêtement, ordonna Kitty.

Regina sourit.

— Eh bien, honnêtement, je pense que ce matin il y est allé. Au café.

Cette réponse surprit Kitty.

— Et vous, vous en pensez quoi ?

Kitty songea à la loi de Murphy et aux bizarreries de la vie. Elle ne pouvait pas mentir.

— Comme vous.

Regina hocha la tête une fois, puis une deuxième, comme si elle l'acceptait. Elle regarda de l'autre côté de l'allée en direction d'Archie, qui expliquait à Achar et Jedrek comment respirer le mieux possible.

— Mais je suis contente d'être là, conclut-elle.

Kitty sourit.

— Je suis contente que vous soyez là, moi aussi.

— On est arrivés, annonça Molly, et tout le monde se mit à taper des pieds pour encourager Achar et Jedrek qui avaient l'air de plus en plus angoissés.

— Ne vous inquiétez pas, les gars, on a une heure devant nous, les rassura Archie qui avait senti leur panique et qui agissait comme s'il faisait partie de l'équipe. Et même si le juge ne vient pas, on peut y arriver.

La journée étant particulièrement ensoleillée, ils avaient tous décidé de faire une balade sur Kinsale Harbour tandis que Jedrek et Achar se préparaient à battre leur record, mais lorsqu'ils virent Eva, les mariés leur proposèrent autre chose.

— Venez avec vos amis, suggéra la sœur de George quand elle accueillit Eva et Kitty à la porte de la réception.

Ils avaient achevé le repas et les discours, au grand soulagement de Kitty, et ils s'apprêtaient à entamer le gâteau fraîchement découpé. Mais cette proposition ne laissait pas beaucoup de temps à Eva et Kitty pour rentrer à Dublin. Ils devaient reprendre la route à 15 heures.

— Oh, non, c'est impossible, répondit Eva. Ils sont très nombreux et ne s'attendaient pas à être invités.

— Ils sont combien ?

— Quatorze, et on ne…

— Youhou ! cria-t-elle à l'intention d'un employé qui, trois appareils en main, prenait une photo de groupe d'une dizaine de membres de la famille souriants. On peut installer une table de plus, s'il vous plaît ? demanda-t-elle, désinvolte, comme si ça ne posait aucun problème.

La demeure de George Webb à Kinsale était une splendide maison au bord de l'estuaire de la rivière Bandon, juste sur Kinsale Harbour. Elle était bordée par une longue pelouse qui descendait vers la rivière où était amarré un yacht de belle taille.

Kitty et sa troupe éclectique descendirent du bus et rejoignirent la réception. Ils se sentaient tous trop peu habillés pour l'occasion. Tous sauf Eva, ravissante dans sa robe et que tout le monde avait sifflée quand elle était montée dans le bus la veille. Dès que George l'aperçut, il abandonna ses interlocuteurs pour venir la saluer. Kitty chercha des yeux sa petite amie mais ne l'aperçut pas.

Tandis qu'ils se régalaient du délicieux gâteau au chocolat, Kitty comprit pourquoi Eva était peu chargée : les cadeaux qu'elle faisait n'étaient pas du genre à pouvoir être déballés. Juste au moment où elle se faisait cette réflexion, une chanson démarra du fond de la salle. Les conversations mirent du temps à s'éteindre, mais finalement on n'entendit plus une mouche voler. Deux hommes âgés interprétaient « My Wild Irish Rose ». L'un des deux portait un gilet rouge avec une chemise rayée rouge et blanc et l'autre avait une tenue identique mais jaune et blanche. Un pantalon blanc et un canotier orné d'un ruban assorti complétaient leur tenue. Les invités crurent que leur prestation faisait partie de l'animation musicale du mariage et cessèrent de manger pour écouter, mais un homme se leva lentement à la table d'honneur, le corps tremblant et les yeux brillants en voyant les deux membres encore en vie de son groupe *a cappella*, Sweet Harmony, avec lequel il s'était produit dans tout le pays cinquante ans plus tôt. Kitty leur donnait environ quatre-vingts ans, comme le grand-père de George, Seamus, et elle devina que le quatrième membre n'avait pas eu la chance de parvenir à leur âge avancé. Dès qu'ils eurent capté l'attention de leur auditoire, ils se mirent à aller et venir dans la salle, les yeux brillants, un grand sourire aux lèvres, distrayants et attachants, la voix sans nul doute plus fatiguée qu'avant qui leur fit rater deux accords importants, les épaules voûtées, les mains pleines d'arthrose, mais ils finirent par atteindre la table d'honneur où tous les convives s'attendaient à les voir s'adresser aux mariés. Au lieu de ça, ils s'arrêtèrent devant Seamus, l'homme debout, la main sur le cœur, les yeux pleins de larmes, une expression affectueuse sur le visage. Il entonna les derniers vers de la chanson et, dès qu'ils eurent terminé, les deux hommes chantèrent « Joyeux anniversaire ».

Lorsque les applaudissements se tarirent, tous les regards restèrent fixés sur Seamus, attendant une explication, une suite. Seamus et les deux hommes s'étreignirent, follement émus, têtes rapprochées : ils avaient l'air tellement proches que même les gens les plus bienveillants en étaient forcément jaloux.

Seamus finit par regarder la foule.

— Mesdames et messieurs, chers mariés, dit-il en se tournant vers sa petite-fille qui essuyait une larme, je sais que nous en avons terminé avec les discours mais j'aimerais dire un mot, si vous le permettez.

Les mariés l'encouragèrent vivement à poursuivre.

— Je n'avais pas vu ces hommes depuis cinquante ans, expliqua-t-il en les étreignant de nouveau, et ils restèrent ainsi tous les trois, bras dessus bras dessous. Nous faisions partie d'un groupe, Sweet Harmony. Nous avons parcouru le pays dans tous les sens, pas vrai, les garçons ?

Les deux hommes, qui n'étaient plus des garçons depuis longtemps, hochèrent la tête.

— Je vous présente les deux Bobby : Bobby Owens et Robert Malone. Hélas, notre cher Frankie n'est plus de ce monde.

Seamus s'interrompit un instant, regrettant la perte d'un homme qu'il n'avait pas eu l'occasion de revoir, parce que l'amitié semblait soudain aussi intense et fraîche que jadis. Voire davantage, désormais empreinte de l'excitation et de l'émotion des retrouvailles et des souvenirs positifs, tout ce qui était négatif étant oublié et balayé.

— Il n'y a qu'un homme qui pouvait orchestrer ces retrouvailles, dit-il soudain, l'index levé. Un seul homme qui s'occupe de moi comme ça, et c'est mon petit-fils, George. J'ai raison ?

Il se pencha vers George, qui jeta un coup d'œil à Eva. Cette dernière hocha rapidement la tête.

— Viens là, George, ordonna Seamus, ému.

George, embarrassé de se trouver ainsi au centre de l'attention et d'être remercié pour un cadeau qu'il n'avait pas choisi, se leva lentement sous les applaudissements polis.

— Viens par là, insista Seamus.

— Tant que tu ne m'obliges pas à chanter.

Tout le monde se mit à rire. George était beau – encore plus qu'en costume de travail –, charmant et élégant comme une ancienne star d'Hollywood.

— Cet homme est un ange, fit Seamus d'une voix mal assurée. J'aime tous mes petits-enfants, vous le savez, dit-il à l'intention de l'assemblée, mais cet homme est mon ange. On ne le voit pas assez souvent et il travaille trop, mais je l'aime, et nous apprécions tout ce qu'il fait pour nous.

Il le serra étroitement contre lui et la foule eut un murmure approbateur.

— Bon anniversaire, papi, dit George.

— Merci, fiston, merci, fit Seamus en refoulant de nouveau ses larmes.

Kitty aperçut Nigel, visiblement ému, assis à une table de personnes âgées et d'enfants au fond de la salle. Avant que Kitty n'ait eu le temps de poser des questions à Eva, les mariés, qui faisaient le tour des tables, parvinrent à la leur.

— Eva, merci infiniment pour votre cadeau, dit Gemma, la sœur de George, manifestement émue. C'est le plus beau que nous ayons jamais reçu.

Eva parut gênée.

— Je suis ravie qu'il vous plaise, mais c'est votre frère qu'il faut remercier, pas moi.

— Oh, ne nous racontez pas d'histoires. J'adore George, mais je sais bien qu'il est incapable d'une chose pareille.

— Sincèrement, Eva, si jamais vous venez en Caroline du Nord, venez nous voir. Vous serez toujours la bienvenue chez nous. C'était le cadeau le plus bienveillant et le plus attentionné qu'on ait reçu. Ne le prenez pas mal, les gars.

Personne ne le prit mal, puisqu'à cette table personne n'avait fait de cadeau, et pour cause. Quelques personnes marmonnèrent des paroles sans queue ni tête, mais ça n'avait aucune importance, puisque le marié n'écoutait pas. Il avait les larmes aux yeux.

— Et nous sommes tellement contents que Philipa soit partie, ajouta Gemma à voix basse.

Eva rougit.

— Si mes grands-parents étaient toujours en vie, ils auraient été tellement fiers, affirma le marié avec son fort accent américain, les narines frémissantes et le menton tremblant.

— Oh, mon chéri, dit Gemma en l'embrassant sur les lèvres.

— Mais qu'est-ce que tu leur as offert, bon sang ? demanda Mary-Rose dès qu'ils se furent éloignés.

Le marié se frottait violemment les yeux avec un mouchoir.

— J'ai dessiné un nouveau blason. J'ai pris des choses des deux côtés et des objets qui symbolisent leur vie, le tout sur un sarment de vigne, parce qu'ils en possèdent une et que c'est une affaire de famille. Il cherchait désespérément à en savoir davantage sur son nom, mais mes recherches n'ont rien donné, alors j'ai dessiné un blason et je l'ai fait imprimer et broder sur tout : papier à lettres, linge de maison, ce genre de choses, expliqua Eva, presque gênée. J'ai essayé de retrouver des membres de sa famille, mais sans succès.

— C'est parce que le nom de O'Logan n'existe pas, intervint Molly à voix basse, et Kitty entendit Eva rire pour la première fois.

— Molly, arrête.

— Quoi ? Je ne pense pas qu'il ait envisagé un seul instant que son arrière-grand-père était un escroc certainement recherché par la police irlandaise et qui s'est inventé un nom de toutes pièces dès qu'il a eu mis le pied aux États-Unis.

Edward explosa de rire.

Kitty songea que c'était la première fois qu'elle le voyait aussi détendu.

George se dirigea droit vers Eva, la prit par la main et entraîna la jeune femme rougissante hors de la pièce. Kitty envisagea de les suivre, mais l'écran de son téléphone s'alluma. Bien que sur silencieux, c'était comme s'il lui criait de répondre : c'était Richard Daly, cette sale fouine qu'elle avait aidée à se faire publier. Il fallait qu'elle réponde. Elle quitta la table et franchit la porte-fenêtre pour gagner le jardin qui donnait sur la rivière.

Elle répondit, le cœur battant à tout rompre.

— Kitty.

— Oui.

— Je ne pensais pas que tu décrocherais.

— Je n'en avais pas l'intention.

Un silence.

— Je t'appelle pour… (Il soupira.) Je ne sais même pas par où commencer.

— Va droit au but, Richie.

— Merci d'avoir envoyé mon roman à des éditeurs. Après ce que je t'ai fait… je ne méritais pas ton aide et si tu ne l'avais pas fait, je ne m'en serais pas occupé non plus. Il est terminé depuis longtemps, mais je n'ai jamais trouvé le courage de l'envoyer. Donc, je te remercie. Je ne comprends pas pourquoi tu as fait ça, mais merci.

Si seulement il avait su… Elle bouillonnait.

— En réalité, j'appelle surtout pour m'excuser. J'ai eu un comportement inqualifiable. J'ai beau essayer de me trouver des excuses, je n'y parviens pas. C'était abject de ma part de trahir ainsi une vieille copine de fac. Je te jure que je suis vraiment, vraiment désolé du tort que je t'ai causé et de…

— Tu m'as humiliée, Richie, l'interrompit-elle.

— Je sais. Enfin, non, je ne le savais pas, mais je peux comprendre que…

— Tu m'as humiliée, tu t'es servi de moi et tu m'as fait me sentir très, très mal. Ça a été le pire moment de ma vie.

Sentant l'émotion l'envahir, elle se tut avant de se mettre à pleurer. Elle ne pourrait pas articuler correctement si elle pleurait.

— Je sais. Je suis tellement désolé. Je voudrais réparer les dégâts. J'ai parlé avec mon rédac' chef et je veux écrire un article positif sur toi. Il a accepté et j'ai carte blanche. J'écrirai tout ce que tu voudras.

— Qui te dit que j'ai envie de te parler ? demanda-t-elle, abasourdie par sa proposition. Je me fous royalement de ce que tu peux bien écrire sur moi à présent, et je me fiche de cet article. Ce qui compte, c'est que tu m'as menti, que tu as couché avec moi et ruiné quelque chose de précieux.

Kitty était loin d'être irréprochable, mais elle considérait que coucher avec quelqu'un pour obtenir des informations était la plus minable des manœuvres. Elle s'attendait à ce qu'il se défende vertement comme la dernière fois et qu'il refuse lâchement d'assumer ses responsabilités mais ce fut le contraire qui se produisit.

— Tu as raison. Je suis désolé. Je ne t'ennuierai plus jamais. Je voulais juste que tu saches que personne n'avait jamais fait un truc aussi sympa pour moi, et je ne comprends pas pourquoi parce que je me rends compte que je me suis mal comporté avec toi et je vais devoir vivre avec ça. Bref, je ne t'embête pas plus longtemps, je voulais juste te dire ce que j'avais sur le cœur, je suis désolé.

—Bon… d'accord. (Elle ne savait pas quoi dire d'autre, elle avait envie de l'accabler encore, mais n'en voyait plus la nécessité.) Tu pourrais peut-être me donner un pourcentage sur les ventes de ton bouquin, plaisanta-t-elle.

—Ah, oui, il n'y aura pas de livre.

—Comment ça ? Je pensais qu'ils avaient adoré.

—Oui, mais j'ai rencontré l'éditeur ce matin. Quand il a découvert qui j'étais, il a décidé de ne pas me publier. J'ai écrit un article pas super élogieux sur un de ses collègues il y a quelques années, et il s'avère qu'il a la mémoire longue.

Kitty ouvrit la bouche et frappa l'air du poing sans se soucier de qui pourrait la voir depuis la salle de réception. Pas étonnant que le petit vaurien soit désolé, il se prenait son karma en pleine figure. Elle raccrocha et sautilla sur place.

—Tu fais quoi ? Tu invoques la pluie ? demanda doucement quelqu'un derrière elle. Je n'ai pas espionné. Je t'ai vue quitter la table et je voulais juste m'assurer que tout allait bien.

Elle pivota et se retrouva face à Steve.

—Je pense que c'est le plus beau jour de ma vie, dit-elle en riant.

—Qu'est-ce que tu as fait encore, raconte, répondit-il, et la formulation qu'il avait utilisée provoqua de nouveau le rire de Kitty. Quoi ?

—Tu parles comme si je m'attirais toujours des emmerdes.

—C'est parce que c'est le cas. Et j'essaie de te sauver tout le temps.

Il s'approcha et lui lança ce regard qui la ravissait.

—Hum. Steve.

—Oui.

—Katja.

Un seul mot.

—Ah. Il n'y a plus de Katja.

—Qu'est-ce que tu as fait d'elle ? Tu l'as enterrée dans ton jardin ?

Il frotta ses phalanges dans son dos.

—Ouch, protesta-t-elle en gigotant, mais il la tenait fermement.

—Non. On a rompu.

—Pourquoi ?

—D'après toi ?

Il lui lança de nouveau ce regard sombre et sérieux. Kitty déglutit.

—Elle avait l'impression que je passais plus de temps avec toi qu'avec moi.

—C'est ridicule. On ne se voit jamais, rétorqua Kitty.

—C'est vrai. Disons qu'elle avait l'impression que j'étais plus là pour toi que pour elle.

—Ah. D'accord. Et qu'est-ce que tu en penses ?

—Kitty, je t'ai aidée à enlever de la merde et de la peinture de ta porte, je t'ai laissé mon lit, et je suis à Cork avec toi où je fais semblant d'être photographe. T'en conclus quoi ?

—Que si j'étais ta petite amie, je te larguerais.

—Tu voudrais bien ?

—Je voudrais bien quoi ?

—Être ma petite amie ?

Sa question était posée sur un ton emprunté et sérieux qui fit penser à Kitty qu'ils avaient dix ans. Elle rit, un peu intimidée, et baissa les yeux vers ses pieds.

Steve posa le doigt sous son menton, lui releva la tête et plongea son regard dans le sien.

—Je te promets que j'ai fait des progrès depuis notre dernière rencontre.

Kitty ne put s'empêcher de rire.

— Je pense bien. Moi aussi, tu sais.

— Ce n'était pas si nul, si ?

— Non, répondit-elle en souriant. Ce n'était pas nul du tout.

Juste au moment où il se penchait vers elle, les yeux fermés, le doigt toujours sur son menton, près de l'eau clapotante, des applaudissements nourris adressés aux mariés leur parvinrent. Mais alors que Kitty s'apprêtait à embrasser le beau, drôle et fidèle Steve, elle jeta un coup d'œil par-dessus son épaule et aperçut quelqu'un près de la jetée, le regard rivé sur sa montre, agacé et sur le point de partir.

— Steve ! dit-elle au moment où il posait les lèvres sur les siennes.

— Quoi ?

Il ouvrit les yeux.

— Le juge ! (Elle le lâcha immédiatement.) Il faut aller chercher Jedrek. Le juge est là. (Elle se mit à courir vers la maison.) Retiens-le !

Chapitre 30

— Oui, ma chérie, je t'aime, moi aussi. J'aimerais que tu sois là mais c'est ma chance de prouver à tout le monde, toi y compris, que je peux être quelqu'un.

La voix de Jedrek se brisa et il s'interrompit pour se ressaisir. Kitty avait envie de le presser, mais c'était impossible. Elle avait surpris sa conversation avec sa femme, qui était très touchante, mais un juge impatient attendait et tous les invités du mariage s'étaient rassemblés sur la berge pour regarder dès que Kitty avait fait irruption dans la salle de réception et crié que le juge était là. L'intérêt des autres invités avait été éveillé par tous ces gens quittant à toute allure la salle de réception et la vue de deux hommes traversant la pelouse en courant, chargés d'un pédalo. Du coup, tout le monde les avait suivis sur la berge où ils attendaient que Jedrek raccroche.

Il finit par s'exécuter, s'essuya les yeux et se tourna vers la foule, le regard fier et confiant.

— On peut y arriver, Achar, mon ami.

Les deux amis descendirent bras dessus bras dessous vers l'eau sous les applaudissements des convives.

— Vous voulez bien nous faire les honneurs ? demanda Jedrek à Kitty.

— Euh, d'accord… (Kitty s'éclaircit la voix. Steve se mit à la mitrailler avec son appareil photo.) Mesdames et messieurs, chers mariés, nous sommes désolés de vous avoir arrachés à la réception. (Les mariés avaient l'air aussi excités que les autres.) Mais nos amis Jedrek et Achar, qui s'entraînent depuis presque un an, sont sur le point de battre le record du cent mètres masculin en pédalo. Le record actuel est d'une minute cinquante-huit secondes et six dixièmes, et ils vont tenter de parcourir la distance en une minute cinquante.

La foule cria.

— Je les ai déjà vus faire, mais aujourd'hui un juge du *Livre Guinness des records* assiste officiellement à cet exploit. Allez, soutenons nos amis, Jedrek et Achar !

Des applaudissements et des cris. James, le juge, était manifestement enchanté de la réaction des deux cents personnes.

— Vous pouvez y arriver.

Birdie leur fit une bise à chacun, laissant une trace de rouge à lèvres rose sur leurs joues. Archie leur donna une tape dans le dos et prit sa place de coach et de remonteur de moral. Steve prenait des photos, Eva, Mary-Rose, Ambrose et Eugene les entouraient, et Kitty se sentit soudain très fière de ce petit groupe de personnes qu'elle avait rassemblées – non, que *Constance* avait réunies.

Tout le monde s'agglutina près de l'eau pour assister au spectacle.

Jedrek et Achar grimpèrent sur le pédalo et s'éloignèrent de cent cinquante mètres. Ils joignirent leurs mains, dirent une prière et échangèrent un regard encourageant. Ils étaient prêts.

Le juge donna le signal du départ, chronomètre en main, et ils démarrèrent.

La foule se mit à hurler et applaudir. Les mariés n'étaient pas en reste, ravis de cette animation inattendue pour leur mariage. Achar et Jedrek moulinaient comme jamais auparavant, et leurs visages étaient un concentré d'intensité, de nécessité absolue et de désir d'être acceptés, d'être jugés dignes, d'oublier les années de vide et de désespoir. Ils voulaient que cet instant les sauve et fasse de nouveau d'eux des hommes. On les entendait s'encourager mutuellement depuis la rive. Ils atteignirent la ligne d'arrivée sous les hurlements de la foule en délire. Les deux hommes levèrent les yeux pour entendre le verdict.

— C'est gagné ! s'écria Kitty.

Ils se levèrent, tombèrent dans les bras l'un de l'autre et se mirent à sauter sur place. Le pédalo tangua et ils tombèrent à l'eau.

Tout le monde éclata de rire, et Eugene et Archie les aidèrent à sortir de la rivière.

Le juge sortit une feuille roulée de sa sacoche et demanda à Jedrek et Achar, trempés, de le rejoindre.

— J'ignorais malheureusement que je serais là aujourd'hui. Ces deux hommes m'ont abordé hier. Mais j'ai demandé à ce qu'on me faxe des papiers afin que je puisse leur donner quelque chose aujourd'hui. Ce certificat déclare qu'ils détiennent officiellement le titre de record de course en pédalo masculine sur cent mètres.

Il leur tendit le fax, et Jedrek et Achar s'en emparèrent comme s'il s'agissait du Saint-Graal. Même si la victoire revenait aux deux hommes, Kitty avait le sentiment qu'elle rejaillissait sur tout le petit groupe. Ils étaient parvenus à convaincre le juge de se déplacer, et c'était donc un peu grâce à eux. Ils s'embrassèrent et se congratulèrent. Et Kitty finit par se retrouver face à Steve.

Leurs regards se croisèrent.

— Oui, dit-elle.

— Oui, quoi ?

— Je veux bien être ta petite amie, fit-elle à voix basse.

— Oh, répondit-il, l'air soucieux. Je n'en ai plus envie. C'est tellement dépassé… de vingt minutes.

Elle lui donna une tape légère et il l'attira à lui. Et ils s'embrassèrent enfin.

Les applaudissements gagnèrent en intensité, et alors que Kitty imaginait qu'ils leur étaient destinés, Jedrek et Achar étaient portés en triomphe sur les épaules à présent humides d'Archie et de Sam.

— Il faut y aller, annonça Molly en jetant un coup d'œil préoccupé à sa montre. Je dois absolument rendre le bus ce soir.

— Ne t'inquiète pas, on a largement le temps, affirma Edward en plaçant une main protectrice sur son épaule, et la jeune femme lui adressa un sourire plus détendu.

— Merci.

— On a intérêt à être à l'heure, renchérit Kitty, inquiète. J'ai une présentation au journal à 18 heures.

— Tu ne peux pas la repousser ?

— Je l'ai déjà repoussée d'une semaine. C'est à propos de l'histoire de Constance.

À cette idée, Kitty se sentit envahie par une sueur froide.

Ils embarquèrent tous dans le bus et attendirent Eva, qui était toujours avec George. Nul ne montrait de signe de nervosité en dehors de Molly et de Kitty.

— Tu fais décidément tout à la dernière minute, pas vrai ? constata Steve en souriant. Tu sais quel est le sujet ? Le lien entre tous ? Parce que, personnellement, je n'ai pas trouvé.

Il jeta un coup d'œil au groupe hétérogène qui les entourait.

Kitty hocha la tête.

— Non, je sais.

— Eh bien, alors, pas la peine de t'inquiéter.

— Sauf en ce qui concerne notre chauffeur, répondit-elle à voix basse.

Lorsque Eva finit par faire son apparition, elle était blanche comme un linge, ce qui n'échappa à personne, mais nul ne fit de commentaire. Elle s'installa près d'une fenêtre.

Peu de temps après leur départ, Kitty quitta son siège et la rejoignit.

— Cela vous dérange que je m'installe à côté de vous ?

— Pas du tout, répondit Eva avec un faible sourire qui ne gagna pas ses yeux.

— Je voulais vous féliciter, vous pouvez être fière de ce que vous avez fait aujourd'hui. Le cadeau pour Seamus était tellement beau que vous avez réussi à émouvoir la vieille cynique que je suis, plaisanta Kitty.

— Mmm ? Oh, oui, c'était bien. Un succès.

— Tout va bien ?

— Oui, bien sûr, pourquoi ?

Eva lui adressa un grand sourire qui cette fois gagna ses yeux, mais auquel Kitty ne crut pas.

— On dirait que vous avez vu un fantôme et vous paraissez… abattue. Il s'est passé quelque chose avec George ?

— Vous êtes une incorrigible romantique, n'est-ce pas ? Archie et Regina, Ambrose et Eugene, Mary-Rose et Sam, Molly et Edward – est-ce que tout ça n'était qu'un complot pour former des couples ?

Kitty éclata de rire.

— Non, non, pas du tout. Ils se sont débrouillés tout seuls, je vous le promets, même si Mary-Rose et Sam sont encore au stade du brouillon, je pense. (Elles jetèrent un coup d'œil aux deux jeunes gens, plongés dans une conversation très sérieuse.) Vous devriez leur faire un cadeau pour les aider.

Eva sourit tout en jouant avec son sac. Elle regarda Kitty et soupira.

— Vous êtes impossible.

Kitty gloussa.

— Bien.

— George m'a fait un cadeau.

— Oh ? Un cadeau pour celle qui en fait aux autres – je n'en aurais pas eu le courage.

— Ce voyage a été fabuleux, vous savez, dit Eva, et Kitty sut qu'elle était sincère.

— Merci. Qu'est-ce qu'il vous a offert ?

— Une boîte.

Elle ouvrit son sac à main et en sortit une petite boîte chinoise laquée. Ses yeux se remplirent de larmes rien qu'en la regardant.

— J'en déduis que cette boîte a du sens pour vous.

— Oui, répondit-elle en s'essuyant les yeux. Il s'est souvenu que je lui avais parlé d'un cadeau très important pour moi. Et il a trouvé une imitation presque parfaite.

— Est-ce qu'on vous a déjà fait un cadeau aussi émouvant ?

— Pas vraiment, dit-elle, et ses larmes se mirent à couler. Pas depuis que j'ai reçu l'original.

Ah, enfin.

— Donc vous m'avez menti en affirmant que le Little Pony était le plus beau cadeau de votre vie, fit doucement remarquer Kitty.

Eva rit.

— Désolée. Mais vous l'aviez déjà compris. (Elle renifla et lui lança un regard sérieux.) Vous ne pouvez pas écrire cette histoire, Kitty, parce qu'elle concerne d'autres personnes.

Kitty acquiesça.

— Je vous donne ma parole.

— Écrivez juste ce qu'il faut pour que ça ait du sens.

Kitty comprenait parfaitement ce qu'elle entendait par là.

— C'était le jour de Noël, et ma mère et moi attendions. Le repas était prêt et la table mise, et je me rappelle que ça sentait tellement bon. Ma mère insistait pour cuisiner un repas traditionnel à Noël. Irlandais, comme elle. Mon père est originaire de Shanghai. Il est traiteur à Galway. Chez Wu. Il avait deux heures de retard et nous étions affamées. Ma mère m'a regardée, et même si elle ne l'a pas formulé à haute voix, elle m'a demandé ce que je pensais qu'on devait faire. Il faut s'y prendre d'une certaine manière avec ma mère, du moins c'était le cas à l'époque. Je ne pouvais pas lui dire ce que je pensais parce qu'elle aurait fait le contraire. C'était comme de la psychologie inversée : il fallait lui faire croire que c'était sa décision, et donc la bonne. Elle a commencé à couper la dinde, qui sentait divinement bon, même si elle était trop cuite et avait trop attendu. Je me suis servi des légumes ; je ne pouvais pas attendre, j'avais trop faim. Je venais de mettre la première cuillère dans ma bouche quand j'ai entendu la clé tourner dans la serrure et j'ai eu envie de mourir. Je ne pouvais ni avaler ni recracher. Maman n'avait pas fini de découper la dinde. Mon père est entré – j'ai senti son parfum avant même de le voir – et il a vu qu'on avait commencé sans lui, ce qui l'a mis en colère.

« Juste à temps », a dit ma mère sur un ton guilleret. Trop guilleret. Il a compris qu'on ne l'avait pas attendu. Il a quitté la pièce. Il a piétiné tous les cadeaux, écrabouillé une poupée chinoise qui était pour moi, renversé le sapin, arraché les guirlandes fixées au plafond qui sont tombées sur la table et l'ont abîmée. Il a tout brisé, même la jolie vaisselle rangée dans le buffet.

Elle déglutit.

— Puis il s'est jeté sur ma mère. Elle avait toujours le couteau à découper à la main. Le couteau a fini planté dans son bras.

— Eva, murmura Kitty dans un souffle. Je suis tellement désolée.

— Je ne vous raconte pas ça pour que vous soyez désolée. Vous voulez comprendre et je vous y aide.

Kitty opina.

— J'ai fini chez la vieille voisine d'en face. On a regardé la télé pendant quatre heures avant que ma tante vienne me chercher pour m'emmener chez elle. Elle avait un vieux téléviseur en noir et blanc et je me souviens d'avoir regardé *I love Lucy* en boucle. Je vous jure que je ne peux plus voir un seul épisode avec cette femme ridicule qui fait rire tout le monde avec ses maladresses, alors que moi je me repassais mentalement le film de ce qui venait de se produire. La vieille femme, dont j'ai oublié le nom, ne m'a pas adressé la parole de tout l'après-midi. Elle m'a donné un verre de lait et des biscuits, puis elle s'est assise dans le fauteuil à côté du mien et on a regardé la télévision en silence. Elle n'a jamais ri, ce qui rendait la série encore plus pathétique. Mais avant que je parte, elle m'a fait un cadeau. C'était une petite boîte chinoise laquée, avec une clé. Elle a dit que c'était pour mes secrets, que toutes les petites filles devaient en avoir une. Je ne sais pas pourquoi, mais c'était le cadeau le plus parfait qu'on m'ait jamais fait. C'était tellement approprié. Elle n'avait rien dit sur ce qui s'était passé, mais son cadeau disait tout.

— C'est le cadeau qui vous a poussée à penser comme vous le faites, qui vous a donné envie d'aider les gens en leur offrant quelque chose.

— Oui.

Eva fit courir le bout de ses doigts sur la boîte que George lui avait offerte.

— Vous avez raconté cette histoire à George ?

— Non. Je lui ai juste parlé de la boîte. C'est la première fois que je raconte tout ça. Je l'ai perdue il y a des années quand on a déménagé.

— Il a dû deviner que c'était très important pour vous.

— Oui, répondit-elle, un peu perplexe.

— Eva, vous permettez que je vous pose la question… Quel âge aviez-vous quand ça s'est produit ?

— Cinq ans, murmura-t-elle, et ses yeux se remplirent de nouveau de larmes.

Kitty prit note mentalement.

Nom numéro 3 : Eva Wu
Titre de l'histoire : La boîte de Pandore

— Ah, au fait, poursuivit Eva en s'éclaircissant la voix, et toute émotion déserta son visage, qui redevint un beau masque, j'ai un cadeau pour vous.

— Pour moi ? Eva, il ne fallait pas. Ne me dites pas que ce sont les deux vieux du mariage.

Eva gloussa.

— C'est vraiment une bricole. Je ne cherchais rien de particulier, je suis tombée dessus et vu tout ce que vous avez traversé récemment, j'ai pensé à vous.

Elle sortit de son sac un petit pot de fleurs. Kitty ne comprit que lorsqu'elle eut lu l'étiquette.

— « Faites pousser votre chance », déchiffra-t-elle à haute voix, ce qui la fit rire.

C'était un petit pot empli de terre avec un sachet de graines de trèfles à planter.

— J'espère que ça marchera, fit Eva avec un sourire.

— Moi aussi, répondit Kitty en pensant au chemin qui lui restait à parcourir. Merci, Eva.

— Je connais quelqu'un qui pourra vous aider à les planter, ajouta Eva, et elles pouffèrent de concert.

Des voix s'élevant de l'avant du bus attirèrent l'attention des passagers. Molly et Edward étaient en train de se chamailler pour savoir si Molly avait bien fait de tourner.

— Et merde, s'écria Molly en regardant dans le rétroviseur.

Tout le monde tourna la tête et constata que sa réaction était entièrement justifiée. Sur la bande d'arrêt d'urgence, venait une voiture de police.

— Ce n'est peut-être pas pour moi, suggéra Molly.

— Bien sûr que si, rétorqua sèchement Edward. Tu as vu ce que tu viens de faire ?

— Ta gueule.

— Ralentis, d'accord ? Ils te font signe de t'arrêter.

— Putain de bordel de merde, marmonna Molly qui ralentit puis s'arrêta.

Le policier contourna le bus pour se porter à la hauteur de Molly.

— Vous essayez de tuer quelqu'un ? demanda-t-il.

— Non, bien sûr que non, répondit-elle d'une voix douce. Je ne savais pas quel chemin prendre.

— Permis de conduire, s'il vous plaît.

Molly fourragea dans son sac à main. Pourvu qu'elle ait ses papiers, songea Kitty en regardant l'heure. Il fallait qu'elle rentre à Dublin pour la réunion avec Pete. Ça faisait bien assez longtemps qu'elle retardait l'échéance, le journal partait à l'impression lundi, ce qui signifiait qu'elle devait rédiger son article pendant le week-end, mais pour ça il fallait qu'il soit validé aujourd'hui. Pete la tuerait si elle n'était pas là tout à l'heure. Elle ne pouvait pas utiliser la culpabilité qu'il ressentait à son égard plus longtemps : elle était en train de s'estomper.

Le policier disparut pour vérifier le permis de Molly et Edward redevint M. Sympa avec elle.

L'officier revint cinq minutes plus tard.

— À qui appartient ce véhicule ?

— À la maison de retraite de Sainte-Margaret, à Oldtown, Dublin, répondit-elle d'une toute petite voix. Je travaille là-bas. On y rentre.

— Ouvrez la porte, je vous prie.

Elle tira sur le levier, ce qui n'avait plus l'air de l'amuser, et le flic grimpa dans le bus. Il jeta un coup d'œil à la ronde. Le plus grand silence régnait.

— Je n'ai pas l'impression que vous soyez des résidents de la maison de retraite.

— Ah, oui, eh bien, Birdie, ici présente, est une résidente. Je l'ai emmenée en voyage pour son anniversaire avec ses amis. Et maintenant on rentre. Les Pink Ladies ont besoin du bus pour leur partie de bridge, donc…

Il lui lança un regard peu amène.

— Ce bus a été déclaré volé hier.

Molly pâlit.

— Pardon ?

— Vous avez bien entendu. Vous savez quelque chose ?

— Non, enfin je veux dire, oui, on l'a emprunté. Mais on ne l'a pas volé. On rentre tout de suite.

Le policier la considéra un instant dans un silence tendu.

— Vous voulez bien descendre du véhicule, mademoiselle McGrath ?

Molly poussa un petit couinement. Edward se leva et l'aida à descendre tout en lui murmurant quelque chose à l'oreille que Kitty ne put saisir.

— Oh, mon Dieu, dit Kitty en lançant un regard apeuré à Steve.

— Quel est le problème ? répondit Steve, impassible. Il essaie juste de l'intimider. Elle n'a pas volé ce bus. Kitty ? Pourquoi tu me regardes comme ça ? S'il te plaît, dis-moi que Molly n'a pas *volé* ce bus !

Kitty était incapable de faire autre chose que lui adresser un sourire contrit. Et dire que tout se passait si bien entre eux.

Chapitre 31

Kitty et le reste de l'équipage patientèrent dans un café de Mallow, dans la banlieue de Cork, tandis que Molly était entendue au commissariat.

— Je n'invente rien, Pete, protesta Kitty au téléphone. Je veux absolument assister à la réunion, mais je suis encore à Cork et je ne pourrai pas être là à 18 heures. Et si on se voyait demain ?

— Non, Kitty. Pas question de faire revenir les autres un samedi. On a déjà assez perdu de temps à attendre ton article et on ne sait toujours pas quel en est le sujet ! Tout ça est absurde. L'histoire de Constance est la colonne vertébrale du numéro, on a tous bossé comme des tarés pour rendre nos papiers à temps, et toi, tu bricoles…

— Je t'arrête tout de suite : j'ai investi la moindre seconde de mon temps dans cette histoire et tu le sais. OK ! Je vais trouver une solution pour être là à l'heure.

Elle raccrocha et se rongea les ongles.

Steve lui lança un regard interrogateur.

— Pete est un connard. Si je ne suis pas au journal à 18 heures, il ne publiera pas mon article.

Elle ne voulait pas que les autres entendent, mais elle avait parlé trop fort.

— Non, Kitty, dit Jedrek en se levant. C'est inacceptable. Cette histoire doit paraître. Qu'est-ce qu'on peut faire pour vous aider ?

— Oh, Jedrek, merci, répondit-elle, touchée. J'apprécie votre gentillesse mais je ne vois pas comment je peux être au bureau à 18 heures. Si Molly n'est pas sortie d'ici cinq minutes, je ne peux pas y arriver.

— Ne le prenez pas mal, Kitty, poursuivit Jedrek avec le plus grand sérieux. Nous avons beaucoup de respect pour vous et pour votre devoir envers votre rédacteur en chef, et nous savons que vous accordez beaucoup d'importance à votre travail, mais nous avons mis nos vies entre vos mains. Nous vous avons raconté nos vies et donné le stylo pour les raconter. Cette histoire n'est pas uniquement importante pour vous, mais pour nous aussi. Parce que c'est la nôtre.

Kitty lança un regard à Steve, qui la dévisageait comme si les paroles de Jedrek étaient évidentes. Elle finit par comprendre : tout ça n'avait rien à voir avec elle, et presque rien avec la mémoire de Constance et sa carrière qui partait à vau-l'eau. C'était leurs vies, leurs histoires, et elle avait un devoir envers ces gens. Elle se sentit humble tout d'un coup et elle décida d'agir.

Trente minutes plus tard, Molly avait été libérée et ils étaient sur la route de Dublin.

— Je ne comprends pas, Kitty, comment vous avez fait ?

— J'ai appelé Bernadette.

— Non, pas elle ! Elle va me virer, gémit Molly.

— Elle ne vous virera pas, affirma Kitty, mais elle risque de vous rendre la vie infernale pendant quelque temps. Je lui ai tout expliqué, je lui ai raconté ce qu'on a fait et pourquoi, et je lui ai demandé de retirer sa plainte et de demander à la police de vous laisser partir. Les Pink Ladies prendront les transports publics ce soir. On a donc du temps devant nous. Vous voulez bien suivre mes instructions ?

— Pourquoi, on va où ? s'étonna Molly.

— On fait un petit détour, répondit Kitty en se rongeant les ongles, le regard rivé à l'horloge, qui se rapprochait dangereusement de 18 heures.

À 18 h 30, le bus se gara devant les bureaux d'*Etcetera*. Pete était à deux doigts de tout annuler, mais Kitty l'avait appelé régulièrement pour le prévenir qu'ils arrivaient.

— Allez, tout le monde, je vous promets que ce sera rapide. Suivez-moi, je vous prie.

— Bonne chance, fit Steve avec un clin d'œil.

Prêt pour une nouvelle aventure, le petit groupe descendit du bus et lui emboîta le pas.

Rebecca, la directrice artistique, les attendait près de la porte ouverte.

— Kitty, enfin, dit-elle lorsque cette dernière grimpa l'escalier en courant. Il est en train de devenir fou. Je n'aimerais pas être à ta place. (Elle lui ôta sa veste puis jeta un regard stupéfait à la petite troupe qui la suivait.) Qui sont ces gens, Kitty ? Kitty… ?

Elle les suivit, abasourdie.

— Vous voulez bien attendre tous ici, s'il vous plaît ? demanda Kitty.

Elle prit une profonde inspiration et pénétra dans la salle de réunion. Une odeur de café, de transpiration et de colère flottait dans la pièce. La frustration et l'agacement suintaient par tous les pores des gens assis autour de la table et lui étaient directement adressés.

— Bonsoir, tout le monde, lança-t-elle, à bout de souffle. Désolée pour le retard. Vous n'imaginez pas ce que j'ai dû faire pour être ici maintenant.

Ils grommelèrent quelque chose sur le fait qu'eux aussi avaient fait des choses pour être là, mais Kitty enchaîna, ravie de voir que Bob était présent, ce qui signifiait que Cheryl n'assurait plus l'intérim. Kitty regarda Pete et Cheryl tour à tour et leur sourit gentiment.

— Salut, vous deux, contente de vous revoir.

Cheryl rougit et détourna le regard.

— Il y a deux semaines, on m'a confié la tâche d'écrire l'histoire de Constance. J'en ai été profondément honorée et en même temps effrayée, parce que nous savons tous que Constance était une professionnelle hors pair doublée d'une perfectionniste, qu'elle n'acceptait rien d'autre que l'excellence, et je n'avais pas spécialement confiance en mes capacités. Je sais que vous étiez nombreux à douter de moi et je comprends très bien pourquoi. (Elle déglutit en voyant leurs regards entendus. Personne ne croyait qu'elle pouvait y arriver.) Mais beaucoup de choses ont changé en quinze jours.

» La seule chose dont je disposais pour écrire l'histoire de Constance était une liste de cent noms. Rien de plus. Pas de synopsis, pas d'explications, pas de grandes lignes, rien d'autre qu'une liste de gens dont personne n'avait jamais entendu parler. Je n'avais aucun moyen de les contacter, aucun moyen de découvrir de quelle histoire il s'agissait, rien. C'est pour ça que ça m'a pris si longtemps pour venir à cette réunion. (Elle comprit que peu de personnes avaient connaissance de cet état de fait.) C'était à moi de trouver un dénominateur commun entre ces cent personnes et on pensait, *je* pensais, que c'était là que résidait toute l'histoire. Jusqu'ici, j'ai rencontré six de ces personnes.

Pete poussa un soupir exaspéré.

Kitty se tourna vers lui.

— Pete, rencontrer ces cent personnes en deux semaines était impossible, d'autant qu'elles ignoraient que quelqu'un voulait rédiger un article sur eux.

— Constance ne les avait pas contactées ? demanda Rebecca.

— Non ! répondit Kitty en riant. Constance ne les connaissait même pas !

Les autres échangèrent des regards perplexes.

— Tout est très clair pour moi à présent, poursuivit-elle. La dernière fois que j'ai parlé avec Constance, elle m'a fait la leçon, comme à son habitude, sur l'art d'écrire une bonne histoire. Elle m'a dit que chercher la vérité ne signifiait pas forcément se donner pour mission de révéler un mensonge toute artillerie dehors, et que ça ne devait pas non plus être obligatoirement fracassant : il faut tout simplement aller au cœur de la réalité. Mon travail n'était pas de dévoiler un mensonge ni de trouver quelque chose de révolutionnaire que ces cent personnes auraient caché, non, mon travail consistait juste à écouter leurs vérités.

» L'idée de Constance était la suivante. Très simple. Si vous piochez cent personnes au hasard dans l'annuaire, vous ne trouvez pas une histoire, mais *cent*, parce que tout le monde, *absolument tout le monde*, a une histoire à raconter. *Toutes les personnes ordinaires ont une histoire extraordinaire.* Nous pensons tous que nous sommes quelconques, que nos vies sont inintéressantes parce que nous ne faisons rien de fracassant, qu'on ne parle pas de nous dans les journaux ou que nous ne gagnons pas de prix. Mais la vérité, c'est que nous faisons tous des choses fascinantes, courageuses, des choses dont nous pouvons être fiers. Les gens ordinaires accomplissent des exploits qui ne sont jamais célébrés. Voilà ce sur quoi qu'il faut écrire. Sur les héros méconnus, ces gens qui ne savent pas qu'ils en sont parce qu'ils ne font que ce qu'ils estiment être leur devoir.

Le silence s'était abattu sur la salle de réunion.

— Tout le monde a une histoire à raconter. C'est *ça* qui nous lie, et c'est *ça* qui lie les noms de cette liste. Constance était de retour aux fondamentaux.

Kitty jeta un regard autour d'elle et vit que Bob avait les yeux brillants de larmes et le menton tremblant : il luttait pour garder une contenance alors que l'histoire de Constance prenait enfin vie et qu'on lui donnait une voix, à elle qui avait été réduite au silence.

— L'histoire de Constance s'intitule « Cent noms », et je suis navrée, Pete, mais je n'ai pas une histoire pour toi. J'en ai six.

Kitty se dirigea vers le rétroprojecteur, plaça la liste de Constance sur la vitre et alluma l'interrupteur.

— Voici les noms. Et maintenant, je vous présente les gens.

Elle ouvrit la porte et tous pivotèrent, surpris, pour voir entrer Ambrose Nolan, Eva Wu, Archie Hamilton, Jedrek Vysotski, Bridget Murphy et Mary-Rose Godfrey. Ils avaient l'air à la fois timides, fiers et un peu perdus.

— Je vous présente le deuxième nom de la liste, Ambrose Nolan. Une femme fascinante qui consacre sa vie à essayer de capturer l'essence de la beauté.

Ambrose baissa la tête et ses cheveux roux dissimulèrent tout son visage.

— Ambrose célèbre les papillons : sur son site de sauvegarde, elle développe de nouvelles vies, mais, dans son musée, elle fête l'existence de ceux qui ont disparu. Je l'ai entendue se comparer à un papillon petite tortue, mais pour moi c'est un thècle du bouleau. (Ambrose leva les yeux vers Kitty, surprise, et cette dernière lui adressa un sourire.) Peu de gens ont vu cet élégant papillon, mais ceux qui ont pu l'apercevoir ont été saisis par la beauté inoubliable de la femelle et de sa bande orange.

L'expression surprise d'Ambrose se transforma lentement en un sourire de remerciement avant qu'elle disparaisse de nouveau sous ses cheveux.

— Je vous présente le troisième nom, Eva Wu, une femme à qui on a offert une boîte de Pandore emplie d'espoir à un moment de sa vie où elle en était privée et qui grâce à cela possède le don d'apporter de l'espoir dans la vie des autres. (Les yeux d'Eva se remplirent de larmes et elle regarda le sol.) Grâce à sa compagnie, « Pour vous », Eva Wu est bien plus qu'une *personal shopper*. Elle ressemble à un ange qui passe un peu de temps dans la vie des gens, les observe avec un regard d'une pertinence à faire pâlir d'envie un journaliste et leur donne le plus beau des cadeaux – non pas ce qu'ils *croient* vouloir, mais ce dont ils ne savent pas avoir besoin jusqu'à ce qu'ils le reçoivent et se rendent compte qu'ils avaient été incomplets jusque-là.

Birdie, qui savait plus que quiconque dans cette pièce à quel point c'était vrai, s'empara de la main d'Eva, qu'elle frotta chaleureusement.

— Je vous présente le quatrième nom, Jedrek Vysotski, époux, père et homme courageux, qui voulait prouver au monde qu'il était capable de réussir quelque chose, qu'il avait de la valeur et qu'il pouvait se distinguer des autres alors même que personne n'y croyait.

Jedrek leva le menton avec fierté, le regard fixé sur les gens devant lui.

— Jedrek et son ami Achar ont réussi à accomplir un exploit qui leur vaudra une place dans le *Livre Guinness des records*, où l'on pourra lire à jamais que ce sont des hommes au talent et à la persévérance extraordinaires. Et, pour Jedrek, la preuve qu'il *vaut* quelque chose.

— Je vous présente le sixième nom, Bridget « Birdie » Murphy, une femme qui avait des choses à régler avec son passé, qui vient d'avoir quatre-vingt-cinq ans et qui a touché le gain d'un pari fait il y a plus de soixante ans avec un homme et avec un village entier qui pensaient qu'elle ne vivrait jamais aussi longtemps. (Birdie eut un sourire timide.) Birdie est l'une des femmes les plus adorables, les plus bienveillantes et les plus inspirantes que j'aie jamais rencontrées, et elle a partagé avec moi une histoire de survie. Celle-ci a été récompensée non seulement financièrement, mais surtout par une vie épanouissante entourée par les gens qu'elle aime et qui l'aiment. Il n'y a rien d'ennuyeux à ça, conclut Kitty en se rappelant la gêne de la vieille dame à l'idée de raconter sa vie. Elle a fait un pari à dix-huit ans et ça a payé, c'est une leçon inspirante pour tout le monde.

— Je vous présente le septième nom, Mary-Rose Godfrey, une femme qui répare et qu'on demande tout le temps en mariage, une jeune fille qui donne tant et qui en échange reçoit une demande en mariage au moins une fois par semaine. (Mary-Rose gloussa et une larme coula sur sa joue.) Sa mère a fait un AVC et, à cause de ça, Mary-Rose a fait connaissance avec le monde de la maladie. Elle coiffe les malades à l'hôpital, parfois elle les maquille et leur fait les ongles – Mary-Rose eut un rire nerveux en entendant tout ça –, et par ces gestes simples, elle est la lueur d'espoir dont ces gens ont besoin. Mais ce qu'elle ignore, c'est que c'est elle, et non ses actes, qui illuminent la pièce. C'est sa conversation et sa présence qui ont la capacité, même temporaire, de guérir.

» Et enfin, le soixante-septième nom, Archie Hamilton. Sa fille adorée, Rebecca, a été assassinée peu avant son seizième anniversaire. Archie, qui a fait ce que probablement tous les pères auraient fait à sa place, a cherché l'homme qui l'a tuée et s'est fait justice lui-même. Il a passé quatre ans en prison pour ça et en est sorti avec une vision de la vie radicalement différente. Une vision (elle sourit à Archie) fascinante et éclairante. Archie pense que Dieu ne l'a pas écouté quand il en avait le plus besoin, il s'est senti abandonné. À présent, il entend les voix de ceux qui sont autant dans le besoin qu'il l'a été jadis et il a la capacité de répondre à leurs prières.

Archie serra les dents pour ne pas laisser transparaître son émotion.

Kitty se détourna de son groupe d'amis émus et reporta son attention vers ses collègues, dont certains étaient profondément touchés par ses paroles et leurs histoires.

— Ce que je viens de vous raconter n'est qu'une introduction à la vie de ces gens. Il y a tellement plus à dire et tellement plus à apprendre sur eux. Pete, il y a tant de gens fascinants et incroyables qui ne savent même pas que leurs histoires sont intéressantes. Les histoires sont sans fin ; nous avons tout un annuaire. Tu as vu la liste des cent noms, tu as vu ces gens, et maintenant je te propose de lire leurs histoires dans le dernier article de Constance : une histoire par mois pour chaque nom, dans un reportage intitulé « Cent noms ». Et quand on en aura terminé, on en sélectionnera au hasard cent autres.

Kitty en avait terminé et elle retint son souffle en attendant sa réaction. Le silence était complet. Elle regarda les autres, incertaine. Mary-Rose écarquilla les yeux, Eva rosit, Birdie posa la main sur une chaise pour se stabiliser.

Soudain, Bob se leva et se mit à applaudir, lentement d'abord, puis de plus en plus vite, les yeux pleins de larmes, et les autres l'imitèrent, Rebecca avec enthousiasme, les autres avec appréciation, voire une certaine admiration. Kitty posa le regard sur Pete : il souriait, un petit sourire qui s'élargissait graduellement. Il regarda les personnes qu'elle avait amenées avec elle puis posa de nouveau le regard sur Kitty. Il lui sourit et hocha la tête pour qu'elle comprenne qu'elle avait réussi. Puis il joignit ses applaudissements à ceux de ses collègues.

Kitty n'avait jamais été aussi fière de toute sa vie. Elle passa le bras autour des épaules de Mary-Rose, qui se trouvait à côté d'elle, et instinctivement ils formèrent un cercle, la petite équipe qu'ils formaient à présent, les amis qu'elle s'était faits et qui ne disparaîtraient pas de sa vie, et ils s'enlacèrent sous les applaudissements.

Le bus de la maison de retraite se gara devant le fameux point de rencontre « sous l'horloge de Clerys » où ils s'étaient retrouvés pour commencer leur voyage. Ils restèrent tous assis un instant en silence, pas encore prêts à se dire au revoir. Ils prirent tous le temps de rassembler leurs pensées et de savourer l'expérience qu'ils venaient de vivre, certainement la dernière qu'ils partageraient. Archie fut le premier à se lever. Il les regarda sans dire un mot. Puis il leur adressa un petit hochement de tête et se dirigea vers l'avant du bus. Les autres suivirent.

Malgré leur promesse de se revoir – certains avaient échangé leurs numéros, d'autres s'étaient déjà donné rendez-vous –, Kitty savait qu'il serait difficile de les réunir de nouveau. Mais en les regardant par la vitre prendre chacun son chemin, elle sut, au plus profond d'elle-même, qu'elle ferait tout ce qui était en son pouvoir pour y parvenir. Elle avait encore quatre-vingt-quatorze personnes à rencontrer et quatre-vingt-quatorze amis à se faire, mais elle savait que ce groupe-là occuperait toujours une place spéciale, parce qu'ils l'avaient aidée à changer de vie et, d'une certaine manière, ils l'avaient sauvée. Elle les réunirait de nouveau. Un jour.

Chapitre 32

— J'espère pour vous que ça en vaut la peine, Archie. J'ai un article à écrire, vous vous souvenez ? demanda Kitty tandis qu'ils se retrouvaient devant le *Brick Alley* le dimanche matin suivant.

Il l'avait appelée tard dans la soirée, la veille. Ils étaient tous rentrés chez eux et avaient eu une journée pour digérer tout ce qui s'était passé. Steve avait fini par quitter l'appartement de Kitty pour lui permettre d'écrire son article, et c'est alors qu'Archie lui avait téléphoné pour demander à la voir de toute urgence. Elle ne savait pas ce qu'il voulait, mais elle s'attendait à tout.

— Ça en vaut la peine, croyez-moi, affirma-t-il en souriant.

— Où est Regina ?

— On est dimanche matin. D'après vous ?

— Ah, à l'église. Et vous ne voulez pas y aller ?

Il secoua la tête.

— Vous ne voulez plus aider les gens ?

— Si. J'ai décidé d'en aider certains. C'est pour ça que je vous ai appelée.

— Moi ? Mais je ne prie pas, répliqua-t-elle avec un rire nerveux.

— Je n'en suis pas si sûr, Kitty. J'ai entendu quelque chose de très clair.

Kitty déglutit en se demandant ce qui allait suivre.

— Il y a quelqu'un à l'intérieur qui voudrait vous parler, annonça-t-il en pivotant vers la porte du café.

— Qui ?

Son cœur se mit à battre la chamade.

— Regardez.

Elle jeta un coup d'œil à travers la vitrine. Un homme lui tournait le dos, assis sur le tabouret face au panneau portant l'inscription : « Chaque table a une histoire à raconter. » Instinctivement, comme s'il sentait leurs regards, il pivota.

Colin Maguire.

— Archie, murmura-t-elle, terrifiée. Qu'est-ce que vous avez fait ?

— Vous voulez qu'il vous pardonne, pas vrai ? demanda-t-il gentiment.

Elle hocha la tête.

— Je l'ai contacté hier. Il était content que je l'appelle, il m'a dit qu'il voulait vous parler, lui aussi.

— Oui, comme ça, il pourra me tuer, affirma-t-elle d'une voix tremblante.

— Non. Je pense qu'il veut tourner la page, lui aussi. Allez-y, Kitty. Vous n'avez rien à perdre.

Kitty ne savait pas si elle devait le frapper ou le remercier, mais une chose était certaine : il avait fait ça par pure gentillesse.

Elle poussa la porte et entra dans le café. Colin Maguire se leva et lui fit face.

Elle se dirigea vers lui en espérant, presque en priant, qu'il lui pardonne.

Remerciements

Merci…
Ma précieuse famille : David, Robin et Sonny.
Merci…
Bertie, Mimmie, Terry, Georgina, Nicky, Rocco et Jay, Neil et Breda.
Mon agent, Marianne Gunn O'Connor.
Lynne Drew, Thalia Suzuma, Kate Elton, Belinda Budge, Victoria Barnsley, Lucy Upton, Louise Swannell, Liz Dawson, Moira Reilly, Tony Purdue et la formidable équipe de HarperCollins dans le monde.
Vicki Satlow et Pat Lynch.
Tous les libraires qui ont soutenu mes romans et tous les lecteurs qui m'ont accueillie dans leurs vies. C'est un honneur dont je vous serai éternellement reconnaissante, et j'espère vous avoir à la fois émus et distraits.

Achevé d'imprimer en mai 2018
Par CPI France
N° d'impression : 3028498
Dépôt légal : juin 2018
Imprimé en France
81123225-1